DU MÊME AUTEUR

THIERRY MAULNIER, *biographie*, Julliard, 1994.

SALUT À KLÉBER HAEDENS, *essai*, Grasset, 1996.

HONORÉ D'ESTIENNE D'ORVES, UN HÉROS FRANÇAIS, *biographie*, Perrin, 2001.

NOTRE HISTOIRE, *conversation entre Hélie de Saint-Marc et August von Kageneck*, Perrin-Les Arènes, 2002.

DES HOMMES IRRÉGULIERS, *essai*, Perrin, 2006.

L'ARTICLE DE LA MORT, *roman*, Gallimard, 2009.

LA ROUTE DU SALUT

ÉTIENNE DE MONTETY

LA ROUTE
DU SALUT

roman

GALLIMARD

À mon père.

Contre la plèbe, je conduis mon coursier au combat, en m'élançant vers lui,
Ô Seigneur fais que mon trépas survienne, non pas sur un catafalque aux vertes broderies,
Mais que ma tombe soit la panse d'un vautour charognard faisant la sieste, haut perché.
Que je meure en martyr au sein d'une escouade tremblante, attaqué au creux d'un défilé.
Tel un des preux de Chaybane unis par la crainte de Dieu lorsqu'ils mènent l'assaut,
S'ils quittent le monde, ils quitteront le mal, pour rencontrer ce que le Coran a promis.

AL TIRRIMAH

Notre héros avait bien senti qu'il se jetait dans une action qui, pendant toute sa vie, pourrait être pour lui un sujet de reproches ou du moins d'imputations calomnieuses.

STENDHAL

Les moteurs dégageaient une forte odeur de gas-oil. Devant la gare routière où d'ordinaire stationnaient les autocars de la Transmont, une dizaine de camions, des Skania, des Mercedes venus d'Allemagne, des Tam sortis des usines de Maribor, manœuvraient dans la poussière. Ils étaient chargés de gros fûts d'arbres qu'ils allaient convoyer jusqu'à Split ou Rijeka. Si tout se passait bien, Inch Allah, ils reviendraient avec un chargement de nourriture et de médicaments. Mais quand? Dans une semaine? Dans un mois?

À une terrasse de bar, les chauffeurs prenaient un dernier café et, comme un rituel, versaient du sucre en abondance dans le djezva, un petit pot de cuivre qui contenait un épais breuvage. Parmi eux se trouvait Husejin. Avant la guerre, Husejin était forestier dans les massifs qui dominent le village, au cœur de la Bosnie. C'était un fort gaillard avec un visage percé de petits yeux rieurs. On disait qu'à la ferme de ses parents, il soulevait les charrettes à main nue quand il fallait changer une roue. Ses mains calleuses en avaient empoigné, des volants pour conduire les camions chargés de bois. Il s'acquittait de sa tâche sans un mot mais ses yeux semblaient signifier qu'il s'amusait de tout. Il connaissait comme sa poche chaque chemin, chaque nouvelle clairière formée par les coupes. Il ne comptait plus les allées et venues quotidiennes, à convoyer les hommes et le bois.

La guerre avait tout changé. Les Serbes étaient aux portes de la ville. Ils avaient même envoyé quelques obus sur les premières maisons du faubourg. Ils avaient touché une bâtisse en bois peinte en rose, avec une balustrade blanche, entourée d'un vaste parking. L'enseigne indiquait « diskoteka », mais toute la ville savait que c'est là que les soldats trouvaient de l'alcool et des filles. Sa destruction avait ému certains hommes, fait sourire d'autres et contenté les épouses. Il fut tout de même décidé une offensive pour repousser les Serbes et mettre la ville hors de portée de leurs mortiers.

Les tchetniks tenaient la route qui menait à Sarajevo. Husejin avait donc retrouvé le chemin de la montagne, celui que les Bosniaques empruntaient depuis la nuit des temps pour échapper aux contrôles des Turcs ou des troupes allemandes. Des sentiers de contrebandiers, jamais mentionnés sur les cartes. Ils partaient des faubourgs de la ville, invitant à d'innocentes promenades. Ils traversaient la rivière, la Drinjaca, sur un pont en bois, fait de traverses de chemins de fer, se glissaient parfois entre deux pans de montagne, et montaient, montaient toujours vers le sommet. Les hommes avaient passé des journées entières à les rendre carrossables. Par cette piste, on évitait les routes et les barrages. Aux enfants qui demandaient où elle menait, on répondait qu'elle allait jusqu'à la mer. Elle permettait de gagner la Croatie. Le grand-père d'Husejin l'avait empruntée avant lui, pour échapper aux Allemands, et il l'avait souvent emmené en balade, quand il était gamin. « Si tu hésites entre deux chemins, prends le plus escarpé, celui qui monte, c'est le bon », lui répétait-il.

Husejin y songeait chaque fois qu'il empruntait le chemin pierreux et malcommode, qui prenait à la sortie de la ville. À cet endroit, il ne dépassait pas les quinze à l'heure, n'en finissait pas de rétrograder et la boîte de vitesses souffrait. L'hiver, les roues patinaient, creusant de larges ornières qu'il faudrait combler l'été suivant. La route était raide. Elle menait à Milankovici. Sur le bord du chemin stationnaient les gros LKT, les tracteurs forestiers, les seuls capables de tirer les camions embourbés.

Le checkpoint de Milankovici était tenu par les soldats de la Forpronu, qui vérifiaient les feuilles de mission avec décontraction et bonne humeur. L'hiver, quand la voie était impraticable, ils prêtaient main-forte aux routiers pour hisser les camions au sommet de la pente. Husejin se souvenait de ce Casque bleu qui, venant de harnacher un camion à son énorme engin blindé, brandissait une hache en criant au chauffeur : « Si tu m'entraînes dans la pente, tchac ! Je coupe la corde ! »

À cet endroit, la route était si escarpée que les véhicules progressaient au pas d'un homme. Les camions fumaient, les pneus gémissaient. Quand ils revenaient de Split, chargés de palettes de nourriture ou de médicaments, montant la piste avec peine, ils étaient pris d'assaut par les jeunes du village. Juchés sur les arbres, ceux-ci attendaient les véhicules, et choisissaient souvent le dernier. Ils sautaient sur la plate-forme, arrachaient les bâches et jetaient à la va-vite la marchandise dans les fossés. C'était leur façon de percevoir un droit de péage. Lors de son dernier convoi, Husejin avait entendu leurs cris de joie quand ils avaient ouvert les cartons. Des emballages éventrés sortait une gelée rouge en sachets : « Djem ! Djem ! » De la confiture ? Les petits cons ! C'était du plasma pour l'hôpital de Tuzla.

Près de Visoko, un obstacle s'élevait sur la route. Non pas des congères, non pas un rocher tombé au beau milieu. Les Serbes. À certains endroits, la ligne qu'ils tenaient était à moins de cinq cents mètres de la route. Quand ça leur prenait, ils ouvraient le feu sur les camions, sans sommation. Juste pour le carton. Le mois dernier, un chauffeur avait été tué d'une balle. Depuis, les routiers étaient obligés de traverser cette portion de route à la nuit tombée, tous feux éteints, ou alors au petit matin, quand le brouillard empêchait les assaillants de tirer.

D'autres péripéties attendaient les chauffeurs. Quelques semaines plus tôt, à Novi Travnik, un convoi avait été attaqué par des femmes de la ville. Elles avaient arrêté les camions aux cris de « Tout le monde a besoin de nourriture ! ». Pourquoi les vivres et les médicaments allaient forcément à Tuzla ? Fallait-il habiter dans une enclave pour être secouru ? Les chauffeurs avaient pris leur attitude avec désinvolture : un caprice féminin ; ça leur passerait. Ils avaient tort. La situation était sérieuse. Craignant pour la vie de leurs enfants, celles-ci étaient devenues des louves, prêtes à tout. Elles s'étaient emparées de manches de pioche, de fourches, de pelles, et avaient molesté les conducteurs, avant d'entreprendre le pillage des camions. L'affaire avait été connue parce que des journalistes occidentaux se trouvaient dans le convoi ; certains avaient été frappés.

Aux checkpoints contrôlés par l'armée croate, on perdait forcément du temps. Des heures à détailler la feuille de route, les papiers du véhicule, à vérifier l'identité des

chauffeurs, inspecter le chargement. « Déchargez »,
« rechargez ». Si le chef de poste avait mal dormi, s'il était
pris de migraine, ou s'il était contrarié par la défaite de
son club de foot fétiche, il pouvait immobiliser le convoi
pendant une journée. Les protestations des chauffeurs n'y
faisaient rien. Husejin se souvenait de l'un d'eux, un petit
homme au teint jaune dans son uniforme de factionnaire
zélé. Il l'aurait volontiers écrasé entre deux troncs d'arbre :
l'idiot refusait de lui délivrer le précieux tampon qui lui
aurait permis de repartir. Il avait été déjeuner, laissant à
son adjoint le soin de répondre comme une machine :
« Plus tard. » Husejin avait perdu la petite lueur d'amuse-
ment qui d'habitude dansait au fond de ses yeux. Pour se
calmer, il était sorti du bureau fumer une cigarette. À la
première bouffée, il avait senti la fumée âcre descendre
dans sa gorge ; déjà il était mieux. Il était remonté dans sa
cabine, avait allumé son autoradio, mis une cassette de son
groupe rock préféré, en attendant que l'homme au visage
de cire revienne. La patience est la vertu du croyant. Mais
Husejin était énervé. « Bacilaje sve niz rijeku », « Elle a tout
jeté dans la rivière »... chantait Davorin Popovic, le leader
d'Indexi...

Quand il reprendrait la route, Husejin emprunterait la
rare partie du parcours qui se faisait sur une route gou-
dronnée. Le long de la Neretva, aucun sniper serbe,
aucun barrage croate, aucun pillage n'était à craindre.
Du vrai tourisme. Il pourrait s'arrêter dans un village,
peut-être même prendre un repas. Ça le changerait des
conserves. Ensuite, il faudrait contourner Mostar, en
empruntant des chemins de montagne, enneigés l'hiver,
mais en cette saison dégagés ; la route était même superbe,
taillée le long de parois rocheuses sur lesquelles le vent

avait dessiné de longs traits horizontaux. Husejin se disait que ces paysages ressemblaient à ceux des westerns qu'il voyait à la télévision lorsqu'il était enfant. Des canyons, des cours d'eau, du soleil éblouissant sur la roche blanche. Où étaient les Indiens ?

Pourquoi fallait-il alors que les soldats du checkpoint de Ljubuski fussent les plus tatillons ? La fin du chemin était en vue, la côte dalmate toute proche et les nerfs des chauffeurs à vif. Un jour, alors qu'un soldat lui répétait pour la dixième fois : « Plus tard », sans jeter ne serait-ce qu'un œil sur le document qu'il lui tendait, Emir, l'homme tranquille du convoi, celui qui prenait tout avec flegme, Emir lui avait lancé son poing dans la figure ; comme ça, sans crier gare ; pour se défouler. Des soldats étaient accourus pour protéger leur camarade ; ils s'étaient jetés sur Emir, le rossant avec la crosse de leurs fusils. Les chauffeurs avaient formé un cercle pour protéger leur collègue. Les coups avaient plu, et les insultes. On parlait la même langue, on connaissait les mêmes jurons, on mettait en cause l'honneur des mères, des pères, des sœurs, avec de la hargne dans la voix.

Et puis Husejin reprenait la route. En Herzégovine, la route sentait les fleurs de tamarin, les fruits gorgés de sucre et le thym. Soudain ce pays revendiquait sa parenté avec la Méditerranée. La guerre était loin, derrière la montagne. C'était à peine croyable. Quand Husejin reviendrait-il sur la place de son village, plantée de saules pleureurs ? Après combien de pannes, de vexations, de tronçons rendus impraticables par une météo exécrable ? Dans un mois, dans trois mois ?

Il pensait à Selma et à Ediba, sa mère et sa sœur. Depuis la mort du père, c'est lui qui veillait sur elles. Selma avait connu l'autre guerre, l'occupation allemande, les privations, les arrestations et, depuis le début de la guerre contre les Serbes, elle endurait tout sans une plainte. Une seule fois, il l'avait vue pleurer. C'était pendant la période où la guerre contre les Croates avait entraîné la fermeture de la route. Pendant des semaines, la Bosnie avait souffert de la faim, à en crever. Dans les villages, on se nourrissait d'une maigre soupe à l'oseille et de pain de laitue. Quand la paix était revenue, Husejin l'avait remarqué à un détail : devant chez Selma, flottait à nouveau une douce odeur de cuisine, de viande qui mijote et de pain chaud : la vie avait repris.

Selma et Ediba ne se plaignaient pas. Husejin se disait que, quand la guerre serait finie, il partirait avec elles. En Allemagne, en France, en Italie, qu'importe ; quelque part où elles puissent vivre en paix. Ediba se marierait. Selma vieillirait entourée de petits-enfants. Ce serait le bonheur. Tiens, un mot qu'on n'utilisait plus guère en Bosnie.

Mais en attendant, il fallait aller au bout, jusqu'à Split, jusqu'à la mer. Il fallait vaincre cette piste, qui serpentait dans le pays, entre les embûches créées par les hommes et les obstacles de la nature, et reliait tant bien que mal la Bosnie au reste du monde ; cette piste que les organisations internationales avaient baptisée « la route Diamant ». On trouve parfois cette mention sur les cartes de l'époque, dans les rapports et les reportages. Mais les habitants de Kladanj, Olovo, Srebrenica, Tuzla ne l'appelaient que « Put Spasa » : la route du salut.

PREMIÈRE PARTIE

Chaque année, à l'université de Paris X, avait lieu l'élection de « Miss et Mister Fac ». Le principe était simple. Des étudiants se produisaient sur scène. Chansons, sketches, danses, tout était permis, à condition de divertir. Deux vainqueurs étaient désignés par un jury, une fille et un garçon. Chacun gagnait un billet pour partir au soleil. « Ensemble ou séparément », précisait l'animateur, avec un clin d'œil appuyé. Les gagnants tiraient de leur prestation une popularité incomparable auprès des autres étudiants, mais aussi des professeurs.

L'idée de « Miss et Mister Fac » était née dans la tête d'un élu du syndicat étudiant EDMT. Traduire : « En droit mais de travers. » EDMT avait été créé quelques années plus tôt pour sortir de l'alternative UNI-UNEF. Pour échapper à l'idéologie et à l'esprit de sérieux qui animaient les autres organisations. À cet égard, les slogans d'EDMT rassuraient sur les intentions de ses membres : « On n'a pas toutes nos facultés », « Ni gauche, ni droite, Nivea ».

Au début, aucun étudiant n'avait prêté attention à EDMT : des rigolos. Avant qu'on ne s'avise que cette association était en passe de démoder les syndicats traditionnels. Forcément, ceux-ci ne parlaient que d'augmentation de droits d'inscription, d'allègement des horaires, de menus de restau U. On ne plaisantait pas avec ces choses-là. De leur côté, chaque semaine, les membres d'EDMT constituaient une revue de presse, placardée sur un panneau à l'entrée du bâtiment de droit, où l'actualité du moment était caricaturée avec un humour féroce. Leur feuille de chou avait pour titre *Le Lynx à tif*. Ils ne respectaient rien. Sur le panneau de droite, l'UNI critiquait le gouvernement socialiste et sa politique à l'égard des étudiants ; sur celui de gauche, l'UNEF le défendait ; chacun usait d'arguments tirés de son propre corpus intellectuel. Marx ou Aron, Maurras ou Mao, qu'importe. En ces années-là, à Paris X, les intellectuels de référence se nommaient Pierre Bourdieu et Raymond Boudon. Bourdieu avait l'avantage. *Libé* disait que c'était le nouveau Sartre.

Malheureusement, il faut le dire, les jolies étudiantes qui venaient de Saint-Germain-en-Laye et du Vésinet par le RER se fichaient bien de choisir entre Bourdieu et Boudon, entre Alain Savary, Alain Devaquet, Lionel Jospin. Elles s'en tenaient aux cours. Et pour tout programme politique, arboraient sur leur pull à col rond aux couleurs pastel la main jaune de SOS Racisme. Sur la chemise où elles conservaient les cours, il n'était pas rare de trouver un autocollant contre la faim en Éthiopie. Dès qu'on les interpellait pour qu'elles adhèrent, se mobilisent, manifestent, elles baissaient les yeux en disant : « Moi, je ne fais pas de politique »...

À l'élection de « Miss et Mister Fac », en revanche, elles étaient au premier rang. Certaines acceptaient même de faire partie du groupe des « pom-pom girls » qui égayait le spectacle, entre les numéros, en agitant des ballons et en lançant des confettis.

Karine savait tout du programme. Elle était membre du bureau d'EDMT. Stéphane Birambon lui avait confié qu'il préparait « un gros truc ». Elisabeth et Florence se produiraient en duo, mais maintenaient le mystère. Caroline, luttant contre son trac, s'était décidée : elle avait annoncé qu'elle ferait un numéro de flamenco. Ça lui valait déjà la faveur des garçons. En la matière, Caroline Lefèvre savait y faire. Hassan, lui, avait gardé le secret sur sa prestation. Avec son œil de velours et son air enjôleur, Hassan Ould Ahmed était le chouchou des filles. Elles l'appelaient leur « prince oriental ». Forcément. À midi au restau U, il se levait, portait leur plateau, leur faisait des compliments, avec des expressions désuètes et charmantes. Quand il riait, il découvrait une superbe dentition. Toute la journée, comme d'autres fumaient, Hassan mâchait un bâtonnet de siwak, qui lui blanchissait les dents. Son sourire désarmait le plus obtus de ses interlocuteurs et charmait les étudiantes.

Pour Hassan, la vie se partageait en deux : il y avait ce qui était « cool » et ce qui n'était « pas cool ». « Cool » l'arrivée précoce du printemps qui permettait de réviser sur les pelouses. « Cool » l'absence du prof de droit commercial qui libérait une après-midi à quelques jours des examens. « Pas cool » les grèves de bus ou la pénurie de sandwichs à 13 h 50 à la cafète. « Pas cool » le gobelet de café renversé sur son cours.

« Miss et Mister Fac » ? « Cool », évidemment, et même « hyper cool ». Dix jours plus tôt, Hassan avait annoncé à ses amis son intention de concourir. Un hourra avait salué sa candidature.

Le jour venu, à midi, l'amphi était noir de monde. Gloria Gaynor hurlait « I will survive »... « I've got all my life to live, I've got all my love to give... », refrain repris en chœur par la salle. Il y régnait une ambiance bon enfant. On s'interpellait. On se frayait un passage dans la foule pour rejoindre un groupe.

Que faisait Joss Moskowski à l'élection de « Miss et Mister Fac » ? Ce n'était tellement pas son genre. C'est Karine qui l'avait entraîné, alors qu'il s'apprêtait à sortir fumer une cigarette. Elle l'avait pris par la manche, « Allez, viens », et il l'avait suivie, par curiosité et aussi parce qu'il aimait bien être avec elle.

Le spectacle ne commençait pas. On était déjà en retard sur l'horaire. Le public s'impatientait, battant des pieds. Certains avaient cours dans une heure. Enfin la musique se tut, l'obscurité se fit et un garçon en costume blanc entra sur scène en hurlant : « Salut peuple aimé ! » Une ovation l'accueillit. C'était l'animateur d'EDMT — « le président à vie » comme on disait à l'association. Il fit quelques plaisanteries sous les rires et les sifflets, et lança le premier numéro.

Dans le rabbin replet, chapeau noir sur la tête et barbe postiche, difficile de reconnaître Stéphane Birambon. Où était passé l'élégant jeune homme qui se donnait déjà des airs de juriste international ? Fondu dans un personnage bedonnant tenant de Rabbi Jacob et Popeck. Prenant l'accent yiddish, Stéphane se lança dans le récit de classiques de l'humour juif ; Rachel éplorée courant sur la plage : « Y a mon fils avocat qui est en train de se noyer » ; ou celle

26

de Moshé confiant : « Cette montre, j'y tiens plus que tout. C'est mon grand-père qui me l'a vendue sur son lit de mort. » La salle s'esclaffait, surtout quand Stéphane mêlait aux blagues des allusions à la vie étudiante, singeant tel tic d'un professeur, évoquant le dada de tel autre. Tout en parlant, il feuilletait un volume du Dalloz comme si c'était la Torah, enchaînant les histoires : « Samuel, après la fac, tu as voulu faire Sciences Po et tu as fait Sciences Po, tu as voulu présenter l'ENA et tu as intégré l'ENA. Tu as voulu faire l'INSEAD et tu as fait l'INSEAD. Maintenant, tu entres dans la vie active, et tu vas devoir faire un choix capital : tu choisis la confection hommes ou la confection femmes ? » Le public en redemandait et l'ovationna long-temps en scandant : « Sté-phane ! Sté-phane ! »

Caroline Lefèvre lui succéda, au son d'une musique rythmée. Des sifflets l'accueillirent. Elle portait une robe longue de danseuse, largement décolletée, et de longs pendentifs de couleur. Seule face à un public déchaîné et taquin, qui sifflait d'abondance, Caroline ne se démonta pas. Elle enchaînait les figures, tournoyait, s'avançait vers la salle en relevant sa jupe, sans jamais perdre la cadence endiablée. C'était gai, coloré. La salle battait des mains en criant : « Olé ! » Joss Moskowski, que le numéro de Birambon avait à peine déridé, s'en donnait à cœur joie. Il n'en perdait pas une miette et sifflait bruyamment, ses deux doigts dans la bouche. Karine lui donna un coup de coude dans les côtes. Ben quoi, une jolie fille lui mon-trait ses jambes, il en profitait. Quand Caroline salua en se penchant en avant, dévoilant une ravissante poitrine, ce fut l'émeute dans les premiers rangs. Elle fit un triomphe. Ça serait dur pour les autres candidats de rivaliser avec ce numéro de charme et de bonne humeur.

Un étudiant se mit au piano et chanta « Ma fac » sur l'air de « J'suis snob » de Boris Vian. « Ma fac, ma fac, y a des profs sympa, d'aut' qui saquent »... Après le flamenco, l'ambiance retomba. Le texte était ciselé, mais trop intello. Le public avait envie d'autre chose. Stéphane et Caroline l'avaient chauffé. Le sketch des Vamps imaginé par Élisabeth et Florence, deux étudiantes déguisées en petites vieilles indignes, et faisant la chronique de la vie universitaire, aida la salle à retrouver sa bonne humeur.

Soudain il y eut un mouvement de foule, une bousculade. Des portes s'ouvrirent. Il y eut des cris. Tout le monde comprit : les anars débarquaient. Une fois par an, comme un rituel, les militants de la fédération anarchiste faisaient irruption dans le bâtiment de droit aux cris de « Droit égale fascisme ». Ils lançaient des tracts appelant à la destruction du système capitaliste et de la démocratie parlementaire et inscrivaient quelques slogans sur les murs. Les militants de l'UNI allaient à leur rencontre et une bagarre s'ensuivait. Les coups pleuvaient de part et d'autre, des vêtements étaient déchirés, des lunettes cassées. Rarement plus. Une seule fois, l'affrontement avait dégénéré. On en parlait encore. Acculés à un chantier, pataugeant dans la boue, les anars avaient contre-attaqué au moyen d'outils trouvés sur place. Le sang avait coulé. Depuis, certains étudiants portaient une cicatrice sur la tempe, souvenir du coup de pelle ou de barre qui leur avait été asséné. Cette marque leur valait un regard de considération voire d'attendrissement de la part des filles qui fréquentaient le local de l'UNI. Cette année, la fédération anarchiste, section Paris X, avait décidé de venir perturber « Miss et Mister Fac ».

L'animateur ne se démonta pas.

« Nous saluons l'arrivée de nos amis anarchistes. Grâce

à eux, le spectacle est aussi dans la salle. Doucement, messieurs. Laissez le jury apprécier... »

L'assistance sifflait, huait les perturbateurs. Venir gâcher la fête, quelle erreur. La politique les rendait idiots. La bousculade s'estompa. Les anars étaient repoussés hors de la salle par le service d'ordre. Les cris cessèrent et les portes se refermèrent. Joss Moskowski avait suivi des yeux les étudiants qui refoulaient les intrus. Pourquoi se battre? Pour des idées? Bah! Mieux valait encore soutenir une équipe de football. Au moins la cause est-elle concrète. Ou un groupe de rock. Si l'on est fan de hard, pensait-il, ou comme lui de Johnny Rotten, ou de Bernie Bonvoisin, il est normal qu'on ne supporte pas les minets new wave, amateurs de Duran Duran, et qu'on en bute un de temps en temps. Mais pour le reste...

« Et maintenant, place au prochain numéro. »

Hassan Ould Ahmed parut. Costume blanc, Ray-Ban, cheveux gominés, micro à la main façon crooner, sourire de tombeur « sponsorisé par Colgate » comme disait Karine. « La classe! » souffla-t-elle à Moskowski quand leur ami entra en scène sous les vivats. L'animateur l'annonça avec d'autant plus de chaleur qu'il fallait faire oublier l'incident. Quelques accords de musique se firent entendre, le silence tomba et le jeune homme commença d'une voix qu'il s'attachait à rendre excessivement sensuelle : « Je n'ai pas changé... » Un long hurlement monta de la salle, comme si Julio Iglesias venait de paraître. Hassan semblait caresser le micro des lèvres, imitant le chanteur à la perfection.

« Passe-moi ton Zippo », dit Karine à Joss. Elle l'alluma d'un geste sec sur son jean et le brandit à bout de bras.

Bientôt des dizaines de petites flammes vacillantes surgirent dans l'obscurité. Hassan jouait avec le fil de son micro, qu'il passait langoureusement entre ses jambes, roucoulant, lançant des œillades à la salle : « Mais toi non plus, tu n'as pas changé, toujours le même parfum léger, toujours le même petit sourire, qui en dit long sans jamais le dire. »

La salle chaloupait au rythme de la voix d'Hassan, qui l'entraînait dans un slow. « Je suis toujours l'étudiant étranger/qui t'empruntait ton Dalloz/pour que la vie soit plus rose/et te le rendait jamais.

Mais toi non plus tu n'as pas changé,/tu m'as pas rendu le polycopié,/le cours de civil que j't'avais prêté./Au partiel, moi je vais sécher... »

Cinq minutes plus tard, les étudiants scandaient longuement son prénom. Quand le jury se retira pour délibérer, la voix de Freddy Mercury se déchaîna dans l'amphi : « We are the champions. »

Sans surprise, Caroline et Hassan furent déclarés vainqueurs. Leur récompense : un séjour d'une semaine à la Martinique. Au micro, Hassan n'eut qu'un mot : « C'est cool. »

Moskowski retrouva Karine à la cafétéria.

« Tu devrais participer, une année..., esquissa-t-elle, l'air taquin.

— T'es pas bien, non ? »

Karine éclata de rire. C'était une jolie brune aux yeux bleus, habillée avec un soin un peu classique : veste autrichienne, foulard aux couleurs douces, jupe droite, ballerines à talons plats. Rien à voir avec Joss Moskowski.

Lui avait tout du bad boy londonien : de noir vêtu, avec une coiffure à la Robert Smith, le chanteur des Cure : des mèches blondes folles maintenues par du gel ; « arachnéenne » disait *Rock & Folk.*

Son genre destroy n'intimidait pas Karine. Il l'avait observée pendant tout le spectacle. Elle était bon public, avait ri aux sketches de Stéphane Birambon, hué ses blagues misogynes sur les mères juives. Pendant qu'Hassan chantait, elle avait tenu un briquet de Joss à bout de bras et, prenant ses voisins par l'épaule, s'était balancée à leurs côtés. Le problème de Moskowski était le suivant : que pensait vraiment Karine de lui ? Simple copain de fac ? Plus ?

C'est au premier TD de l'année, celui de droit constitutionnel, qu'il avait fait sa connaissance. Une fille s'était assise à côté de lui, qu'il n'avait même pas regardée. Deux minutes après, elle lui demandait une cigarette, puis du feu, puis les notes prises au cours précédent, jusqu'à ce que Joss, agacé par son culot, lui réponde d'un ton rogue : « Ce sera tout? », comme l'aurait fait un commerçant. Karine était partie d'un grand rire. Il avait eu l'impression qu'un courant d'air frais entrait dans la pièce. Depuis ce jour, lorsqu'il allait suivre un cours dans un amphi, il cherchait toujours la jolie nuque brune de la jeune fille.

Karine paraissait s'amuser partout; elle plaisantait avec le serveur du restau U, tenait tête au chargé de TD. Indifférente à l'air fermé de Joss, elle le rejoignait dans la file de la cafétéria, lui prenait des mains son walkman, en disant : « Je peux? » sans attendre sa réponse. Avec elle, le punk se faisait doux comme un agneau. Il n'en revenait pas de ses yeux bleus. Il avait connu des filles au lycée qui s'étaient entichées de son air sauvage et de ses manières brutales. Karine semblait détenir autre chose, par quoi justement Joss se sentait attiré.

À les voir inséparables, les étudiants pouvaient penser qu'ils sortaient ensemble, comme on disait en ces années-là. Pourtant Moskowski savait bien ce qu'il en était. Un jour il avait voulu inviter Karine au cinéma à Paris après la fac. Elle avait décliné par une boutade. Une autre fois, il lui avait proposé de venir dans sa chambre de la cité U, au fond du campus, juste comme ça, en copain, pour écouter de la musique; nouveau refus. Une pirouette, une œillade, une plaisanterie, et pftt. Elle avait toujours quelque chose de mieux : retrouver des amis, faire des courses à Paris, accompagner sa grand-mère au théâtre. Mais pour elle, il persistait, faisait comme si. Non sans un pincement.

Chaque vendredi soir, Joss Moskowski rentrait chez ses parents, à Troyes, par le train de 19 h 56. Il connaissait par cœur la gare : son père y travaillait. Le fascinaient les voies qui partent vers l'infini.

Enfant, quand il rentrait de l'école, il ne manquait jamais de s'arrêter sur le pont qui enjambe les voies, et relie Troyes à Sainte-Savine. Il regardait en contrebas les trains Corail arrivant de Paris ou de Bâle qui freinaient dans un grand vacarme, dans une forte odeur de métal chauffé, avant de s'immobiliser. Une voix indistincte annonçait dans un haut-parleur qu'on était à Troyes-deux-minutes-d'arrêt. Les premiers voyageurs sortaient sur la place devant le boulevard Victor-Hugo ou, par un escalier qui longeait la gare, gagnaient le pont. À l'époque le petit Joss ne prenait jamais le train, il se contentait de regarder les voies, et de rêver en remontant la rue Voltaire.

Pour un bambin de dix ans, Culmont-Chalindrey était un nom magique. Il y avait les trains qui s'arrêtaient à Culmont-Chalindrey et ceux qui ne s'y arrêtaient pas. Ça changeait tout. Pour Joss Moskowski, Culmont-Chalindrey était une ville d'une importance considérable, l'égale de

Paris, Lyon ou Marseille. Ses notions de géographie étaient forgées par la SNCF. Les Aubrais étaient plus importants qu'Orléans et Tours le cédait à Saint-Pierre-des-Corps puisque c'était deux nœuds ferroviaires de premier ordre.

Pour s'initier à cette géographie, il fallait que Joss ouvre l'indicateur que son père, Jan, possédait dans son bureau. Un gros cahier violet, dont la couverture portait la mention solennelle « indicateur officiel de la SNCF », et qui était pour l'enfant tout à la fois *Les Mille et Une Nuits* et *L'Odyssée* ; et le Code civil. L'indicateur invitait au voyage, mais d'abord il disait le vrai. Annonçait-il l'arrivée du train de 17 h 45 en direction de Bâle ? À l'heure dite, un grondement attestait qu'il avait raison : le Paris-Bâle entrait, faisant vibrer la verrière, et son père sortait du bureau en empoignant sa casquette et son drapeau. Le petit Joss avait lu qu'à Culmont-Chalindrey on pouvait prendre le train pour Nice. Il chérissait un nom qui pouvait le conduire jusqu'à la mer Méditerranée.

Son enfance avait eu pour cadre la rue des Noës, artère sinueuse de Sainte-Savine, une commune limitrophe de Troyes. La rue des Noës était constituée de pavillons de brique qu'habitaient d'anciens employés du chemin de fer. Comme dans les rues avoisinantes, rue du Maroc, rue de la Liberté, on respirait le calme et la glycine. Les habitants se parlaient de jardin à jardin, s'interpellant de part et d'autre de la chaussée. La voisine des Moskowski s'appelait Mme Duprat. Elle vivait à sa grille, faisant la conversation aux passants. « Mâme Duprat », comme on disait dans la rue, n'aimait pas faire la cuisine. « Ça me fait du sale », prétendait-elle. Elle cuisinait donc au fond de son jardin dans une remise équipée avec une gazinière et une hotte, et faisait des allées et venues avec sa maison. Apercevait-elle un passant, elle l'interpellait et engageait une discussion, au point d'oublier le plat qu'elle tenait à la main ; jusqu'à ce que la voix bourrue de son mari, le père Duprat, la ramène à la réalité. « Mon homme a les crocs », lançait-elle à son interlocuteur qui la voyait alors trottiner en se dandinant et en criant « J'arrive ! » avec des mines de petite fille farceuse.

Le quartier, résidentiel et paisible, comptait encore des petits hôtels, qui proposaient des chambres et un repas à prix modique. Il y en avait un, rue des Noës, qui faisait l'angle avec la rue Lavoisier. C'était un vestige du temps où Troyes accueillait les anciens détenus qui sortaient de la centrale de Clairvaux. Interdits de séjour à Paris, ils élisaient domicile à Troyes, qui était à une heure et demie de la capitale. On les appelait les tricards. En ville, on ne les aimait guère. Ces hommes s'installaient non loin de la gare, et faisaient venir par le train de Paris leurs filles et leurs anciens complices. Ils reprenaient leurs trafics, donnaient des ordres, et montaient des coups, pour se refaire. Quand une bagarre éclatait dans un bar du centre, il n'était pas rare que l'un d'eux fût impliqué. Parfois une fusillade laissait un blessé ou un mort sur le pavé troyen, nourrissant de nouvelles histoires au sujet des tricards, dans le quartier des Noës.

À en croire certains, au lendemain de la guerre, il s'en était passé de belles. Mme Duprat, qui y avait vécu enfant, assurait que « le Lavoisier » avait longtemps hébergé un ancien soldat français de la SS. Comment savait-elle tout ça ? C'était, assurait-elle, un titi parisien, enrôlé en 43, et qui avait combattu à Berlin, avant d'être fait prisonnier par les Russes et livré aux autorités françaises. Quinze ans à Clairvaux et quelques années rue des Noës. « Un bel

homme, assurait-elle, avec des manières. Et de ces yeux… »
Ce qu'il était devenu ? « Demande à la mère Ferrand, l'ancienne patronne du "Lavoisier". Ils ne s'en faisaient pas,
ces deux-là. » Cette image poursuivait le petit Moskowski :
Troyes était une ville de mauvais garçons, au passé sulfureux et romanesque.

Ce n'était pas la prison, mais la fermeture des mines
en France qui avait conduit la famille Moskowski à Troyes.
Le grand-père, Andrej, était arrivé de Katowice dans les
années 30. Il avait trouvé du travail dans les mines de l'Artois et avait adhéré au parti communiste. Andrej avait pris
part aux grandes grèves de la Libération. Il était mort en
1981, sans assister à l'avènement de la gauche au pouvoir.
Pas de la sienne, celle de Mitterrand et Mauroy. Le vieux
Moskowski n'avait jamais pardonné au socialiste Jules
Moch d'avoir fait donner la troupe contre les grévistes.
Andrej et sa femme, Anna, avaient passé leur vie à militer. Pour rien au monde, ils n'auraient raté la réunion hebdomadaire de la cellule du Parti, avenue Anatole-France.
Les camarades y commentaient l'actualité au fil des ans, la
guerre d'Algérie, la CED, l'intervention en Hongrie, Mai
68, le Programme commun. D'autres soirs étaient consacrés à coller des affiches, à distribuer des tracts, et pour les
femmes à confectionner des sandwiches pour les hommes
qui rentreraient à l'aube. Le samedi matin, qu'il pleuve
ou qu'il gèle, c'était la vente de *L'Humanité,* place Jean-Jaurès, dans la bonne humeur, avant le petit vin blanc de
midi dans un bistro qui s'appelait la Cigogne.
Chez les Moskowski, la fin de l'été était synonyme de
« fête de l'Huma ». On en parlait trois mois avant. La section louait un car, départ à l'aube, avec une étape à Romilly

pour prendre les camarades ; Joss aimait cette ambiance, les copains qui se hélaient, les plaisanteries d'usage, la fraternité. Pour l'occasion, il s'habillait avec une casquette un peu trop grande pour lui, qu'il ne quittait pas de la journée, comme un vrai ouvrier. La chaleur du véhicule le faisait s'assoupir, sitôt quitté la ville. Il se réveillait à La Courneuve où les militants s'égayaient. Chacun passait la journée à déambuler dans les stands qui vantaient l'agriculture ukrainienne, les voitures tchèques et le soleil de Cuba. On parlait fort, on défendait sa région et son corps de métier. Le qualificatif de « Champagne pouilleuse » valait des sarcasmes aux Troyens qui avaient fort à faire pour répliquer. La discussion se terminait à la buvette autour d'une bière.

Joss venait à la fête de l'Huma pour les chanteurs. C'est là qu'il avait entendu pour la première fois le groupe Téléphone, mais aussi Catherine Ribeiro, Nina Hagen et Jacques Higelin. Quand Charles Trenet avait été programmé, ses grands-parents avaient été comblés. Le Parti ne pouvait pas leur faire plus beau cadeau. Ce n'était pas très communiste, Trenet, mais tellement poétique. Cette fois-là, Andrej et Anna avaient passé le trajet du retour à chantonner « Bonsoir, jolie madame ». Leur petit-fils trouvait ça ringard, mais n'avait pas osé le leur avouer. Il rêvait qu'un jour The Cure se produirait à La Courneuve.

À un stand, des gens dédicaçaient des livres dont les noms ne lui disaient rien. Claude Manceron, André Stil, René Andrieu, Patrick Besson. Il y avait aussi Louis Aragon. Lui, Joss le connaissait. Non qu'il sût le premier vers du poète (il avait longtemps cru que c'était un Espagnol), mais à cause du tube de Renaud : « J'déclare pas, avec Aragon, qu'le poète a toujours raison... » Joss revoyait un vieillard sur une estrade, qui ressemblait à une vieille femme grimaçante, coiffé d'un panama pour le protéger du soleil d'automne. *L'Huma* disait que c'était le plus grand écrivain français. On pouvait le croire? Le journal disait aussi que les athlètes soviétiques étaient les meilleurs du monde. Moskowski n'aurait pas pu citer un titre de livre d'Aragon. C'est plus tard qu'il apprendrait que les plus belles chansons de Jean Ferrat, dont son grand-père possédait les disques, avaient été adaptées de ses poèmes.

En fin d'après-midi, le discours de Georges Marchais clôturait la journée. Un verre à la main, on écoutait debout le premier secrétaire qui parlait des travailleurs, du patronat, des salaires et des congés payés, sous les applaudissements. C'était un peu long et confus, on ne comprenait pas tout, mais enfin... On ne se quittait pas sans avoir chanté *L'Internationale*, le poing levé. Quand des dizaines de milliers de voix entonnaient « C'est la lutte... », Joss frissonnait proprement, mû par une force étrange. À ce moment-là, il avait envie de se mettre en marche.

Le père de Joss, Jan Moskowski, n'avait pas voulu travailler à la mine comme Andrej. De toute façon, quand il avait eu seize ans, la mine n'embauchait plus comme trente ans plus tôt. Il était donc entré à la SNCF qui l'avait affecté à la gare de Troyes. Bientôt, il s'était mis à fréquenter. Lydie arrivait d'une ferme des environs de Brienne-le-Château; elle avait délaissé les vaches et le tracteur de son père pour gagner la ville et travailler dans la bonneterie. Établissements Cattenot. Elle était la première personne de sa famille à habiter en ville.

Dans les années 70, la bonneterie connut de grands bouleversements. La concurrence des pays asiatiques conduisait les marques à mécaniser de plus en plus pour gagner en productivité. L'avenir n'était pas aussi rose que la layette qui sortait des usines. Les premières grèves éclatèrent. C'était un peu avant la mort d'Andrej, qui voyait là la justification de son engagement politique de toujours : le capitalisme portait en lui les germes de sa propre crise. Joss se souvenait de sa mère, à l'époque. La jolie Lydie portait alors un col roulé blanc, un pantalon évasé en bas et une casquette de cuir sur ses cheveux blonds ; elle parlait en fermant les a et les o ; elle disait « gore » pour « gare », et « emplo » pour « emploi » : « De l'emplo à Tro, de l'emplo à Tro. »

« Cattenot vivra », était-il écrit sur la banderole qu'elle avait fabriquée dans la salle à manger familiale.

Lydie était allée jusqu'à Paris pour manifester devant le ministère avec les « DD », les « Valton » et les « Desgrez ». Les forces de l'ordre avaient à grand-peine canalisé ces bataillons de femmes souvent jeunes et décidées auxquels était venu prêter main-forte le service d'ordre de la CGT. De retour à Troyes, elle et ses collègues avaient été reçues par la direction, qui leur avait décrit le contexte économique mondial. Un homme au costume impeccable leur avait parlé d'un plan de reclassement. « Objectif 2000 », c'était son nom. Mais l'an 2000, ça leur paraissait loin, aux ouvrières de Cattenot. D'ici là, on leur proposait des formations, des emplois de remplacement dans d'autres secteurs à Auxerre, à Sens ou à Fontainebleau.

La fermeture de l'usine était intervenue au cœur de l'été. L'information avait fait sept minutes sur FR3 Champagne-Ardenne. Et quelques articles dans *L'Est Éclair* : « Cattenot, c'est fini. » À la rentrée de septembre, Lydie s'était inscrite à l'ANPE.

Un an plus tard, elle était embauchée au Monoprix de

la rue Émile-Zola, rayon vêtements et sous-vêtements. Elle prit rapidement du galon. Ses « chefs », comme elle disait, appréciaient son caractère volontaire. Dix ans plus tard, elle travaillait au Club des marques, une belle galerie commerciale de Pont-Sainte-Marie constituée de « magasins d'usine ». Elle dirigeait une boutique de pulls en cachemire et faisait ses affaires. « La qualité ça paie toujours », assurait-elle.

L'action syndicale, c'était fini. Désormais, Lydie s'occupait d'elle. Elle s'était inscrite à un club de gym qu'elle fréquentait assidûment — « sinon ça ne sert à rien ». Deux fois par semaine, abdos-fessiers, travail musculaire et cardio-training. Il s'agissait de sculpter sa silhouette. Les conversations avec les copines ne portaient plus sur les augmentations de salaire ou le maintien d'un poste mais sur les conseils minceur ou les idées beauté. Il fallait être tonique. Lydie lisait *Femme actuelle* et allait chez une coiffeuse qui proposait un service de manucure. Au printemps, elle prenait un forfait dans un institut pour des séances d'UV. Elle s'y rendait entre midi et deux heures pendant sa pause déjeuner. À quarante ans, Lydie était devenue très belle, arborant une mise soignée, élégamment vêtue. « Quand on est en contact avec la clientèle, c'est important », disait-elle avec le ton pincé qu'elle avait adopté depuis qu'elle était devenue responsable de sa boutique.

Un jour, à la sortie d'un cours, Joss avait invité Karine à déjeuner. La jeune fille avait décliné :
« Non, je vais à l'aumônerie.
— C'est quoi, ça, l'aumônerie ? »
C'était un bâtiment sans grâce, situé au fond du campus, derrière la cité U, qu'on ne remarquait pas, sinon par l'affiche punaisée sur la porte : un grand Christ les paumes ouvertes, avec ce slogan en auréole : « Il est vivant. » Cette affiche, on la voyait dans tous les bars de France. À l'occasion des fêtes chrétiennes, un mécène touché par la grâce louait des emplacements, entre deux publicités pour le Minitel rose : « 3615 Ulla », « 3615 Eva », « Il est vraiment ressuscité ». C'était curieux de voir de la religion ailleurs que dans les églises.

Joss suivit Karine dans une vaste pièce divisée en plusieurs espaces. Des flèches en bois guidaient le visiteur. À gauche, le « coin-bibliothèque » avec des tables et des chaises et des étagères de livres. À droite, le « coin-cuisine » avec un évier, une table en formica et une cruche en verre à moitié vide. Au fond, un peu isolé, le « coin-prière », meublé de tapis, de coussins et de sièges. Mos-

41

kowski remarqua une lampe rouge allumée. Un garçon et une fille se tenaient là, agenouillés, sans parler. Karine s'inclina, trempa ses doigts dans une coupelle, fit un signe de croix puis s'agenouilla, en glissant sous ses cuisses un petit banc de bois; elle sortit un livre de son sac et se plongea dedans, après avoir lancé un sourire à son ami. Joss se tenait en retrait. Il hésitait à rester près d'elle ou à se rabattre sur le coin-bibliothèque. Il trouverait bien, lui aussi, un bouquin à parcourir. Il découvrait un monde et en même temps retrouvait des sensations très anciennes.

Enfant, il lui était arrivé d'entrer dans une église de Troyes. D'abord mû par la curiosité, il avait été pris par le mélange de paix et de présence qui y flottait. À l'époque, ça l'avait impressionné : il s'en souvenait, dix ans plus tard. Aujourd'hui, ça le rendait nerveux. Quand il sentait qu'un silence s'installait, il allumait son walkman ou sa chaîne hi-fi dans sa chambre pour que la voix de Robert Smith, de Bono ou de Johnny Rotten envahisse l'espace. Heureusement, en cette fin de XXe siècle, on était rarement dans le calme. Le monde moderne fournissait le son. À la gare RER, dans les galeries du Club des marques, sur les places des villes les jours de marché, partout de la musique était diffusée. À la fac, c'était le brouhaha des étudiants qui tenait lieu de fond sonore. Le silence est la bête noire de l'homme moderne.

Il regardait Karine en prière. Elle avait les yeux mi-clos et la tête légèrement penchée. Au milieu des bougies elle avait vraiment l'air d'un tableau. Elle paraissait en conversation avec quelqu'un, d'ailleurs ses lèvres bougeaient légèrement. Joss était agacé. Il l'avait accompagnée pour être avec elle, et voilà qu'elle était loin. Elle n'avait pas un regard pour lui. Cette distance l'énervait. Il déambula, et du côté de la bibliothèque parcourut les étagères, en déchiffrant le titre des livres qui y étaient rangés : *Joie de vivre, joie de croire, Les Sermons d'un curé de Paris, Des jeunes y entrent, des fauves en sortent, Moi, Christiane F., prostituée et droguée, Nous autres gens des rues, Ce combat n'est pas le tien...* Il en prit un. *L'Espérance aux mains nues.* La couverture représentait un type aux cheveux longs, vêtu d'un blouson de cuir râpé. C'était l'auteur, un prêtre. Moskowski haussa les épaules. Avec ses airs de Léo Ferré, il faisait has been. Craignos. Il reposa le livre et feuilleta machinalement les magazines qui traînaient sur une table. Karine ne bougeait toujours pas.

« C'est pas possible, elle s'est endormie », maugréa-t-il entre ses dents.

La jeune fille ne semblait pas disposée à faire attention à lui.

Il essaya de s'intéresser aux revues. Il en feuilleta une, avant d'abandonner. Il sortit pour fumer une cigarette. Dehors il bruinait. Les lumières de la ville, de l'autre côté de la ligne de RER, s'allumaient déjà. Il entendit la voix de Karine.

« Tu veux déjeuner ici ? »

Au menu : salade de nouilles, fromage et fruits, le tout arrosé d'un cidre un peu éventé. C'était immangeable mais pour Karine, Moskowski aurait sauté un repas. Il s'assit en face d'elle, pour pouvoir la dévisager. Enfin, elle était là !

« C'est l'endroit de la fac où je me sens le mieux, lui dit-elle. Tu es croyant, Joss ?

— Non. Ma grand-mère l'était. La mère de ma mère. Mais je ne l'ai pas connue. Elle est morte renversée par une voiture en sortant de l'église de son village. Chez moi, ça n'a pas fait de la pub pour la religion...

— Je suis désolée. Mais, tu sais, la foi, ça rend quand même heureux des millions de gens. Regarde le pape, dans ses voyages, il est acclamé par des foules enthousiastes.

— J'ai assisté à un concert de Police. Le public aussi était en délire. Enthousiaste, comme tu dis. Les gens ont besoin d'admirer. Un empereur, un pape, une rock star, un joueur de foot.

— Tu oublies un détail : le pape ne se fait pas acclamer, il fait acclamer Celui au nom de qui il parle. »

Moskowski ricana.

« Tu crois que le public saisit la nuance ? Allez, c'est toujours le même "star system".

— Pas du tout : à la messe, c'est Jésus qu'on célèbre. »

Ses joues s'étaient empourprées. Ses yeux brillaient. Elle était à croquer. Joss sentit qu'il devait se taire. Mais il voulut prendre le dessus. Elle le menait depuis le jour où ils s'étaient connus. Il crut être en situation de supériorité, prit sa respiration et lâcha :

« Tu veux savoir ? Pour moi, le christianisme, c'est une religion de looser. Ton Jésus, il a fini sur une croix. Il me fait pas rêver...

— N'importe quoi. Il n'a pas "fini" sur la croix : il est ressuscité. L'Évangile le dit et des milliards de chrétiens le croient. Jésus c'est la victoire de l'amour. »

Moskowski eut un nouveau rictus et grinça :

« Les croisades, c'est de l'amour ? Et la conquête de l'Amérique ? Et c'est par amour que l'Église catholique...

— ... L'Église, c'est ma mère. Elle a des défauts, mais c'est ma mère. OK ? »

Le ton était monté. Joss ne voulait rien lâcher.

« La religion, pour les vieilles, comme les cheveux gris, les varices, le dentier et...

— T'as pas le droit de dire ça ! »

Karine avait presque crié. Joss s'en voulait déjà. Pourquoi lui avait-il dit tout ceci ? La religion, au fond, il s'en foutait bien. Karine pouvait venir dans cet endroit si ça lui chantait, s'agenouiller devant une affiche et des bougies et croire que Dieu était présent. Ce qu'il ne supportait pas, c'est qu'elle lui échappât. Il sentait un fossé entre eux, plus grand que leur différence de milieu, de goûts. Il se leva et quitta le bâtiment en bredouillant « à toute »...

Revenant vers les amphis, il laissa éclater sa colère : qu'elle aille se faire foutre, cette catho ! Elle était impossible. Et d'ailleurs qui était-elle vraiment ? Une allumeuse, une enfant sage ? La Karine de l'amphi provoquait, riait, chahutait. Celle qu'il venait de voir à l'aumônerie était différente : apaisée, comme soumise à une force invisible, supérieure. Cette Karine le déconcertait encore plus. Il n'était pas sûr d'en être amoureux.

Il mit son casque sur les oreilles, alluma son walkman et poussa le volume à fond : « Vae Victis ! » hurlait Bonvoisin. Rien à foutre de Karine. Il y avait des dizaines de filles qui ne feraient pas tant d'histoires pour sortir avec lui. Des filles pas compliquées, qui ne le tiendraient pas à distance sans raison. Qui ne lui feraient pas la leçon, avec leurs principes, leur religion.

Il fut de mauvaise humeur tout le reste de la journée. Et, les jours qui suivirent, garda le regard charbonneux, la voix agressive. Son walkman fut son seul compagnon.

Depuis le lycée, Moskowski était surnommé Mosko. Dans les classes n'avaient cours que les patronymes, à la rigueur les diminutifs. Seules les filles avaient le droit d'être appelées par leur prénom. Ses amis s'appelaient Hamon, Duclair, Chatel. Lequel d'entre eux savait que Moskowski se prénommait Joss? Tous formaient une bande, indissociable. Même depuis qu'ils avaient passé le bac, qu'ils étaient en fac, à Paris ou à Reims, ils étaient restés liés par des souvenirs, des blagues, des codes communs.

Cela faisait des années que Hamon militait. Il était le seul parmi les amis de Moskowski à aimer la politique. Il disait que le déclic avait été pour lui l'entrée de ministres communistes au gouvernement. Pour tous les commentateurs, cette décision de François Mitterrand avait signé la fin du PCF comme force de rupture. Pour Hamon, c'était une nouvelle défaite de l'Occident. Occident, c'était son mot pour parler de l'Europe. Oui, l'Occident était « anesthésié ».

« Regarde Katyn, expliquait-il à son ami. Cinquante ans après les faits, ce massacre d'officiers polonais est toujours imputé à l'Allemagne. Tu crois qu'on ferait pression

46

sur Gorbatchev pour lui demander de reconnaître la responsabilité de l'URSS... On est trop mous, on va se faire dévorer. »

Moskowski haussait les épaules. Katyn, il se foutait bien de Katyn. Quand il entendait parler de communisme, il pensait toujours à Andrej et à la fête de l'Huma. Au concert de Téléphone. C'était son enfance. Hamon jouait à se faire peur. Il fallait avoir de l'imagination pour concevoir Anicet Le Pors en dictateur. Fiterman à la rigueur, mais Le Pors... Hamon n'en démordait pas : les communistes endormaient l'opinion ; le réveil allait être brutal. Pour le soutenir dans ses convictions, il avait trouvé une âme sœur en la personne de Jeanne d'Arc. Comment s'appelait à l'état civil celle que tous surnommaient Jeanne d'Arc ? Joss l'ignorait. C'était une grande tige mince aux cheveux blond paille, très courts, aux yeux faits et aux lèvres très rouges, toujours vêtue d'un pantalon de treillis et de rangers. Un garçon manqué ? Pas franchement. Plutôt quelqu'un qui n'avait pas froid aux yeux. Hamon était en dévotion devant elle. Jeanne d'Arc ne fréquentait pas le lycée, elle était en classe chez les bonnes sœurs. Ce n'est pas ça qui lui avait valu son nom de guerre. Dans les manifs qu'ils fréquentaient tous les deux, elle était toujours en tête de cortège, l'air décidé, prête à en découdre. Une photo parue dans un hebdo la montrait sur les épaules de son ami, brandissant un drapeau : oui, c'était bien Jeanne d'Arc.

L'autre cheval de bataille de Hamon, c'était la construction européenne. À l'université, Paris X ou Reims, les profs ne parlaient que de ça. Le titulaire de la chaire de droit européen n'en pouvait plus d'aise. Il était le prophète d'un nouveau messianisme, discourant à l'envi du long processus qui, de la CECA à la CEE, avait conduit une poignée de pays « désireux de tourner le dos à la guerre » à construire quelque chose d'« inédit » : une communauté supranationale. François Mitterrand avait résumé le sujet d'une phrase : « La France est notre patrie, l'Europe est notre avenir. » À Maastricht, les gouvernements allaient ébaucher un traité qui consacrerait l'édifice. Ce serait un nouvel élan. Respectueux du droit des peuples les pays européens allaient soumettre ce texte à leurs citoyens par la voie du référendum. Prérogatives élargies, nouveau champ d'application, l'Europe, c'était du grain à moudre pour les juristes. Déjà des étudiants en maîtrise à Paris X, qui avaient passé quelques mois à Bruxelles et Strasbourg, étaient revenus émerveillés. Karine voulait consacrer son mémoire à la « subsidiarité », un des maîtres mots du futur traité.

« Ça signifie que l'Europe ne prend en charge que ce que les pays ne peuvent pas régler à leur échelle. Elle n'a pas vocation à s'occuper de tout », avait-elle expliqué à Joss.

Pour Hamon, cette histoire de construction européenne était un leurre. C'était clair comme de l'eau de roche. Elle affaiblissait les nations avec un discours lénifiant, qui le jour venu faciliterait la tâche des Soviétiques. L'histoire n'est jamais un long fleuve tranquille. Il le répétait à qui voulait l'entendre. L'Union européenne et ses dangers pour la souveraineté nationale, Moskowski y avait droit tous les week-ends.

« L'histoire est tension, efforts, combats. Notre monde est né de la Première Guerre mondiale, puis de la Seconde. De Gaulle a bataillé, même contre les Alliés, Roosevelt et Churchill, pour imposer ses vues. Jusqu'à la veille du Débarquement. »

Jeanne d'Arc renchérissait : « Se fondre dans un grand ensemble avec l'Angleterre et l'Allemagne ? C'est une folie. L'Angleterre n'aime que les États-Unis et l'Allemagne lorgne vers l'Est. C'est son terrain d'expansion naturelle, la Pologne, la Hongrie...

— Tes copains ont cinquante ans de retard, rétorquait Karine à qui Moskowski rapportait ces arguments. Les pays d'Europe sont mûrs pour s'associer. Chacun va renoncer à sa souveraineté pour créer une monnaie européenne plus solide. D'ailleurs, on n'a pas le choix. Il faut être puissant pour négocier et résister avec ces géants que sont aujourd'hui les États-Unis et la Russie, demain l'Inde et la Chine. »

Joss ne savait pas quoi penser. Il aimait bien ses amis de Troyes, et leur manière de ne pas penser comme tout le monde, qui confinait au dandysme. Comment ne pas voir que le projet européen vanté par Karine n'était pas aussi beau qu'elle le disait. D'ailleurs, c'est bien simple : quand elle en parlait désormais, elle l'emmerdait ; et il ne le cachait pas.

Après leur altercation à l'aumônerie, ils s'étaient évités pendant quelque temps. Et puis un jour, elle lui avait à nouveau adressé la parole, gaie comme un pinson, comme si de rien n'était. Mais du côté de Joss, quelque chose s'était cassé.

« Les Français sont fatigués de vivre », disait Hamon.

Ce jour-là, ils s'étaient attablés au Champeaux, un bar du centre-ville de Troyes dont ils colonisaient souvent les tables, au fond. Hamon lisait la presse du jour. C'était sa marotte, il dévorait les journaux, tout ce qui lui passait sous les yeux. Faits divers, analyses internationales, brèves de la page politique, il y cherchait des informations confirmant ses intuitions et ses théories. Il avait aussi bu plusieurs bières.

« Pauvre vieux peuple exsangue, tu désires ton esclavage. »

Hamon avait le vin gaullien. Avec l'ivresse, venait l'emphase.

« Tu te rends à la technostructure européenne sans combattre, tu lui donnes les clés de la cité. Tu renonces à être acteur, à faire l'histoire. Mais l'histoire n'abdique pas comme ça. Elle se venge. Elle ignore ceux qui ne veulent plus se battre. Elle se fait sans eux et bientôt contre eux. Je ne veux pas être l'ilote des technocrates. »

Il se mit à crier : « Je suis un homme libre ! » et éclata d'un rire qui résonna dans le bar. Le patron vint lui demander de faire moins de bruit. Au comptoir, on ne s'entendait plus faire son loto sportif.

« T'y crois, toi, que l'union fait la force ? lui lança Hamon.

— Moi, je crois surtout que si tu continues à foutre le souk chez moi, je vais te sortir à grands coups de latte. »

Hamon haussa les épaules, et reprit d'une voix pâteuse :

« C'est la devise de qui, tu peux me dire ? De la Belgique. T'as envie d'être belge, toi ? Ça te fait rêver, la Belgique ? Pourquoi c'est là qu'ils ont installé la capitale de leur Europe ? À Rome, ça aurait été trop beau. »

Il criait de plus belle : « Restaurer la grandeur de l'Empire, les limes, les légions faisant plier les barbares du reste du monde, ça leur fait horreur. Alors ils ont choisi Bruxelles, le plat pays de l'ennui. » Il se remit à hurler :

« Je ne veux pas être belge, je ne veux pas être un chou-chou de Bruxelles ! », avant de repartir d'un grand rire.

Le patron les fit sortir prestement et claqua la porte derrière eux. Moskowski quitta son ami sur le trottoir. Quand il le voulait, Hamon pouvait être très con. Joss s'en moquait pas mal de l'Europe. Il y aurait un référendum, comme il y en avait eu un sur la Nouvelle-Calédonie. Moskowski n'avait même pas voté. Pour ce que ça servait.

Il n'était pas rare qu'il y ait une soirée organisée chez Duclair. Celui-ci habitait rue de Preize, dans un grand appartement moderne avec de grandes baies donnant plein sud. Ses parents n'étaient jamais là, toujours dans leur résidence secondaire à Lusigny, sur les bords du lac de la forêt d'Orient. C'était une aubaine pour lui et ses amis. Sa mère ne laissait jamais le frigo vide, ni son père le bar du salon sans une bonne bouteille de single malt. Quand il rentrait à Troyes, Joss téléphonait toujours à Duclair.

Ce soir-là, quand Moskowski arriva, Hamon était déjà là, vautré sur le lit, Jeanne d'Arc à ses côtés ; il y avait aussi Chatel et Ghislaine, sa petite amie. Et Sylvia. La chambre de Duclair était décorée avec un grand poster de U2 et une carte du monde où étaient piquées des aiguilles retraçant les étapes du dernier Paris-Dakar. Chacun avait apporté un pack de Kro, et pour les filles, Duclair avait sorti du bar paternel une bouteille de Malibu et du jus d'orange. Il avait acheté une cartouche de Philip Morris. Et sorti sa réserve d'herbe. De quoi tenir la soirée sans manquer de rien. Sur son lit, étaient disposés des coussins ornés de motifs des Schtroumpfs. Chatel avait persiflé : « C'est joli, ça, mignon tout plein. C'est ta mère qui les a faits ? » Sylvia était partie dans un fou rire qui avait fait blêmir Duclair. Il en pinçait pour cette petite brunette qui aimait le cinéma. Pour lui plaire, il s'était abonné à *Studio*. Forcément, les Schtroumpfs, ça faisait s'esclaffer une admiratrice de Harrison Ford et Tom Cruise.

« Allez ! Fais pas la gueule », avait lancé Chatel à Duclair.

C'était sa méthode, à Chatel. Il blaguait, « bâchait » selon son expression, et aussitôt se dégageait : « Allez, fais pas la gueule » ; Duclair l'aurait giflé. Il se retint et prit un air dégagé : « C'est à ma sœur, j'ai pensé que ce serait plus confortable pour voir le concert. »

« Le concert du siècle » : c'était l'expression convenue qui désignait les chanteurs et les groupes venus à Wembley pour soutenir Nelson Mandela, le leader de l'ANC en prison depuis vingt-cinq ans. Un événement que les présentateurs télé qualifiaient d'historique. Ce jour-là, Antenne 2 avait bouleversé ses programmes, de 13 heures à 3 heures du matin, et retransmis de larges extraits. À 20 heures, le journal consacrerait encore de longues minutes à l'événement, et l'émission « Champs-Élysées » aussi. Joss n'avait pas attendu que Michel Drucker s'y intéresse pour connaître le sort injuste fait au « plus vieux prisonnier du monde », autre expression qui faisait ricaner Hamon. Ces dernières années, il était le héros incontestable de la fête de l'Huma. Le PC tenait sa grande cause. Grâce à Mandela, enfin les communistes pouvaient faire oublier Sakharov et Wałęsa.

Moskowski se souvenait de Georges Marchais demandant que lui soit attribué le prix Nobel de la paix. Pour en parler, il prenait des accents lyriques, presque attendrissants. Oui, Marchais ! On vivait une époque sans repères. Une année, des artistes avaient signé, qui un texte, qui un poème, une chanson, une déclaration pour clamer leur soutien à Mandela. Les signataires étaient tous plutôt grisâtres ou grisonnants. Des messages avaient été lus avec gravité par Jean Marais et Claude Piéplu. À la tribune, des hommes et des femmes avaient exigé avec fermeté la fin des échanges commerciaux entre la France et l'Afrique du Sud. Mosko avait repéré un nom sur la liste des pétitionnaires : Valérie Kaprisky, l'actrice magnifique qui l'avait fait rêver dans *L'Année des méduses*. Si Kaprisky signait, la cause avait peut-être quelque chance d'intéresser le grand public.

Bientôt, le sort de Mandela mobilisa au-delà du petit cercle des militants communistes. Moskowski s'en était rendu compte à la fac : une année, tout le monde avait aux lèvres le refrain de Johnny Clegg, « Asimbonanga », et le single de Simple Minds, « Mandela Day » : L'homme était à la mode. La cause était bonne. « It was 25 years they take that man away, Now the freedom moves in closer every day. Wipe the tears down from your saddened eyes, They say Mandela's free so step outside. Mandela day, Mandela's free. »

Les groupes défilaient sur la scène de Wembley. Sous un ciel d'argent, George Michael, Eurythmics, les Bee Gees étaient acclamés par soixante-dix mille fans. Moskowski se demandait si le public était venu pour le sort de Mandela, ou pour s'offrir à 25 livres la plus belle affiche de rock stars de la décennie. Hamon râlait : « Regardez-moi tous ces bould'hum ! » « Bould'hum », ça voulait dire « bouleversant d'humanité ». Comprendre : toute personne saine de corps et d'esprit et sensible de près ou de loin à l'injustice du monde, à la famine en Afrique, à un accident mortel sur l'A7, qui énoncerait des considérations générales sur la dureté des temps et la fragilité de la vie. Hamon méprisait les « bould'hum », des êtres faibles que le cours implacable du monde se chargerait d'éliminer...

« C'est dégoulinant de bons sentiments, ce truc. À quoi ça sert ? La bonne conscience de l'homme blanc, ça me fait gerber.

— Arrête ! lança Sylvia exaspérée. On le sait : t'aimes pas l'humanitaire, l'antiracisme, l'écologie. T'aimes quoi ? la guerre ? la haine ? la pollution ? »

Moskowski ne disait rien ; ce soir, il s'ennuyait ferme. Réfugié dans la fumée du hasch qu'il aspirait avec constance depuis le début de la soirée, il somnolait, nullement désireux de se mêler à ces chamailleries. Le concert était monotone : une succession de numéros de vedettes plus ou moins consciencieuses. Stevie Wonder allait bâcler un ou deux morceaux avant de s'éclipser. Le présentateur précisait que le chanteur était venu en Concorde, et avait fait un esclandre en coulisses. La star avait à peine consenti à interpréter quelques morceaux. Ce n'est pas Sid Vicious qui se serait prêté à cette mascarade. Joss se mit à chanter à tue-tête : « How many ways to get what you want I use the best I use the rest I use the enemy I use anarchy... » Les autres lui intimèrent l'ordre de se taire. On ne s'entendait plus.

Hamon râlait. Cette mascarade commençait franchement à le lasser, lui aussi. Après Whoopi Goldberg et une énième apparition de Tracy Chapman, il était parti dans un fou rire, complètement fumé ; il écoutait les discours de Richard Gere et Richard Attenborough qui haranguaient la foule pour la convaincre de l'horreur de l'apartheid. Mais qui en doutait ? « 18 millions de francs, plus d'un milliard de centimes ; tout ce fric pour l'ANC, disait-il. On est devenus des gogos : Lénine avait raison, on tresse la corde avec laquelle ils nous pendront. » Moskowski tirait sur son joint. Il n'écoutait pas Hamon. Rien de tout ceci n'avait vraiment d'importance. « L'ANC est un mouvement terroriste qui n'a renoncé à rien, continuait l'autre, je vous aurai prévenus : ce sera le chaos. La guerre civile. Les Blancs exterminés, comme en Rhodésie.

— Tu charries, franchement, protesta Sylvia.

— Regardez votre copain Johnny Clegg. "Asimbonanga... Asimbonanga", Hamon s'était relevé et se trémoussait, cigarette aux lèvres... « Il n'y a pas plus anti-apartheid que lui. Eh bien, les organisateurs de Wembley ont refusé qu'il chante parce qu'il vit et travaille en Afrique du Sud. Lui, un collabo ! Bienvenue dans le monde de la tolérance. »

Le concert de Wembley ferait-il progresser la cause antiraciste ? Bonne question. Sur son nuage, Moskowski en doutait. Une image lui revint, qui remontait à quelques semaines. Une Noire ravissante dansait devant lui. Un canon black qui aurait rendu antiraciste même Hamon.

C'était la semaine précédente que Joss l'avait rencontrée. Un vendredi soir. Hamon lui avait annoncé qu'il dînait avec Jeanne d'Arc. « Un plan petit couple », avait-il précisé en riant. Impossible d'aller chez Duclair : ses parents recevaient chez eux. Moskowski s'était rabattu sur Pierrick. Ce gros garçon jovial et mou, qui avait quitté le lycée avant le bac, traînait son désœuvrement en ville. Pierrick vivait essentiellement en vendant du shit à ses amis. L'été, il transportait son ennui et son trafic au bord du lac de la forêt d'Orient, quand les beaux jours attiraient les touristes désireux de pratiquer la voile ou le ski nautique.

Et de se rouler un petit joint au bord de l'eau. Son trafic marchait plutôt bien. « T'as quelque chose ce soir ? » lui avait-il demandé. Oui, Pierrick avait quelque chose. « Un plan un peu craignos », avait-il prévenu.

Ils s'étaient donné rendez-vous à minuit devant le Champeaux qui fermait ses portes.

« Pour ce soir, tu préfères du marocain vert ou du "Réglisse" ? avait demandé Pierrick. Le premier est euphorisant, le second fait plutôt planer. J'ai aussi un très bon afghan. À toi de voir... »

Il avait choisi l'afghan. 50 francs la barrette, un prix d'ami. Ensuite, le scooter de Pierrick avait fendu la nuit, et pris la route de Bréviandes. La musique s'entendait à un kilomètre à la ronde, mais à un kilomètre à la ronde il n'y avait rien : après avoir dépassé un tas de poutrelles métalliques et une carcasse de voiture désossée sur un terre-plein, on accédait à un grand local qui tenait du hangar et du squat. Sur le mur des tags, une Betty Boop dessinée à la hâte. Un nom écrit au néon brillait dans la nuit : « L'Exo 7 ». Le lieu était connu des fêtards de la région.

À l'entrée, des petits groupes discutaient en fumant. Un garçon sortit de l'ombre et vint vers eux, pour leur proposer du shit. Pierrick fit un geste de la main pour décliner. L'autre le reconnut, et n'insista pas. Ils pénétrèrent dans l'établissement. L'endroit était dans l'obscurité, lacéré par des lumières bleues sous lesquelles on apercevait des silhouettes en train de danser, et d'autres tapies dans des coins. La musique cognait, étourdissante. Moskowski reconnut quelques visages, des garçons et des filles qu'il croisait dans les bars de la ville : à L'Exo 7, la jeunesse branchée de la ville se mêlait à un milieu plus interlope. Il

56

fendit la foule, cherchant un endroit où il y aurait moins de monde. Il le trouva sous les enceintes qui crachaient leurs décibels. Il s'adossa au mur et commença à se rouler un joint. « L'afghan, lui avait expliqué Pierrick, c'est gras comme de la réglisse : tu planes vite, mais l'atterrissage est moins violent. »

Il était en train de chauffer un morceau de cannabis avec son briquet quand une ombre se planta devant lui : une liane à la peau d'ambre, surmontée d'un joli minois aux cheveux de jais. Elle portait un pantalon noir et un top blanc qui moulait ses seins et prenait la lumière des spots. La musique était trop forte pour qu'il entendît le son de sa voix, mais il lut sur ses lèvres : « Tu m'en passes? » Il acheva de rouler un joint, l'alluma, aspira, et le lui tendit. Celle-ci aspira à son tour une bouffée, les yeux mi-clos. Il commença à en rouler un autre. La Noire se tenait devant lui, ses jolies épaules brillantes se balançant avec souplesse; elle tirait sur son joint et lui lançait des œillades. Une phrase de Pierrick lui revint en mémoire : « Les Noirs, ils ont un don pour la fumette. » Les ondulations de la fille étaient irrésistibles, lui donnant envie de la suivre. Elle s'approcha. Il lut encore : « Tu viens souvent? »

Ses reins frôlèrent son bassin. Il sentit un picotement dans l'échine, lui prit la taille et l'attira à lui. Elle posa sa main sur son épaule, avec un air de défi. Ils se mirent à danser lentement, en rythme. Chacun gardait son joint à la main et tirait dessus. La salle s'éclatait au son d'AC/DC, mais ni lui ni la fille n'avaient visiblement envie de suivre cette cadence effrénée; on les aurait plutôt imaginés dans un slow de Procol Harum. La fumée les transportait très loin de ce hangar vibrant de musique. Ils se déhanchaient l'un contre l'autre, se frôlant. Joss tirait sur son joint; de son autre main, il faisait glisser lentement la bretelle du top de sa partenaire et la peau de son épaule était douce. Il plongea son visage au creux de son cou. De ce corps émanait un parfum troublant.

Au petit matin, il s'était retrouvé dans les rues de la ville. Il avait perdu la fille de L'Exo 7 dont il ne savait même pas le prénom, mais le souvenir de sa peau satinée le faisait encore frissonner de plaisir. Tout s'était passé si vite. « Tequila rapido », aurait dit Pierrick : c'était son expression pour dire ce que ses contemporains exprimaient par « prendre son pied ». Pierrick l'avait entendue dans le film de Beineix *37°2 le matin* et, très fier, l'avait adoptée. Il en faisait grand usage.

Ses tempes bourdonnaient encore. Il alluma son walkman : « I wanna be an anarchist oh what a name get pissed destroy ! » criait Johnny Rotten. Pas trop fort, Johnny. Il pleuvait ; un bus l'avait ramené au centre-ville. Il avait pris un petit déjeuner au Champeaux. Café serré, tartine et lecture du journal. Pierrick avait surgi :

« Alors la petite renoi, elle était bonne ?

— Fais pas chier. »

Un client qui jouait au loto devant un verre de bière les avait regardés. Le patron qui balayait le sol de la salle, recouvert de sciure, avait relevé la tête : Encore un esclandre ? Il avait bu plusieurs cafés ; il restait sans rien dire, regardant la place où passaient quelques piétons matinaux sous un parapluie. Il se sentait poisseux. Il entendait des églises qui sonnaient l'angélus, la Madeleine ou la cathédrale. On était dimanche. Putains de cloches qui faisaient vibrer son crâne.

Jan Moskowski mourut sans prévenir. Il se leva un matin en se plaignant. Il ne se sentait pas bien. On était dimanche et ce jour-là il ne travaillait pas. Lydie se préparait à partir pour un jogging : pull bleu électrique, fuseau noir, bandeau dans ses cheveux blonds, elle allait rejoindre « les copines ». La vie de Lydie était classée par copines : « les copines du magasin », « les copines de la gym », « les copines du jogging ». Joss dormait encore.

Jan regagna son lit en maugréant : « Je suis mal fichu. » Sa femme lui lança : « Si tu ne vas pas mieux quand je rentre, on appellera le docteur. » Quand elle rentra, il avait perdu connaissance. Elle appela effectivement un médecin qui constata le décès de Jan. « C'est la première fois qu'il me fait ça, déclara Lydie. — Je suis désolé, madame », répondit-il simplement. Dix minutes après débarquait la voisine, Mme Duprat, en larmes, le visage défait. Elle tomba dans les bras de Lydie, suivie de son mari qui cherchait une contenance. Elle la serra dans ses bras en sanglotant, puis étreignit un Joss mal réveillé, en murmurant « Mes pauvres petits », comme si Jan laissait deux orphelins en bas âge.

La journée fut lugubre. Tout le monde gardait le silence. Devant lui, les gens parlaient à voix basse et dans le funérarium où reposait Jan, pas un mot, pas un bruit. Lui-même n'osait pas allumer son walkman. Qui était-elle, cette mort qui commandait à tous?

Le soir, assis dans le canapé du salon, la mère et le fils se consultèrent. Joss était passé aux pompes funèbres, pour prendre une brochure. La télévision était allumée mais ils ne la regardaient pas. Ils se plongèrent dans la lecture d'un dépliant, élégamment rédigé en lettres anglaises, et intitulé : « Convention obsèques. » Plusieurs services étaient proposés. Des modèles de cercueil, à des prix variables, en fonction du bois, des poignées, du capiton intérieur, de la plaque. Et différents types de cérémonies existaient, animées par un membre « agréé ». « C'est important de construire une cérémonie » pouvait-on lire dans « Convention obsèques » : il en allait du « travail de deuil ». « On n'a jamais parlé de tout ça avec ton père, disait Lydie qui hésitait. J'ai pas l'habitude. »

Ils décidèrent que Jan serait incinéré au crématorium de Rosières-près-Troyes, selon la première option de « Convention obsèques » : le forfait « Sérénité », à 3 500 francs. « À quoi bon payer plus cher? » dit Lydie. « À quoi bon passer plus de temps dans cet endroit? » pensa Joss. Une cérémonie religieuse? Ce n'était pas le genre des Moskowski. Quand Jan entrait dans une église, c'était pour la visiter, et encore : parce que sa femme insistait.

La salle du crématorium tenait du temple et de la salle des fêtes. Joss et Lydie y retrouvèrent les collègues de Jan, quelques voisins, des amis. Ce n'était pas commode de se libérer en semaine, avec le travail. Joss donna l'accolade à Hamon et Chatel, et embrassa Jeanne d'Arc et Sylvia.

Karine n'était pas là, il ne lui avait rien dit. De toute façon, il n'avait pas besoin d'elle, de ses prières, de ses condoléances. Il allait enterrer son paternel sans l'aide de personne, sauf de ses potes. Pas besoin de Jésus, Marie, Joseph. De paradis, de vie éternelle. Jan avait vécu, il était mort. Basta. Ce n'était pas compliqué et d'ailleurs pas si douloureux. Pas de quoi se transformer en fontaine.

L'assistance arborait un air plus affligé que lui. Des femmes avaient les yeux rougis : les copines de Lydie. Des cheminots, la mine fermée, lui avaient dit un mot gentil sur son père, « le collègue », pas toujours commode, mais « réglo », « solidaire ». « Un cheminot à l'ancienne. » Ils lui avaient tapé sur l'épaule. Joss les avait écoutés distraitement.

Maintenant, il était assis au premier rang, devant le cercueil, au côté de sa mère. Une musique douce sortait d'un haut-parleur. Personne ne parlait plus. On entendait seulement, de temps à autre, un reniflement, un froissement d'étoffe, un raclement de chaise. Tout le monde avait l'air d'attendre quelque chose. Mais quoi ?

Joss avait chaud. Il respirait mal. L'émotion ? Il n'avait pas envie de pleurer, simplement qu'on en finisse. Puisque cette cérémonie était pénible, pourquoi la prolonger ? Il fixait la photo de Jan posée sur le cercueil. Un jeune homme. Celui qu'avait connu sa mère. Des images remontaient à sa mémoire. Son père était au volant de sa R16 ; en vacances au camping à l'île de Ré ; assis sous un pin et écoutant la radio : « La valise RTL. » Il se souvenait que pour rien au monde, Jan n'aurait raté ce jeu. Et puis encore son père, sur le quai de la gare de Troyes, orchestrant l'arrivée et le départ des trains. Et le gréviste, partant pour Paris, rigolard, dans une voiture remplie de banderoles. « Pour accompagner les copains », se défendait-il. Il s'attirait les sarcasmes de Mâme Duprat : « T'es bien con, Moskowski, tu bloques les trains, et t'es obligé de prendre ta bagnole pour aller à Paris. » Elle ne pouvait pas se taire un peu, celle-là ? Dix minutes plus tôt, devant le cercueil, elle s'était encore jetée dans ses bras en pleurnichant : « Mon pauvre garçon... »

À dix-huit ans, Jan avait pris ses distances avec la culture familiale. Le communisme, très peu pour lui. Il avait choisi la SNCF — il disait « les chemins de fer » — « seulement pour son comité d'entreprise ». Était-il sérieux ? Il avait aimé ce métier, cet univers de cheminots, les sédentaires et les roulants. Il avait un temps travaillé à Nogent-sur-Seine, puis à Romilly, avant d'être nommé à Troyes. La SNCF lui avait permis de gravir des échelons, de s'acheter la maison de la rue des Noës et de faire de son fils un bachelier. La fierté de Jan quand Joss avait été reçu. Lui et Lydie n'avaient que le certificat.

La musique s'était interrompue. Un homme en costume sombre s'approcha et se plaça au milieu de la petite assemblée avec des manières obséquieuses. Il annonça que la cérémonie était terminée ; chacun pouvait signer les registres de condoléances. Les participants s'égaillèrent. Joss resta seul avec Lydie devant une porte vitrée. Une image lui vint à l'esprit : « l'insert du salon ». Son père aimait s'y tenir pendant l'hiver. Sur le canapé, il faisait trop froid, prétendait-il. Il essaya de la chasser de sa tête. Ainsi la vie de Jan Moskowski s'achevait là où il avait passé ses soirées d'hiver : au chaud. Et puis soudain, le cercueil fut introduit comme un bagage dans une soute d'avion. La porte se referma, on entendit comme un grand souffle et tout s'embrasa. Sa mère se mit à sangloter, en tordant son mouchoir. Il la serra contre lui avec maladresse. Il était un peu gêné. La mort d'un père ça ne lui paraissait pas grand-chose : quelques larmes et une remontée de souvenirs parfois incongrus.

L'assistance attendait dehors, devant un grand mur divisé en compartiments, avec des noms et des dates. C'est là que tout à l'heure seraient déposées les cendres de Jan. Tout le monde s'embrassa sans un mot et se quitta. Le temps était doux et immobile. Le printemps tardait. On entendait seulement le bruit de la nationale, la route de Paris comme on disait ici. Ça faisait un fond sonore. Joss et Lydie rentrèrent rue des Noës. En longeant la voie ferrée, ils virent arriver un train qui freina dans un grand vacarme. « Le Paris-Bâle de 17 h 46 », aurait annoncé Jan, s'il avait encore été là.

« Tu peux sortir ce soir, si tu veux, lui dit gentiment Lydie le soir venu, en lui glissant un billet dans la main. Ça te changera les idées. Moi je vais me faire un plateau-repas devant la télé. »

Il rejoignit Pierrick au Champeaux et se laissa payer des bières. On trinqua plusieurs fois à la santé du défunt, à celle de Lydie, à la sienne. Dans la soirée, Hamon passa avec Jeanne d'Arc. Et Duclair, et Sylvia. Au début, il y eut cette atmosphère de silence qui lui pesait tant depuis deux jours. Ses amis n'osaient guère parler. Ils semblaient chercher des sujets de conversation compatibles avec les circonstances. Du plomb.

C'est lui qui leur dit : « Putain ! Faites-moi rire ! Sinon je vais me tirer une balle ! » Ils rirent, forcés. Au fil des heures, l'assemblée s'égaya. Le niveau sonore montait. Un peu ivre, Hamon se leva soudain, intima le silence aux autres et, posant une main sur l'épaule de son ami, entonna doucement : « Dans son vieux pardessus râpé,/il s'en allait l'hiver l'été/dans le petit matin frileux/,mon vieux... » Sylvia voulut le faire taire. Pas ce soir.

Les variétés, c'était la marotte de Hamon quand il avait bu. Premier stade de l'ébriété : Hervé Vilard, Sardou ou Daniel Guichard. Ensuite, il pouvait s'engager sur Stone et Charden, Dorothée, et finir en braillant du Chantal Goya. « Le soir en rentrant du boulot, il s'asseyait sans dire un mot ; il était du genre silencieux, mon vieux... ». « C'est pas le jour », protestait Sylvia. Elle renonça vite, Moskowski enchaînait : « Les dimanches étaient monotones, on ne recevait jamais personne... »

Quand ils eurent fini la chanson, Joss attrapa Hamon, en titubant un peu, l'embrassa et bredouilla d'une voix cassée : « Merci, mon pote. » Ils avaient tous les deux les larmes aux yeux.

Six mois plus tard, Lydie présentait à son fils son professeur de yoga. Daniel. Au yoga, il n'y a que des prénoms. Le patronyme doit nuire à la santé. Daniel était un homme d'une soixantaine d'années, souriant, légèrement parfumé, portant un pantalon rouge, un pull en V siglé, et un foulard élégamment glissé dans l'échancrure de sa chemise. Le soir même, ils dînèrent ensemble dans un restaurant de la ville. « Daniel voulait absolument te connaître », lui confia Lydie. Joss ne disait rien. Il se demandait depuis quand sa mère connaissait cet homme. Ça faisait des années qu'elle faisait du yoga. Quand était-il entré dans sa vie ? Depuis la mort de son père ? Avant ?

Ils commandèrent du poisson. Sans sauce, pour Daniel et Lydie. Daniel prit un verre de pouilly-fumé. « C'est bon pour la circulation », commenta-t-il. Daniel parlait doucement, avec courtoisie, en ouvrant à peine les lèvres. Il usait d'un vocabulaire plein d'euphémismes. On aurait dit un psy. En face de lui, Lydie renchérissait avec une gaieté affectée. Plusieurs fois, leurs mains se frôlèrent. Joss ne disait rien, cachant à peine son air renfrogné. Sa mère parlait avec entrain. « Daniel habite Troyes mais a un appartement à Antibes où habitent ses grands enfants, expliquait-elle. D'ailleurs, nous y descendons le week-end prochain. » Joss s'en foutait bien, de l'appartement d'Antibes. Il observait Lydie : une gamine amoureuse. Le monde à l'envers.

« Comment tu l'as trouvé ? Il est sympa, non ? lui demanda-t-elle le lendemain au petit déjeuner. Tu t'en doutes : c'est avec lui que je vais refaire ma vie. Après tout, je n'ai que quarante-six ans. »

Plus tard, elle lui dirait : « J'ai été heureuse avec ton père, tu sais. Maintenant ce sera autre chose. Mais je serai toujours là pour toi. » Quand elle rejoignait Daniel, elle empoignait son sac et sortait de la maison, en lui lançant « À plus ! » d'un air dégagé.

Il n'eut jamais le temps de lui dire ce qu'il pensait de Daniel.

Joss n'avait pas oublié la jolie Noire de l'autre nuit. Il l'avait surnommée Jones, du nom d'un personnage féminin de *XIII*, une BD dont il raffolait. Un soir, il décida de retourner à L'Exo 7.

Quand il entra, il la vit aussitôt, adossée à un mur, buvant à la paille un Coca. Elle portait un pantalon de treillis et un polo fuchsia échancré. Elle s'approcha de lui en chaloupant et lui passa un doigt sur la joue en lui murmurant « Salut, toi ». Il fut aussitôt traversé par la sensation qui s'était emparée de lui lors de leur rencontre. Cette fille lui faisait un de ces effets. Quelques instants plus tard, ils dansaient ensemble, comme la première fois, se frôlant, les yeux dans les yeux. Leur ballet impeccablement synchronisé dura longtemps ; une nouvelle fois, ils paraissaient infatigables au son d'une musique dure mais qui ne les atteignait pas, tant ils paraissaient aimantés l'un par l'autre. Moskowski lui prit la main en criant dans son oreille : « J'ai soif. » Ils s'approchèrent du bar, au fond de la salle. La fille reprit un Coca et lui commanda une vodka-orange. Elle lui sourit.

Quand, plus tard, elle lui souffla à l'oreille « Tu viens », il songea à Pierrick : « Tequila rapido », et la suivit.

Jones vivait dans le quartier des Bas-Trévois, près d'une ancienne teinturerie. Dans la nuit, Moskowski distingua une maison de brique aux fenêtres entourées de carreaux de faïence, qui n'avait pas été sans allure : celle d'un médecin ou d'un notaire. Les réverbères de la rue l'éclairaient, révélant une bâtisse sans portes ni fenêtres. Elles avaient été murées par les services d'hygiène de la mairie. Jones l'entraîna derrière, où un accès avait été percé. Elle avait allumé la lumière, si l'on pouvait appeler ainsi une ampoule au bout d'un fil. Moskowski avait distingué un hall lépreux, avec pour tout ornement une immense glace. Des chiens grognèrent, que Jones fit taire d'un mot. Pas le temps de faire le tour du propriétaire, la jeune femme l'avait conduit à l'étage. Il s'était laissé mener.

Des jappements le firent sortir de son sommeil. Les chiens s'agitaient en bas. Moskowski repoussa la couette et se dégagea doucement des jambes de Jones qui l'enlaçaient. Elle gémit, se pelotonna sous la couverture, avant de se tourner contre le mur. Il se leva. La chambre où ils avaient dormi était petite, et froide comme une cave. Un carreau cassé avait été remplacé par un panneau de carton qui laissait passer le jour. À ce détail près, la chambre était très propre, meublée de meubles en rotin, comme celle d'une adolescente. Au mur, une photo de danseuse, signée David Hamilton. Il s'habilla et sortit. Une lumière blanche pénétrait dans la maison par une ouverture : un interstice entre des parpaings. Il découvrit un palier qui conduisait à l'escalier qu'ils avaient emprunté la veille. Un escalier majestueux en bois, dont la rampe était en partie cassée.

Au rez-de-chaussée, le hall qu'il avait traversé la veille était encombré d'un invraisemblable bric-à-brac. Un vélo, une console électronique, des sacs-poubelle et un tas de gravats. Il desservait quatre pièces. L'une d'elles avait dû être le salon à en juger par le parquet, les moulures décaties au plafond et la cheminée dont le manteau avait été démonté. Un spot l'éclairait d'une lumière crue. Sur le mur lépreux, un gigantesque tag avait été tracé : « Triste épok. » Dans la pièce voisine, occupée par une imposante batterie, une fresque murale représentait un visage accompagné par cette phrase : « Femme rouge toujours plus belle. »

En venant ici, la nuit dernière, marchant à côté de Jones à travers les rues désertes, Joss avait un mot à l'esprit : « Craignos. » Craignos le quartier, craignos le plan. Craignos la fille. Craignos peut-être, mais irrésistible.

« Tu cherches quelque chose ? »

Moskowski se retourna. La voix éraillée appartenait à un homme qui se tenait devant lui, moulé dans un tee-shirt noir, les avant-bras entièrement tatoués, le visage percé d'une épingle à nourrice et sur son crâne rasé une crête décolorée. Autour de lui des chiens, la langue pendante. Des molosses au regard lourd. Il tenait une casserole fumante.

« Pour les bébés, fit-il en montrant les chiens qui continuaient à grogner. Tu veux du café ? »

Quelques instants plus tard, Moskowski s'asseyait à une grande table en formica à la propreté douteuse. Une pauvre ampoule pendait à un fil. Il regardait l'homme qui l'avait accueilli. Le clou qu'il avait dans la lèvre s'agitait quand il parlait. Un quart cabossé était devant lui, rempli d'un breuvage qu'il fallait appeler du café.

« Tu habites ici depuis longtemps ?

« — Ici, on ne pose pas de questions. Moi, c'est Tony. C'est comme ça qu'on me connaît à la gare. »

La gare ! Il était donc en présence d'un de ces types mi-routards mi-zonards qui étaient le cauchemar de son père. Ils séjournaient des journées entières dans le hall, vautrés par terre, buvant et chahutant. Parfois une bagarre éclatait entre eux. Jan Moskowski appelait alors la police qui expulsait les indésirables. En partant, ils l'invectivaient, menaçant de représailles. Quand ils disparaissaient pendant plusieurs semaines, tout le monde espérait qu'ils avaient pris le train pour aller se faire pendre ailleurs, et puis un beau jour ils réapparaissaient : « Est-ce que c'est les mêmes, demandait Lydie quand Jan annonçait leur retour : avec leurs crêtes et leurs chiens, on les confond tous un peu. »

« Salut ! »

Jones apparut, fraîche et vive. Elle s'étirait : « Je vois que vous avez fait connaissance : Tony, c'est le grand chef.

— Dis pas de conneries ; y a pas de chef ici.

— Si y en a un, c'est toi. Celui qui organise tout ici. » Elle avait pris une grosse voix : « C'est le bordel, ici ! Toi, tu nettoies la salle, toi, tu vas chercher de l'eau, toi, tu ranges le couloir ! »

Elle s'esclaffa en se blottissant contre Joss. Le clou de Tony bougea à nouveau.

« C'est pas parce qu'on passe la journée sur la place de l'Hôtel-de-Ville à gratter de la zique ou à cracher du feu qu'il faut vivre comme des porcs. On peut pas être plus sales que nos chiens. »

Cette fois, c'est Tony qui était parti d'un grand rire, dévoilant une bouche où il manquait plusieurs dents.

« Et l'électricité, elle vient d'où ?

— Pose pas de questions, gronda Tony.

— La ville nous l'offre », lui souffla Jones dès qu'il eut le dos tourné. Elle lui montra un fil qui courait dans le jardin jusqu'à une armoire électrique située dans la rue.

Moskowski et Jones restèrent dans la maison toute la journée. Cette fille le fascinait. Elle passait du temps à maquiller ses longs cils et à se coiffer : elle commençait par fixer sa frange puis se faisait deux petites tresses qu'elle attachait par une épingle à cheveux. Sa coiffure dégageait son joli cou fin qui donnait toujours à Moskowski l'envie de s'y blottir.

Le lendemain, il revint au squat et retrouva Jones. Et bientôt y élit domicile. Quand il faisait beau, ils se tenaient pendant des heures sur le perron en pierre, à prendre le soleil et à fumer. Des individus allaient et venaient, qu'accueillaient les occupants du squat. Moskowski ne cherchait pas à savoir. Le soleil était chaud. Il n'avait pas envie de bouger. Il était bien.

Au fond du jardin, un cours d'eau coulait. S'il n'y avait pas eu de parpaings aux fenêtres, Moskowski aurait pu se croire dans une agréable villégiature. Il avait cru comprendre que Jones vivait là depuis un an. Elle appelait sa chambre « mon paradis ». Sur les raisons qui l'avaient conduite ici, pas un mot. Joss respectait le mot d'ordre de Tony : ici, pas de questions.

Allongé sur la pierre chaude, la tête posée sur la cuisse de Jones, il fumait avec lenteur et application. Pour tirer le meilleur parti du hasch, Moskowski avait un truc à lui. Il plantait un morceau collant au bout d'une aiguille fixée sur une rondelle de liège et le mettait sous un pot de confiture. Quand il l'allumait, la fumée restait sous la cloche et il l'inhalait au moyen d'une paille. « Tequila rapido ! »

Au fil des jours, il apprit à connaître les occupants du squat. Tony et Laura, sa compagne, Steve (on prononçait Staive), Richard, Jeff, Harry. Harry était plus âgé. Il portait un blouson de cuir râpé et sur son épaule promenait un rat blanc : « Voici Sid. Un seigneur. » L'animal portait le prénom de Sid Vicious, le chanteur des Sex Pistols, le héros de son adolescence qui vomissait la société, la police, l'école. « Harry est un monument, lui avait expliqué Jones le premier jour. Il était au concert que les Sex Pistols ont donné au bois de Boulogne. » Moskowski savait à quel point, dans la mythologie punk française, cet unique concert du groupe était essentiel.

Harry jouait de la guitare dans le bouchon, le centre historique de Troyes. Lui, c'était le dessus des mains qu'il avait tatoué : une tête de mort noire entourée d'étoiles rouges et sur chaque doigt une lettre du mot : P.U.N.K. Quand on le regardait jouer, on ne pouvait pas ne pas être aimanté par ses mains colorées.

« Tu as bien du vernis aux ongles », rétorquait-il à Jones qui le taquinait.

Le soir, il n'était pas rare que quelqu'un branchât une console et la musique des Clash emplissait la maison, puis celle de Patti Smith et des Pogues. Quand retentissait à plein volume *Pretty Vacant* des Sex Pistols, tous se rassemblaient au milieu de la pièce, avant de se jeter les uns contre les autres dans une sorte de transe rigolarde. Ils appelaient ce rite un pogo. Sur la cheminée, le rat d'Harry observait la scène. Moskowski était fasciné par l'animal. Il voyait ses yeux rouges fixer le spectacle que les humains lui donnaient. Quand leurs regards s'étaient croisés, il avait baissé les yeux.

« I don't believe illusions, 'Cause too much is real, So stop your cheap comment, 'Cause we know what we feel. Oh we're so pretty, oh so pretty, we're vacant! »

Plus tard, dans la nuit, blotti en chien de fusil contre Jones assoupie, Moskowski réfléchissait. La compagnie de la jeune femme, dans cette chambre fraîche nichée au cœur d'une maison en désordre, mais pleine de vie, lui convenait. Il était mieux ici que chez lui, dans un pavillon déserté par une Lydie amoureuse.

Au début, il ne quittait guère le squat. Pour faire quoi? Aller en ville? Tomber sur Hamon et Jeanne d'Arc et subir leurs sarcasmes : « Tu fais quoi avec tes Iroquois? Tu joues au Far West? » Quant à retourner à la fac, revoir Karine? Comment la raccorder au monde de Jones? Celle-ci se donnait à lui sans un mot et sans explications; elle n'avait pas son pareil pour prodiguer des caresses, et aimait fumer avec lui. Cette vie lui suffisait. Avec Jones, tout était facile. Dès leur rencontre, elle l'avait accueilli; elle ne lui avait parlé ni de Dieu ni d'autre chose. Moskowski donnait de l'argent à Tony et Harry pour la nourriture qu'ils achetaient au Coop du coin. Ils lui fournissaient aussi l'herbe. Sur son walkman, dont ils prenaient chacun une branche, ils écoutaient ensemble Johnny Rotten : « Those 13 years in prison »...

« Didn't teach me how to love/They say they have their reasons/All coming from above/Schools are prisons/Forget the seasons... »

Joss était heureux au milieu de cette bande et pourtant il avait vite compris qu'il ne serait jamais comme eux. Il avait les apparences d'un punk, la culture d'un punk, mais ce ne serait jamais suffisant. Qu'est-ce qui lui manquait ? Il n'aurait pas su dire. Il n'avait pas fait de prison comme Tony, mais Steve ou Harry n'en avaient pas fait non plus. Il n'était pas en rupture de ban, n'avait pas de chien-loup. Mais Richard non plus, dont les parents habitaient rue Pierre-Gautier dans un immeuble bourgeois.

Était-ce le confort auquel Joss ne parvenait pas à renoncer ? Il en convenait, régulièrement il avait besoin de rentrer chez lui, rue des Noës. Il prévenait Tony ou Harry et partait, seul. Aucun problème. Au squat, chacun vivait à sa guise. Il ne tenait pas qu'on l'accompagne, pas même Jones.

Seul dans la maison, il allait et venait. Ce soir-là, il avait l'impression de l'explorer. Il ouvrait les commodes, le secrétaire de sa mère, comme s'il cherchait quelque chose. Il était tombé sur une lettre et avait reconnu l'écriture de son père. Jan envoyait à Lydie des mots tendres et amoureux que Joss n'avait jamais entendus dans sa bouche. Il en avait été ému. Ce qu'il aimait c'était regarder les photos dans les albums. Elle l'avait surpris, cette curiosité un peu puérile, mais elle lui faisait du bien. Alors il s'installait dans le canapé, avec une canette de 1664 et un pot de cacahuètes. La chaîne crachait de la musique des Cure, et il plongeait dans ces albums auxquels il n'avait jamais prêté attention : Jan enlacé à une toute jeune fille, Lydie. La 4L, à côté d'eux, attestait que la photo n'était pas d'hier. Ses parents : deux gamins amoureux au cœur des Trente Glorieuses. Un nouveau-né : lui. Joss sur un plaid, Joss dans son parc. Joss sur un poney. Joss sur un optimiste sur le lac de la forêt d'Orient. Et ce bel homme au visage sculpté : Andrej.

Il avait refermé l'album. Il les aimait bien, les Tony, Harry et compagnie ; il prenait du bon temps avec Jones et il lui en donnait. Mais il ne serait jamais des leurs. Quelle importance ? Il profitait du moment présent, sans trop réfléchir à l'avenir. « No future, hein ! »

Laura était la réplique féminine de Tony. Elle portait le même débardeur noir moulant, le même pantalon noir traversé par des chaînes, les mêmes bottes ; une épingle de nourrice traversait sa lèvre, au même endroit que son ami. Elle était jolie avec sa rose tatouée sur l'épaule. Avec Jones, c'était la seule fille du groupe. Elle avait la réplique facile, ne s'en laissait pas conter par les garçons de la bande. Elle vivait sa vie.

Un matin, il la vit torse nu, assise sur une chaise en plastique blanc devant la maison. Sa belle crête s'était effondrée en une touffe de cheveux longs qui pendait sur une épaule et ne dissimulait pas deux petits seins blancs. On aurait dit une gamine. Il eut un mouvement d'arrêt.

« N'aie pas peur ! lui lança-t-elle d'une voix cassée. Je suis en train de me faire coiffer. Même si t'accompagnes ta mère chez Jean-Louis David, tu verras jamais ça... »

Déjà Tony surgissait de la maison, une casserole à la main, en criant : « Chaud devant, je tache. » Il empoigna les cheveux de sa copine, les enduisit du liquide contenu dans la casserole. Assis sur le perron, allumant sa première cigarette de la journée, Moskowski ne perdait pas une miette du spectacle.

« Aïe ! Tu me brûles !

— T'as qu'à te le faire toi-même !

— Tu sais ce que c'est ce produit miracle ? lui lança

74

Laura. Un mélange de bière et de gomina. Le best pour fabriquer un vrai punk. Tu veux essayer ? »

Moskowski trempa alors ses mains dans une sorte de gelée tiède et se les passa dans les cheveux pour mieux les fixer. Plus tard il se regarda dans la glace de l'entrée. Avec ses cheveux dressés il n'avait jamais eu aussi belle allure. Du pur Robert Smith.

Si Tony ou Jones ne parlaient pas d'eux, Laura n'avait pas besoin d'être mise à la question pour raconter sa vie.

« Mon père était aux abonnés absents depuis ma naissance. Ma mère faisait maman et papa à la fois : "Fais pas ci, fais pas ça, à quelle heure tu rentres. Tu fumes trop." Ras le bol. Tchao. Le premier soir, j'ai dormi dans une gare. J'ai pris le train pour Paris, et j'ai atterri au Forum des Halles. C'est chouette le Forum, tu connais ? Y a plein de monde. C'est là que j'ai rencontré Tony. Depuis, on est ensemble, avec les chiens. »

Parfois des éclats de voix jaillissaient de la maison. Pour rien, une canette de bière renversée, un mauvais geste. Le ton montait immédiatement, brutal chez Tony, glapissant chez Laura. Un jour, au dîner, une dispute éclata dans le groupe, réuni autour d'une casserole de raviolis. Le sujet était grave : les Bérurier Noir faisaient-ils partie de l'univers punk ? Laura répondait oui : « Ce sont des anars qui veulent détruire le système, comme nous. » Ils avaient sans contestation possible une « punk attitude », renchérissait Harry. Tony et Steve assuraient que leur succès les disqualifiait. Le système les avait récupérés. Ils étaient « dead ». Tony martelait : « *Dead*, t'as compris, *dead*.

— Les Sex Pistols aussi ils ont vendu ; c'est pas un critère. »

La gifle fusa. « *Dead* je te dis. Hein Harry, les Sex Pistols c'est autre chose. Ils ont été interdits, boycottés par le fuckin' système. » Laura avait quitté la pièce en criant.

Moskowski objecta qu'il y avait d'autres cas litigieux. Les Bérurier Noir aussi avaient été inquiétés, et même une fois gardés à vue, après un attentat que la police aurait bien aimé leur imputer. Mais cela était-il suffisant pour avoir droit au label « punk attitude » ? Non : Tony n'en démordait pas. Il le prit à partie, violemment. Moskowski ne voulut pas répondre. S'affronter sur ce point ? Se battre ? Jones s'était levée en soupirant : « Faites tous chier... » Il la rejoignit peu après dans leur chambre, à l'étage. Ensemble, ils se blottirent sous la couverture ; Moskowski roula un joint qu'ils fumèrent, allongés l'un contre l'autre. Il n'aurait pas su dire ce qui, de la peau de Jones ou de la résine libanaise qu'il inhalait avec lenteur, lui donnait le plus de plaisir. Il ne connaissait rien de cette fille qui gardait son mystère comme un vêtement.

Plus tard, dans la nuit, à demi ensommeillé, il entendit des gémissements amoureux dans une pièce voisine. Tony et Laura étaient en train de se réconcilier.

Moskowski somnolait dans le canapé. C'est Jones qui l'avait encouragé à passer rue des Noës, ce jour-là. Il ne s'en était pas étonné et, en début d'après-midi, avait traversé la ville. Il avait relevé le courrier, volumineux : sa mère n'était pas passée depuis au moins une semaine. Avait-elle définitivement élu domicile à Antibes, chez le clown au pantalon rouge ?

Il avait passé la journée à traîner dans la maison. Pris un bain chaud, feuilleté des magazines, mis de la musique sur la chaîne. À chaque passage, il savourait quelque chose d'inconnu au squat : la solitude. Il les aimait bien, tous, avec leur désordre et leurs éclats de voix, mais n'avait pas réalisé à quel point être seul chez-lui lui manquait.

Mais très vite il s'ennuya, et décida de rejoindre Jones le soir même. En sortant, il tomba sur la voisine. Moskowski prit les devants : « Comment ça va, mâme Duprat ? », et ferma la maison sans attendre la réponse. Il paria intérieurement qu'il aurait une remarque sur sa tenue. Ça ne manqua pas. La phrase fusa, de l'autre côté de la rue : « T'aurais pu te coiffer ce matin. » Il ne s'était toujours pas résolu à se faire une vraie crête comme Tony et Laure, s'en tenant à ses cheveux hirsutes. Aurait-il adopté l'épingle dans la joue comme Tony et Laura, ou les tatouages d'Harry, que n'aurait-il entendu ? Il se contenta de lui répondre : « C'est la mode, mâme Duprat ! »

Il regagna à pied les Bas-Trévois, en flânant. Tandis qu'il s'approchait du squat, un ballet de voitures de police au loin attira son attention. Depuis qu'il y vivait, il n'en avait jamais vu dans le quartier. D'ordinaire, le quartier était tranquille. En tournant le coin de la rue, il vit des gyrophares clignoter. Une descente de flics au squat ? Craignos. Moskowski obliqua, traversa avant de rebrousser chemin en hâte.

Les jours qui suivirent, il se terra chez lui, rue des Noës. Chaque matin, il regardait dans *L'Est Éclair*, s'il était question du squat et de ses habitants. Rien. Il finit par sortir de chez lui. En ville, il tomba sur Steve près de la gare.

« Les keufs ont arrêté Tony. Quand ils ont débarqué au squat, ils ont découvert la réserve.

— La réserve ?

— La dope que Tony stockait dans la maison. T'étais pas au courant ?

— Il me vendait de la beuh, c'est tout.

— Au grenier, y avait aussi tout un stock de coke et d'héro. C'est pas au Coop que Laura achetait sa dose. Tony voulait pas qu'on en parle.

— Et Jones?

— Pas de nouvelles. Elle n'était pas là lors de la descente. Mais Laura, Harry, Jeff, ils ont tous été emmenés, "complicité" et tout le bordel.

— Et toi? Ils t'ont relâché?

— J'étais en ville. Ils ont juste relevé mon identité et m'ont laissé tranquille.

— Elle est où?

— Qui ça?

— Jones.

— Je ne sais pas. Personne ne l'a revue. Y en a qui disent que c'est elle, la donneuse. D'autres que c'est toi. Forcément, vous étiez pas là pendant la descente.

— Toi non plus.

— C'est vrai. Tu sais, la came, Jones, elle crachait pas dessus. »

Un trafic de drogue. Ça expliquait les allées et venues au squat toute la journée. Personne n'en parlait jamais. Même pas Jones. Et pourtant c'était l'activité principale des gens du lieu.

Les jours suivants, il partit à sa recherche. Il sillonna la ville, entra dans les bars où il était allé avec elle : en vain. La jeune Noire s'était volatilisée. Une nuit, il retourna à L'Exo 7. Personne ne l'avait revue. Il appela Pierrick : « Ton diamant black? Niet! Elle t'a largué? Si tu veux, j'ai quelque chose pour te consoler. Une livraison d'afghan, je te dis pas. »

Aucune nouvelle de Jones. Un jour cependant, après

que plusieurs semaines furent passées, il reçut une lettre, enfin, quelques lignes rédigées en lettres capitales : « C'était devenu trop craignos. » Pas de signature. Le courrier avait été posté de Paris. Comment avait-elle eu son adresse ? Il ne l'avait jamais amenée chez lui.

Moskowski reprit sa vie, entre Troyes et Paris. Il retrouva Hamon et les autres, mais sans entrain. Il les jugeait tout à coup un peu fades, futiles, sans relief. « T'étais où ? On ne te voyait plus... » Il prétexta le remariage de sa mère qui compliquait un peu son existence actuellement. Cette histoire de remariage était fausse. Elle lui était venue comme ça. Il n'arrivait pas à oublier Jones. Il n'aurait pas imaginé qu'il s'était autant attaché à elle, à son rire et à sa peau douce. Puisqu'il était mélancolique, son walkman ne quittait guère ses oreilles : « Regrets I've had a few, but then again, too few to mention, I did what I had to do. »

Les Sex Pistols avaient accompagné son histoire avec elle. Ils ne l'abandonnaient pas. Trust aussi lui tenait compagnie. Il se souvenait des discussions le soir, au squat : Trust et AC/DC, l'amitié Bernie Bonvoisin et Bon Scott, qui deviendrait leur mentor, la haine pour le groupe Téléphone. Il se sentait terriblement seul.

Il était retourné à la fac. Réussirait-il ses examens ? Quand il voyait le nombre de cours qu'il avait manqués, les TD qu'il avait séchés, il en doutait. Était-ce simplement pour s'occuper ? Il traversait le campus, la tête rentrée dans les épaules, le regard fixé au sol, s'asseyait dans un amphi, prenait des notes.

Il avait croisé Karine. Toujours ses jolis yeux. Rien de comparable à Jones ou même à Laura, mais canon quand même, la fille. Elle avait fondu sur lui.

« T'étais où ? »

Il avait une mine sombre. Elle le dévisageait, cherchant l'explication de sa disparition. Pourquoi avait-il le visage à ce point défait ? Ce teint blême ? Ce regard vide ? Elle lui souriait avec indulgence, lui parlait lentement. Il comprit : il lui faisait pitié, à la petite catho. Ce sentiment lui fut insupportable.

Sa pitié, il n'en avait rien à foutre. Il l'évita. Du reste, il évitait beaucoup de monde à la fac. Il passait de plus en plus de temps dans un bar du boulevard de la République, à deux pas du campus. Il buvait seul. Dans le hall, il marchait d'un pas décidé, parlait fort, sentait la bière, obligeant les étudiants à s'écarter à son passage. Un jour que l'un d'eux, empressé ou distrait, l'avait bousculé, il s'était emporté. Son poing avait jailli, rapide, dur, qui avait projeté l'intrus contre une porte. Sa victime s'était relevée l'arcade ouverte, courbée en deux : « T'es dingue, non ? » Moskowski avait lâché, la moue méprisante : « Fuck off. »

Il n'y avait plus qu'Hassan que Moskowski fréquentait. Et pourtant lui aussi avait changé. Toujours aussi beau, aussi courtois. Hassan était devenu sérieux, presque grave. Depuis quelque temps, il s'était laissé pousser un petit collier de barbe et portait des lunettes en écaille qui lui donnaient un air de notable. Sa gravité l'avait mis un peu à l'écart des autres. « Miss et Mister Fac » était loin. Avait-il seulement profité du séjour paradisiaque qu'il avait gagné ? Il n'en avait jamais parlé. Les étudiants ne comprenaient pas. « Il a le melon, le prince arabe... » « Rendez-nous Mister Fac ! »

Hassan ne laissait rien paraître, apparemment indifférent au regard des autres. Il travaillait avec facilité et aidait volontiers ses condisciples, prêtant ses cours, expliquant un cas pratique de droit civil. Un détail toutefois : il ne disait plus : « C'est cool. » De tous les étudiants, il semblait être le seul à avoir accédé à l'âge adulte. C'est ce qui avait plu à Moskowski à son retour à la fac. Son séjour au squat l'avait mûri lui aussi, sorti du giron familial. Il avait aimé la liberté qui y régnait. À côté, Hamon, Duclair, Sylvia, et même Karine : des gosses. En cas de coup dur, ils savaient que papa et maman interviendraient. Personne n'était intervenu pour tirer d'affaire Tony et Laura. Si Hassan échouait dans ses études, personne ne serait là, non plus, pour le rattraper.

« Tu m'accompagnes au restau U ? »

Moskowski rejoignit Hassan, à la sortie du cours de droit commercial. Il avait horreur de prendre un repas seul. Un plateau devant soi, c'était tellement déprimant.

« Aujourd'hui je ne déjeune pas.

— Tu fais déjà un régime pour rentrer dans ta robe d'avocat?

— Gros malin! C'est le ramadan actuellement.

— Tu suis ce machin-là, toi?

— Oui : c'est ma religion.

— C'est nouveau, ça. T'es pratiquant, toi? Tu ne m'en as jamais parlé.

— Disons que je redécouvre. »

Hassan s'expliqua : il avait fait connaissance d'une association, qui venait de s'installer dans son quartier. Ses membres s'étaient aussitôt proposés pour aider les familles voisines : recherche de travail, prise en charge des enfants, démarches administratives. Le week-end, des hommes s'occupaient des adolescents désœuvrés. Ils leur faisaient faire du sport et leur prodiguaient un enseignement religieux. Frappé par ce dynamisme, Hassan était allé rencontrer les responsables. Leur efficacité lui avait plu. Prier, agir, lui avaient-ils expliqué, c'est un tout. Ils l'avaient convaincu de redécouvrir la religion. « Tu es musulman. Sois un bon musulman. »

Moskowski s'était encore esclaffé :

« Quoi? Maintenant tu pries? Tu t'agenouilles sur le trottoir, toi? » Sa bouche avait pris un rictus moqueur.

82

« Et ta sœur, elle bat le beurre ? »

Hassan avait tourné les talons. Moskowski haussé les épaules. Ces croyants, tous les mêmes : des susceptibles.

Il avait déjeuné seul, sans plus penser à son ami, qu'il avait retrouvé l'après-midi, dans le hall.

« Excuse-moi pour tout à l'heure, Hassan. Allez, je t'offre un café ? Non ? C'est sérieux, ton jeûne ? »

Ils étaient sortis du campus, et avaient rejoint le bar où ils avaient leurs habitudes, de l'autre côté de la ligne du RER. Moskowski commanda une bière, devant un Hassan impassible.

« Moi, ça ne m'est pas interdit. »

Un peu plus tard, il lui demanda.

« Quand t'es musulman, t'es obligé de faire tout ça, la prière, le ramadan ?

— Normalement, oui. Tu pries cinq fois par jour, tu jeûnes et tu fais l'aumône aux pauvres. Tu suis les préceptes alimentaires du Coran et tu essaies de faire le pèlerinage à La Mecque, une fois dans ta vie. Ça fait du bien. Si, je t'assure.

— Non merci, pas pour moi.

— Parole, c'est excellent pour la santé ! Les magazines féminins le disent aussi.

— Arrête de déconner, Hassan.

— Car qui dit jeûner dit déjeuner. »

Il avait pris un air malicieux et docte, le doigt levé.

« Viens chez moi un de ces soirs ; dès que la nuit est tombée, on fait un grand dîner, avec toute la famille. C'est très sympa. On mange, on danse. On fait la fête ; ça s'appelle l'iftar.

— L'iftar ?

— C'est la rupture du jeûne. Pendant le ramadan, c'est un moment auquel on pense toute la journée.

— C'est drôle : Dieu, pour moi, c'est si lointain. Comme les rois et les carrosses. »

Hassan avait souri.

« Moi aussi, ça a longtemps été mon cas. Et puis j'ai changé d'avis. »

Oui, Hassan avait changé. Désormais, Moskowski l'observait. Plusieurs fois par jour, son ami quittait la bibliothèque pour aller s'agenouiller dans un coin discret. Il rejoignait d'autres étudiants. Quelques mois tôt, il y avait eu un débat entre la direction et les syndicats pour savoir si les musulmans pouvaient prier dans l'enceinte universitaire. Des croyants à la fac, qui pratiquaient, non pas relégués dans un bâtiment au fin fond du campus, mais au grand jour, c'était un cataclysme. « Lieu laïc », avait commencé par dire le recteur, appliquant le règlement. « Liberté », avaient répliqué les croyants.

Pendant le ramadan, Hassan et ses amis, dont l'une qui portait un voile, côtoyaient leurs condisciples qui ouvraient sous leurs yeux une bouteille de Coca ou grignotaient une barre chocolatée. Pour eux qui jeûnaient depuis plusieurs heures, le ventre tiraillé par la faim, c'était un supplice. Mais ils tenaient bon, heureux, assurait Hassan, de vivre selon les préceptes du Prophète. C'était aussi simple que ça.

Moskowski se souvenait d'un récent cours de philosophie politique. Devant un amphi captivé, le prof expliquait que toute l'histoire des hommes n'avait été qu'une longue marche pour se libérer de Dieu. Descartes, Érasme, Voltaire, jusqu'à Marx et Nietzsche. Il n'avait pas rêvé...

L'université était formelle : plus un philosophe sérieux ne réfléchissait en introduisant dans son équation le paramètre « Dieu ». Le mot avait été remplacé par prolétariat, société, homme.

« Ni Dieu, ni maître », Moskowski avait entendu ça dix fois au squat. C'était une des répliques préférées de Tony. Le prof avait mis des mots plus intelligents sur ce slogan.

« L'agnosticisme, lui expliquait Hassan avec douceur, quand t'y penses, c'est une bizarrerie du XXᵉ siècle. Et encore, en Europe. Dans le monde, il y a plus de gens qui lisent le Coran que *Le Capital*. Voyage, mon pote ! Sors de France. Je compte sur toi pour l'iftar ? »

Moskowski se rendit à l'invitation de son ami. Pourquoi ? Il n'aurait pas su le dire. Amitié ? Curiosité ? Ces derniers temps, la solitude qu'il avait tant chérie lui pesait. Il avait la nostalgie de la chaleur du groupe, telle qu'il l'avait connue au squat, avec Jones, Tony et Laura. « Ne viens pas trop tôt, tu serais obligé de faire la prière », l'avait taquiné Hassan. Il quitta sa chambre vers 22 heures et traversa la ville. La nuit venait de tomber quand il arriva dans une rue calme bordée de voitures garées, au nom saugrenu : rue Sergent-Bobillot, qui lui rappelait un air publicitaire en vogue : « Heureusement y a Bobillot, Bobillot... » Des lumières brillaient au troisième étage. Par la fenêtre ouverte, lui parvenaient des éclats de voix, des rires de femmes. Il monta, et sonna à une porte où était écrit Ould Ahmed. Hassan vint lui ouvrir.

« Entre, on vient juste de finir icha, la prière du soir... »

Une vingtaine de personnes se tenaient dans l'appartement, se hélant d'une pièce à l'autre, les parents, les sœurs, les voisins de Hassan. Celui-ci fit les présentations : Hocine,

Mourad, Leila, Salima, Ali, Mustafa. Les dents alignées et le sourire éclatant de blancheur semblaient une marque de fabrique familiale. Hassan plaisanta.

« T'as vu le look ici : BCBG. »

Devant l'air interloqué de son ami, il expliqua.

« Oui : barbe, chapelet, bâtonnet de siwak et gandoura : BCBG. Je rigole, mon frère.

— C'est quoi le siwak ?

— Un truc que tu mâchonnes, et qui te fait les dents blanches. »

Moskowski détaillait l'appartement. Pas très spacieux, des tapis, une banquette chargée de coussins et de plaids, la télévision allumée sans le son ; en revanche, une chaîne stéréo crachait à plein volume de la musique orientale. Au mur de l'entrée, un cadre contenait des inscriptions en arabe.

Les femmes étaient en pantalon et tunique. Elles portaient un voile qui entourait leur visage, le dessinant avec la netteté et la grâce qu'on trouve dans les portraits de la Renaissance. L'une d'elles, la plus jeune sœur d'Hassan, portait un jean moulant, des ballerines et une tunique bleu ciel. Une jolie étole blanche fixée à ses cheveux par une épingle à tête de perle mettait en valeur ses grands yeux. « Joss. Ma sœur, Zeineb », avait présenté Hassan. Moskowski s'était penché vers elle, comme il le faisait à la fac, dix fois par jour. Les étudiants s'embrassaient, machinalement. C'était ainsi, en ces années-là. Le seul point de débat entre eux portait sur le fait de savoir s'il fallait se faire la bise deux ou trois fois.

Zeineb avait reculé, sans même lui tendre la main, le regard baissé. Gêné, Joss avait seulement bredouillé « Bonsoir », soudain intimidé. Mignonne, mais farouche.

Il s'assit à la table, ainsi qu'on l'y invitait. L'atmosphère bruyante et joyeuse lui rappelait certaines soirées au squat, « les grandes heures », comme les appelait Laura. C'était donc ça, une famille, lui qui depuis la mort de ses grands-parents n'avait pas connu autre chose qu'une vie prospère et ennuyeuse, autour de ses parents : des allées et venues, des éclats de voix, des rires. Sur la table, les femmes avaient déposé du jus d'orange, de l'eau et du lait. Les convives dégustaient des dattes en branches.

« C'est bon, ça, quand on a jeûné longtemps, lui lança l'un d'eux. Le prophète "himself" le recommande. »

Furent ensuite apportés une soupe de vermicelles parfumée à la coriandre, la chorba, puis des crêpes, de la semoule et des gâteaux en forme de serpentins. « Des zlabriyas, tu peux pas connaître, lui lança la mère d'Hassan ; c'est fait avec du miel et de l'orange. »

Il était l'invité. Tous se pressaient autour de lui. « Où t'habites ? », « T'as des frères et sœurs ? », « Tu te plais à la fac ? », « Tu veux fumer la chicha ? ».

Daoud, le frère d'Hassan, lui tendait une sorte de tuyau.

« J'ai jamais essayé. C'est quoi ?

— C'est meilleur que ton chichon. »

Moskowski sourit ; Daoud lui montra un récipient en forme de carafe en verre, surmonté d'un tuyau en tissu. Sur le goulot, était posée une douille en terre cuite bourrée de tabac. Il remplit le récipient d'eau, prit un charbon qu'il alluma et déposa sur le papier d'alu qui recouvrait la douille. Il lui tendit un embout. Moskowski inhala par l'extrémité métallique du tuyau. Un goût de fruit frais remplit violemment ses poumons.

« C'est bon, hein ? »

Moins planant que le shit, en tout cas. Mais — Moskowski n'osa pas l'avouer —, un peu écœurant. À table, les conversations allaient bon train. Au journal, « ils » avaient diffusé les images d'un accident à un passage à niveau et l'état de la voiture broyée suscitait des commentaires. Deux garçons travaillaient dans l'automobile : ils avaient des idées apparemment très arrêtées sur la solidité d'un modèle. Deux autres parlaient de l'Olympique de Marseille où brillait un joueur, un Anglais nommé Chris Waddle. Les filles allaient et venaient. Elles ne restaient pas dans la pièce. Moskowski s'aperçut qu'elles s'étaient rassemblées dans une pièce voisine. Dommage, il aurait bien voulu parler à Zeineb.

Quand il rentra à la cité U, il était près de 2 heures du matin. Comme à son habitude, il marchait au milieu du trottoir, en chantant à tue-tête. Il croisa un couple qui se mit à raser les façades, visiblement apeuré par ce garçon qui paraissait éméché. Arrivé à leur hauteur, il leur adressa un large sourire, s'amusant de leur air inquiet. Sa chambre lui parut glaciale. Des images passaient dans sa tête, la joyeuse activité autour de la table, les éclats de voix, les yeux de Zeineb. Il imagina le pavillon de la rue des Noës. Sa mère devait dormir à l'étage. Samedi matin, il la retrouverait peut-être au petit déjeuner, déjà pimpante. Ils échangeraient quelques mots sur la fac, le magasin. Elle lui laisserait de l'argent, l'embrasserait sur le front et s'en irait en lui lançant : « Daniel viendra dîner demain, on mangera ensemble ? »

L'homme les conduisit dans une pièce aux murs blancs aux fenêtres donnant sur un jardin. Une table basse, quelques tapis. Moskowski et Hassan s'assirent sur une banquette recouverte de couvertures, comme chez Hassan. Sur une étagère, des livres en arabe et en français. *La Victoire du Tout-Puissant*, d'Ibn Al Houmam, *Les Merveilles*, d'Ali Kissani, *La Conquête*, d'Ibn Hajar, et des brochures signées Abdullah Azzam, Issam Dirraz, Abdel-Aziz ibn Baz. Qui étaient ces auteurs? Que disaient-ils? Moskowski se sentit soudain dans un monde inconnu, très éloigné de lui. Il remarqua un cadre, le même que celui qu'il avait vu chez Hassan.

« C'est quoi, ça? chuchota-t-il à l'oreille de son compagnon.

— Tu peux parler normalement. Tu n'es pas dans une église. "Ça", ce sont les quatre-vingt-dix-neuf noms que le Coran donne à Dieu. Beaucoup de musulmans les affichent chez eux. C'est une tradition.

— Tu peux les réciter par cœur?

— Et toi, mon frère, tu connais tous les noms des départements français, avec leurs préfectures? Et les rois de

France depuis Clovis ? Ça ne veut pas dire qu'il ne faut pas essayer... » Hassan réfléchit quelques instants, prit sa respiration : « Allah et il n'y a d'autre Dieu que lui, le Miséricordieux, le Très Miséricordieux, le Roi, le Saint, la Paix, le Protecteur, le Vigilant, le Tout-Puissant, le Puissant, le Tyran, le Créateur... Euh... L'Animateur, le Formateur, le Grand Pardonnateur, le Dominateur Suprême, le Suprême Donateur, le Dispensateur, Celui qui décide...

— À Dieu appartiennent les beaux noms. Invoquez-le par ces noms. »

Moskowski et Hassan se retournèrent. Trois hommes venaient d'entrer, vêtus d'une djellaba blanche et d'une calotte. Quel âge ? Leurs barbes les vieillissaient. Celui qui venait de parler s'avança et dit d'une voix grave et harmonieuse.

« Je suis Abdallah, l'imam de cette mosquée, sois le bienvenu, au nom d'Allah — Son Nom soit béni. Salam aleikum.

— Aleikum salam », répondit Hassan en lui donnant l'accolade.

Après la soirée de l'iftar, Moskowski s'était mis à poser à son ami d'innombrables questions sur l'islam qui était devenu leur grand sujet de conversation. Il procédait comme à son habitude, direct, brutal, provocateur, Hassan répondait de son mieux, parfois armé de son seul sourire pour répondre à l'animosité de son ami. Il lui avait proposé de l'accompagner à la mosquée. Moskowski avait d'abord refusé :

« Ça porte malheur d'entrer dans une église.

— C'est pas une église, imbécile.

— C'est avec toi que je veux parler, Hassan, pas à un curé, même musulman »

Hassan n'avait pas insisté. Bien après que les croyants eurent célébré l'Aïd el-Fitr, qui sonnait la fin du jeûne, Moskowski et lui avaient poursuivi leurs discussions sur la religion, la foi, le Prophète. Joss s'apaisait, jour après jour. Et quand Hassan avait renouvelé sa proposition, avec douceur et une fermeté qui l'avait frappé, il avait consenti.

Ils s'assirent sur des tapis. Un homme déposa un plateau sur lequel avaient été placés une théière fumante, de petits verres de couleur et des biscuits.

« Joss est un ami de la fac. Il voudrait connaître le Prophète — que Dieu le garde.

— Que son nom soit exalté! dit Abdallah. Il est le créateur et le maître du monde. Sois le bienvenu », ajouta-t-il en se tournant vers Moskowski.

Calé dans de larges coussins, l'imam parlait français avec un léger accent. Il avait un air avenant. Il l'interrogea sur ses études, ajoutant que lui-même avait passé trois ans à l'université du Caire. Hassan expliqua que Moskowski était venu chez lui pour la rupture du jeûne. À l'évocation de ce souvenir, celui-ci revit le beau visage ovale de Zeineb et ses yeux clairs pudiquement baissés. L'imam poursuivit, expliquant que chaque semaine, une centaine de croyants venaient prier dans sa mosquée.

« Tu es croyant, mon ami?

— Euh, non. La religion, c'est pas mon trip. Et puis le dimanche...

— Je n'ai pas dit pratiquant, mais croyant. Nous autres musulmans, nous proclamons qu'il n'y a de dieu que Dieu, et que Mahomet est son prophète. C'est la Shahada. Celui qui professe ça est un croyant. Tu vois, l'essentiel tient en deux phrases; ce n'est pas compliqué. »

Moskowski buvait par petites gorgées le thé sucré qu'on

lui avait servi. Il se brûlait la langue. L'imam lui expliqua que, mille cinq cents ans plus tôt, Allah avait parlé à un homme, Mahomet. Vingt-deux ans durant, il lui avait dicté un message, parvenu au monde d'aujourd'hui par un livre. Le Coran expliquait tout ce qu'on devait faire pour lui être soumis.

Abdallah sortit de sa poche un petit ouvrage de couleur verte, orné d'un joli calligramme.

« C'est écrit "Allah", que Son Nom soit béni, mais à l'intérieur, c'est en français. Tu pourras découvrir la foi des croyants. L'imam Ahmad ibn Hanbal dit que la foi la meilleure c'est une bonne morale. Alors vis comme un homme juste, fais l'aumône aux pauvres, soucie-toi de tes voisins ; que tes mœurs soient nobles et pures, comme ton regard. Et tu plairas à Dieu. Lis ce livre et reviens me voir quand tu le souhaites. Tu seras toujours le bienvenu. »

Moskowski prit le Coran, le feuilleta par politesse, le mit dans la poche de sa parka et remercia. L'objet rejoignit sa carte Orange, un carnet avec des références d'articles du Dalloz, un morceau de papier alu qui avait contenu du shit.

Quand il prit congé d'Abdallah et d'Hassan, il se rendit dans le sous-sol d'un bar, où se produisait un groupe de rock constitué par des copains de la fac : les HCL. Quand il entra dans la pièce sombre, enfumée et zébrée de lumières rouges, les musiciens jouaient depuis un moment. La salle était chauffée à blanc. Alors qu'ils entonnaient leur tube, une fille se leva pour crier : « Acide ! » Moskowski commanda une bière et se mit à se balancer, sa chope à la main, une cigarette aux lèvres. Une question lui traversa l'esprit : Jones, où était-elle en ce moment ? L'ivresse lui évita de répondre à cette question.

C'est plus tard qu'il repensa au Coran d'Abdallah. On était vendredi soir. Dans la maison de la rue des Noës, le désordre régnait ; emballages de packs de bière, CD, revues traînaient au sol. Le canapé dont Lydie était si fière paraissait avachi. Moskowski était fatigué. Pas envie de sortir. Hamon puis Pierrick l'avaient appelé. Il avait décliné leur invitation. Plus tard, il avait allumé la chaîne stéréo à plein volume, en se roulant une clope. Robert Smith hurlait : Kiss me ! kiss me ! kiss me ! La mère Duprat allait encore téléphoner pour qu'il baisse le son. Il avait le blues. Il n'y avait personne pour l'embrasser, avant qu'il ne s'endorme.

Il cherchait du shit. Il devait lui en rester un peu, au fond de la poche de sa parka. De fait il en trouva dans un petit sachet en plastique, glissé dans le livre que lui avait offert l'imam. Il ne l'avait jamais ouvert, même après être retourné à la mosquée avec Hassan. Il avait eu peur que l'autre ne l'interroge, mais il n'en avait rien été. Joss prit l'ouvrage. Son séjour dans la poche de la parka l'avait un peu abîmé, tordu et froissé. Il passa sa main sur la couverture verte, machinalement, pour la redresser, et l'ouvrit. Par curiosité, juste pour voir. Les chapitres s'intitulaient « La vache », « Joseph », « Les franges », « La nuit » ; était-ce bien là un livre pieux, celui dont se recommandaient un milliard de croyants ? Il tournait les pages. « Les infidèles, avertis-les, ne les avertis pas, c'est pareil, ils ne croient pas. Dieu a scellé leur cœur et leurs oreilles, ils ont un bandeau sur les yeux. À eux le tourment sans borne. » Il haussa les épaules. Les leçons de morale commençaient. Tous les mêmes.

Ce qui l'avait frappé chez l'imam Abdallah, comme chez Hassan, c'était leur certitude. Eux ne semblaient pas connaître le tourment, parlant avec une sorte d'évidence que l'incroyant qu'il était leur envia tout à coup. Il reposa le livre. La batterie martelait. Il arrêta la chaîne. Le silence se fit. Il reprit sa lecture : « Aimez-vous mieux cette vie que l'autre ? La joie de cette vie est infime à côté de l'autre. Si vous n'allez pas au combat, Dieu vous frappera d'un affreux tourment et vous remplacera par un autre peuple. »

Quand il retourna à la mosquée, il fut une nouvelle fois frappé par l'atmosphère qui se dégageait de ce lieu. Loin du tumulte de la ville, des hommes allaient et venaient, et priaient. Leurs djellabas battaient l'air. Il revit l'imam.

« Tout croyant loue Dieu et lui rend gloire pour ce qu'Il est. Il lui redit sa soumission. "Bismillah al rahman al rahim. Au nom de Dieu le clément, le miséricordieux, louange à Dieu, maître des deux mondes, clément et miséricordieux, souverain du jour du Jugement dernier ; c'est Toi que nous adorons, Toi dont nous implorons le secours ; guide-nous dans la voie droite, la voie de ceux que Tu as comblés de tes bienfaits, et non de ceux qui ont encouru Ta colère, ni de ceux qui se sont égarés." C'est notre profession de foi, tu vois, elle est toute simple, quelques lignes qui résument tout. As-tu ouvert le livre que je t'ai donné ? »

Moskowski fit oui de la tête.

« Si tu le lis avec application, alors tu entreras à ton tour dans la révélation et tu grandiras sur le chemin de la justice, et la droiture. Tu progresseras dans le djihad.

— Le djihad ?

— "Djihâd fi sabîl Allah", ça veut dire "combat pour la cause de Dieu". Le djihad, Moskowski, c'est d'abord les efforts de chacun pour corriger ses défauts, réparer ses torts, et tendre vers la justice. »

La première fois que Moskowski entendit parler de la Bosnie à la mosquée, c'est à la faveur d'une conversation

94

sur l'oumma : la communauté des musulmans dans le monde. Hassan et lui discutaient avec un groupe qui sortait du prêche. Un mot revenait souvent : « mustad'afun », les malheureux.

« En Palestine, en Bosnie, nos frères souffrent et meurent. Nous leur envoyons argent et médicaments. Mais tout le monde s'en moque.

— T'as entendu la télé ? Pour les Céfrans, c'est pas grave ce qui se passe là-bas.

— Allah dit : "Si vous n'allez pas au combat, Dieu vous frappera d'un affreux tourment et vous remplacera par un autre peuple"... »

Ils étaient attablés autour d'une soupe et d'une sorte de crêpe aux pommes de terre et au fromage que ses hôtes appelaient « pita ». Moskowski était bien, en compagnie de ces hommes qui paraissaient unis les uns aux autres par un lien mystérieux et indestructible. Il les écoutait parler. La rage aveugle qui bouillonnait en lui depuis tant d'années semblait s'apaiser. Non : elle trouvait un sens.

« Si vous n'allez pas au combat, Dieu vous frappera d'un affreux tourment et vous remplacera par un autre peuple »... Encore le tourment... Moskowski se souvint qu'il avait lu cette phrase dans le livre. Et lui, connaissait-il le tourment ? Le blues, parfois, qu'il dissipait en fumant. Mais le tourment ?

« L'heure est au "djihâd al asghar" : l'oumma est attaquée, c'est notre devoir de la défendre. Non plus par des paroles, mais par des actes. »

Encore le djihad. Là, ce n'était plus d'effort personnel qu'il était question. Mais de guerre en bonne et due forme. Joss songea à Hassan qui avait longtemps prétendu que les religions ont pour vocation de promouvoir la paix... Que l'islam fauteur de guerre, c'était un cliché. Maintenant, le même Hassan expliquait que la paix requiert parfois qu'on fasse la guerre. Dans la cour de la mosquée, des dizaines de palettes avaient été déposées, sur lesquelles s'empilaient conserves, sacs de semoule, médicaments, vêtements, prêts à partir pour Sarajevo.

« Le Prophète est formel, dit l'imam. Tout Croyant a le devoir de défendre ses frères attaqués, parce que à travers eux, c'est le nom de Dieu qui est attaqué. Mohammed lui-même a dû se défendre contre ses ennemis. Choisi par Allah pour recevoir sa révélation, il fut contraint d'être un homme de guerre, et ne se déroba pas.

— Ça ne vous choque pas ? demanda Moskowski.

— Le monde a été forgé par la guerre. Regarde la France, c'est la somme de dizaines de guerres et de milliers de morts. Et comment l'humanité s'est-elle débarrassée d'Hitler ? Par de beaux discours ? Elle lui a déclaré la guerre et au final est parvenue à l'éliminer.

— C'est le passé. Maintenant l'histoire se déroule plus pacifiquement. Regardez les révolutions à l'Est. L'Europe a tourné le dos à la guerre. »

Il venait de parler comme un prof : « L'Europe est notre avenir », etc. Il n'y croyait pas davantage qu'Hamon, mais ici, à la mosquée, il essayait de se faire l'avocat du diable, et d'éprouver son interlocuteur. Il sentait bien qu'Abdallah cherchait à l'instruire, à le faire grandir, en lui ouvrant des horizons. À toutes ses questions, l'imam répondait avec douceur et autorité. Moskowski aimait parler avec lui. La mort, le salut, la prédestination, les arguments d'Abdallah allaient au-devant de ses réfutations. Quand il l'écoutait parler, il avait devant les yeux la triste salle du crématorium de Rosières-près-Troyes et celle à peine plus joyeuse de l'aumônerie de la fac.

Dans sa chambre de la cité U, il n'allumait plus la musique comme il le faisait d'habitude, sitôt mis un pied hors de son lit. Depuis quelques jours il avait pris une résolution, comme poussé par un besoin qui, six mois plus tôt, lui aurait paru incongru. Il se tenait debout, la main droite sur sa main gauche, sur son torse. Un livret était posé devant lui, qu'Hassan lui avait donné. Il contenait des explications pratiques, pour prier. Quand on ne sait pas, on fait comment ? Le livret disait tout : les mots de la fatihah, les positions de la prière (an niyya, le takbir, le roukou'ou), ainsi que les heures de la journée où il est demandé au croyant de prier : Sobh, Dohr, Asr, Maghreb, Icha.

Joss levait les mains à la hauteur du visage, les paumes tournées vers l'intérieur, et murmurait à mi-voix :

« Allahou Akbar »...

Ensuite, il ramenait les mains sur le ventre, comme il était demandé. C'était un peu compliqué, mais il suffisait de suivre les prescriptions du livret, comme un mode d'emploi pour installer un ordinateur. Abdallah avait bien précisé : « Prie face à La Mecque et en état de pureté. » Il s'était lavé les mains, les avant-bras, le visage, et s'était installé face à l'est. Et Hassan : « Tu regardes vers Paris, et tu te déchausses, ainsi que Dieu l'a recommandé à Moussa. » Moskowski lisait phonétiquement, sans comprendre : « Bismi Allāhi Ar-Raḥmāni-r-Raḥīm, Al-Ḥamdu Lillāhi Rabbi-l-`Ālamīn, Ar-Raḥmāni-r-Raḥīm, Māliki Yawmi-d-Dīn, Īyāka Na`budu Wa `Iyāka Nasta`īn, Ihdinā-ṣ-Ṣirāṭa-l-Mustaqīm, Ṣirāṭ-Al-Ladhīna `An`amta `Alayhim Ghayri-l-Maghḍūbi `Alayhim Wa Lā-ḍ-Ḍāllīn... »

La traduction suivait : « Au nom de Dieu, le Tout Miséricordieux, le Très Miséricordieux. Louange à Dieu, Seigneur de l'Univers. Le Tout Miséricordieux, le Très Miséricordieux. Maître du Jour du Jugement dernier. C'est
Toi [Seul] que nous adorons, et c'est Toi [Seul] dont nous
implorons secours. Guide-nous dans le droit chemin, le
Chemin de ceux que Tu as comblés de faveurs, pas celui
de ceux qui ont encouru Ta colère, ni celui des égarés. »
     Un jour, alors qu'il venait d'achever sa prière, Joss avisa
les murs de sa chambre. Ils étaient recouverts de posters de
Robert Smith, et des Bérurier Noir en concert. Il y avait
aussi une affiche de *Nikita*, le film de Besson : Anne
Parillaud, sublime en escarpins à talons hauts, et tenant un
revolver. « Tough, tense and typically stylish », disait l'affiche. C'était la version américaine du film.
     Il habitait ici depuis trois ans, protégé par ses icônes. Il
se souvint des tags du squat des Bas-Trévois. Trop de couleurs, trop de bruit, soudain il eut la nausée. Il commença
à arracher les posters. Dessous, il y avait des lais d'un papier
à grosses fleurs jaunes, vestiges d'un locataire hippie, qu'il
avait voulu recouvrir à son arrivée. Maintenant il n'avait
plus envie de rien de tel, ni d'effigies de chanteurs ni de
motifs psychédéliques. Quand sa chambre fut redevenue
nue, quatre murs de plâtre gris, sans aucun visage, aucun
dessin pour distraire son regard, il se sentit mieux. Reposé.
Ce soir-là, il s'endormit paisiblement.

Moskowski passait désormais de longues heures à la mosquée, le soir après les cours. Il en aimait l'atmosphère, et la salât, la prière qui se tenait dans la grande salle. Pendant celle-ci, il se tenait dans un coin, un peu à l'écart, et il imitait les gestes des autres, encore un peu gauche. L'apprentissage était lent. Il se levait, s'agenouillait avec un temps de retard et murmurait les mots sacrés de la rekaa : « Gloire à toi Seigneur, louange à toi, Que ton nom soit béni, Exaltée soit ta grandeur, il n'y a pas d'autre Dieu que toi. » On aurait pu croire qu'il singeait les orants. Il apprenait à prier.

Ce qu'il aimait aussi, c'était écouter les prêches de l'imam. Abdallah parlait bien, d'une voix bien posée. Moskowski l'aurait écouté des heures dérouler sa pensée, sur tous les sujets. Il fustigeait régulièrement les programmes de la télévision, les publicités dans la rue, les humoristes qui se moquaient de la religion.

« L'Europe est devenue un vaste bordel », martelait Abdallah.

L'expression avait surpris Moskowski. En présence de

l'imam, il veillait à maîtriser son vocabulaire. Si lui s'y mettait...

L'Europe. Lui revinrent en mémoire les débats qui avaient agité le pays deux ans plus tôt. À la fac, dans les bars, on ne parlait que de ça : Maastricht. C'était devenu un autre nom de l'Europe. Presque comme une périphrase pour parler d'elle. En 1992, les Français avaient été consultés pour approuver un traité créant une Union européenne. Le référendum avait été l'occasion d'une campagne agitée. Hamon, Duclair, Jeanne d'Arc, les bavards et les démagogues s'en étaient donné à cœur joie. Pendant des mois, les ténors de la classe politique avaient été obligés de se surpasser pour défendre ou réfuter ce texte qui engageait l'avenir de la France. Alain Juppé, François Hollande, Nicolas Sarkozy, Philippe Seguin, Philippe de Villiers. Et Jacques Chirac et François Mitterrand. Tous parlaient de tournant historique. Les mots avaient retrouvé un sens. Il semblait se jouer quelque chose d'important ayant partie liée avec l'histoire. Son suicide, disaient les uns ; sa survie, rétorquaient les autres. En tout cas, son avenir immédiat.

Au milieu de cette agitation, Moskowski était resté dubitatif. Il les avait entendus à la télévision les uns et les autres, qui parlaient de paix, de grandeur, d'élargissement, d'abandon de souveraineté, de grand marché des marchandises et des personnes. Le jour du vote, il ne s'était pas déplacé. Dire oui ou non ? Et « merde », c'était pas prévu comme bulletin de vote ? Son abstention avait d'ailleurs été l'occasion d'une de ses dernières engueulades avec son père : « Tu es en fac de droit et tu ne t'intéresses pas à la vie politique de ton pays ? » Joss avait répliqué. Le ton était monté. « Tu ne mérites pas de vivre en démocratie », lui avait lancé Jan excédé. Joss n'en avait pas démordu. Voter, c'était bon pour les bourgeois.

« T'avais voté pour Maastricht, toi ? demanda-t-il un jour à Abdallah.

— À l'époque je n'étais pas français. J'ai reçu ma carte d'identité l'année suivante. Mais j'aurais voté non. Quelle Europe se prépare ? Une terre de tolérance, un bordel sans frontières ?

« Un bordel, répéta Abdallah. Regarde dans les rues, mon frère, je suis sûr que tu n'y fais plus attention. Les affiches sur la façade des cinémas, les devantures de kiosques, les panneaux publicitaires, tout est fait pour exciter les sens de l'homme. Quelle image vous donnez de la femme ! Et elle ne choque pas vos féministes, cette vision d'un être réduit à son apparence physique, dont le corps ne sert qu'à vendre des vêtements ou du fromage ! Ce qui vous indigne, c'est que l'islam demande aux femmes de se protéger du regard des hommes, en mettant un voile, en réservant leurs grâces à leur mari. C'est le monde à l'envers.

— Mais la liberté ? se risqua Moskowski. C'est important, la liberté. » Il se souvenait de la vie au squat, de ses quelques mois avec Jones. Elle n'avait pas besoin de voile pour lui réserver sa tendresse.

« Une sourate dit : "Prophète, dis à tes femmes et à tes filles, et aux femmes des croyants de se couvrir de leur voile. C'est le meilleur moyen pour elles d'être reconnues et de ne pas être offensées." C'est par respect pour les femmes que nous leur demandons de prendre le voile. Il les libère du regard des hommes. Toi, de quelle liberté parles-tu ? De celle de la pauvre fille, divorcée avec deux enfants, qui travaille dur toute la journée, rentre chez elle exténuée, après avoir récupéré sa marmaille..., comment vous dites? sa progéniture? Et ensuite, elle doit encore s'occuper de la maison, linge, cuisine, ménage. Double journée! Ah la belle liberté! Aux femmes, notre religion assure un statut, un rôle, mais aussi une protection : elles élèvent nos enfants, tiennent la maison et passent du bon temps entre elles. Crois-moi, mon frère, aucune n'a le sentiment d'être en prison. Et aucune n'envie le sort de la femme occidentale. »

« Que tu dis! » En écoutant l'imam, Joss pensait à sa mère, à ses années de militantisme joyeux, à ses déceptions. Que penserait-elle de ce discours? Elle hurlerait. Lydie semblait heureuse aujourd'hui, même s'il l'avait souvent entendue pester le soir contre « les deux journées ». Heureuse avec ses clientes, heureuse de faire de la gym et de prendre soin d'elle.

Mais Abdallah avait peut-être raison. Car, au fond, Lydie l'était-elle vraiment, heureuse, elle dont la vie ressemblait à une course folle? Il ne le lui avait jamais demandé. Était-elle heureuse avec Daniel? Le yoga rend-il heureux? Il faudrait qu'il interroge l'imam.

Et la sœur d'Hassan, Zeineb, promise à la vie décrite par Abdallah? Heureuse? Après le soir de l'iftir, il l'avait croisée une fois ou deux, un vendredi, qui se rendait à la prière. Elle avait encore baissé les yeux. Un voile dessinait joliment son visage et flottait sur ses épaules. Quand le regarderait-elle?

Zeineb qui marchait vers la mosquée, accompagnée de sa mère et de ses sœurs, portait une robe longue, ample, qui à chaque pas révélait ses chevilles posées sur d'élégants escarpins à talons. Moskowski n'avait pas pensé qu'une cheville pût être aussi joliment mise en valeur.

Qu'une femme pût être désirable par la seule finesse de ses attaches. Il regretta que l'islam ne permette pas aux hommes et aux femmes de se tenir ensemble à la mosquée. Il se serait placé derrière elle et l'aurait dévorée du regard durant toute la prière. Mais aurait-il pu prier? Pas sûr. La religion était sage, qui préservait les hommes de la tentation.

Pourquoi ces souvenirs lui revenaient-ils aujourd'hui ? Ils dataient d'une époque antérieure à ses premières visites à la mosquée, mais lui apparaissaient désormais comme une étape importante dans l'histoire de sa conversion à l'islam. Comme le temps avait passé.

C'était l'année qui avait précédé la mort de son père. Il vivait alors encore rue des Noës. C'était il y a une éternité.

Jan Moskowski avait voulu faire une surprise à Lydie : « On part en croisière, ma puce. » Ils fêtaient leurs vingt ans de mariage. Pour leur voyage de noces, ils étaient partis sur la Côte en 4L. Cette fois, ils s'offraient une croisière. « Ils allaient faire la Méditerranée », comme disait l'hôtesse de l'agence de voyages.

Un matin d'automne, la famille Moskowski avait débarqué d'un minibus à Savone, un port du nord de l'Italie, devenu un énorme terminal à bateaux. Pouvait-on encore appeler bateaux ces véritables immeubles flottants, capables d'héberger plusieurs milliers de touristes ? Après avoir patienté dans un hall qui ressemblait à celui d'un aéroport, les Moskowski étaient montés à bord de l'*Adriatica.* Lydie avait des yeux émerveillés.

104

La première activité des croisiéristes fut un exercice d'évacuation. Ils n'étaient pas dans leur cabine depuis une heure qu'un appel leur intimait l'ordre de gagner le pont, vêtus de leur gilet de sauvetage. Joss commença par renâcler. On allait lui foutre la paix, oui ? Il n'allait pas se prêter à ces simagrées. Mais le personnel frappait à toutes les chambres pour demander aux passagers d'obtempérer. Il n'avait plus le choix. Quelques minutes plus tard, habillé d'une brassière orange, il se retrouva avec ses parents au milieu d'une foule goguenarde. Simuler une évacuation, ça amusait follement les passagers.

Joss les avait tous jaugés en une minute. C'était la France qu'il détestait : âgés, aisés, ne craignant pas le ridicule. Ces cadres moyens à la retraite portaient invariablement des chaussures de sport blanches immaculées, un jean neuf et un sac à dos. Ils paraissaient s'être déguisés pour les vacances.

Il était le seul jeune de la croisière. Les quelques filles qu'il avait croisées appartenaient à l'équipage, au personnel de cuisine, ou au groupe des animateurs : européennes, beurettes, asiatiques, toutes souriantes, parfois mignonnes, mais toutes occupées. Elles seraient inabordables. Elles étaient là pour travailler. Bad trip. « Pas cool », aurait jadis commenté Hassan.

Lydie était aux anges. Le programme de l'*Adriatica* prévoyait des séances de remise en forme dans la piscine, et de l'initiation à la peinture sur porcelaine. Jan, lui, avait prévu de se rendre chaque soir sur la passerelle avec un membre de l'équipage pour suivre le trajet du bateau et faire le point sur une carte.

« Décroche de tes chiffres, lui disait sa femme. Va plutôt faire du sport. Le moniteur est très sympa. »

Assis sur le pont, tirant sur sa cigarette, ses cheveux de jais dressés dans le vent, Joss ne quittait guère son walkman qui crachait du Bérurier Noir. Il avait emporté un CD de ce groupe, pour la provocation : « Le Tiers Monde crève, les porcs s'empiffrent/La tension monte, les GI griffent. » Devant son gin-orange, il riait tout seul en écoutant cette chanson. Sous ses yeux, Lydie et une dizaine de femmes debout dans la piscine faisaient des mouvements, sous la houlette du moniteur sympa. Elle lui adressait des signes de la main auxquels il répondait de mauvaise grâce, la mine fermée.

À bord, Jan et Lydie s'étaient liés à un couple un peu plus âgé qu'eux. La femme s'appelait Michèle et l'homme Alain. Ils habitaient Montrouge, dans les Hauts-de-Seine. Michèle et Lydie avaient sympathisé dès le premier soir, au dîner. Elle, approchant la soixantaine, plutôt pas mal conservée, hâlée par de longues stations au soleil ou dans un institut de beauté. « Une ancienne belle », comme disait Lydie. Lui, commercial en préretraite, et des réserves de plaisanteries pour ces dames, qu'il aimait faire glousser. Il les accompagnait d'un rire grinçant :

« En Tunisie, il ne faudra pas rater le Bardo. Ce sera sympa de retrouver Brigitte. Et Allah créa la femme ! »

« Il a fait l'école du rire », songeait Joss qui ne pipait mot, exaspéré par ces gens qui ne l'appelaient que « le jeune » : « Ça boume, le jeune ? Tu ne t'ennuies pas trop ? »

L'*Adriatica* avait fait escale à Tunis. Plusieurs bus attendaient les passagers sur le quai. Des guides brandissaient des panneaux portant des numéros. Les numéros 1 à 3 partaient pour la journée pour Carthage, les numéros 4 et 5 « faisaient » — le verbe était désormais de rigueur parmi les croisiéristes — Sidi Bou Saïd le matin et La Goulette. Le numéro 6 allait visiter Tunis. Ces consignes étaient inlassablement répétées par mégaphone.

Il monta dans le car avec ses parents qui voulaient voir Sidi Bou Saïd, dont leur guide disait qu'il ne fallait « ab-so-lu-ment pas manquer ce petit village blanc qui descend en pente raide jusqu'à la mer, avec ses maisons secrètement refermées sur des jardins ». Michèle et Alain les accompagnaient. Ce dernier se réjouissait bruyamment de découvrir « Sidi Brahim ». Il ne faudrait pas oublier de rapporter du vin. Il répéta trois fois la plaisanterie.

Le groupe avait passé la matinée à déambuler dans le village aux murs blancs ornés de portes bleues avec ses bougainvilliers encore en fleur qui se répandaient en cascade du faîte des murs. Il faisait beau et le soleil chauffait agréablement le pavé des rues. Les Moskowski et leurs amis avaient avalé un « kahoua » au Café des Nattes et emprunté le parcours des touristes : flânerie dans les rues, achats dans les boutiques. Ils étaient ressortis avec des tuniques, des cartes postales, des plateaux en métal travaillé, des portefeuilles en cuir.

« Celui-là, disait Alain en montrant un élégant saroual, je l'ai marchandé, je te dis pas. Ça m'a pris une demi-heure. J'ai rien lâché, le jeune. Comme dans la vie.

— Le marchandage, renchérissait Michèle, c'est très sympa. »

Ils en avaient même négligé d'aller honorer la mémoire d'Abou Saïd, le sage qui donnait son nom au village. L'ermite reposait dans un mausolée, à quatre dômes, à l'intérieur de la mosquée.

« On n'a pas eu le temps. Le marchandage, c'est chronophage. »

À Carthage, les touristes de l'*Adriatica* avaient découvert les thermes d'Antonin et des villas en ruine. Leur accompagnateur, un quadragénaire élégant, multipliait les détails, faisait assaut d'anecdotes. Devant un parterre ébahi, il signalait des restes de présence chrétienne ; là une chapelle, ici une basilique byzantine, dont on ne pouvait plus voir que quelques pierres, une colonne, une mosaïque. Joss n'en revenait pas. Pour lui, l'Europe était chrétienne et l'Afrique du Nord musulmane. Une ligne en avait décidé ainsi, c'était comme le partage des eaux.

Le guide expliquait que le christianisme avait été vivant, ici, animé par des hommes tels que saint Augustin ; mais très vite, l'Église avait décliné, rongée par les divisions, la multiplication des hérésies, des chapelles, des débats théologiques sur la nature du Christ — « les célèbres querelles byzantines », précisait-il d'un ton avantageux. Incroyable. À part quelques pierres, il ne restait rien de cette religion. Joss écoutait attentivement. Ainsi une civilisation pouvait bien se déployer, prendre racine, le vent de l'histoire la balayait inlassablement, l'érodait jusqu'à sa disparition. Rien n'était gravé dans l'éternité. C'est dans une société à bout de souffle qu'avaient débarqué les soldats d'Okba Ibn Nafii. L'islam, neuf et vigoureux, avait prospéré rapidement dans un monde exsangue. Ainsi, on pouvait imaginer un jour une France musulmane. Les églises, les chapelles tomberaient en ruine sans que personne ne s'en préoccupe. L'antériorité du christianisme ne le prémunissait contre rien. Sa solide implantation n'était qu'apparente. Un jour, les cathédrales de Chartres, Vézelay ou Notre-Dame-de-la-Garde se visiteraient peut-être comme on visite Douimès ? — « Ou comme Sainte-Sophie à Istanbul. Tu connais Istanbul, le jeune ? », ajoutait Michèle. Et comme à Douimès, un Alain s'exclamerait sur l'emplacement des

108

anciens édifices religieux : « Eh ben, il faut de l'imagination pour y voir une église » ; pour admettre que ces lieux, dont il ne restait que quelques colonnes, des murs abattus et un sol de dalles, avaient servi au culte chrétien, que des évêques, des prêtres, des fidèles s'étaient pressés en ces lieux, que des papes les avaient visités, sous les hourras de la foule.

La France de la fin de millénaire était-elle plus forte que l'Afrique du Nord du VIIᵉ siècle ? À quoi croyait-elle ? À Jésus-Christ ? Les églises étaient vides, et le clergé hors d'âge. Au communisme ? Les Moskowski étaient bien placés pour savoir que l'espérance immense suscitée jadis par le Parti avait du plomb dans l'aile. Alors à quoi ? Au football ? À l'action humanitaire internationale ? Joss n'aurait pas su répondre.

À l'époque, le sujet l'indifférait. Il écoutait distraitement le guide mais aujourd'hui, se rappelant cette visite de Carthage, il constatait combien sur ce point Hamon et l'imam Abdallah se rejoignaient. Une société ne vit pas durablement en cultivant le reniement de soi. Les élites françaises déguisaient ce reniement avec des mots : mondialisation, disparition des frontières, multiculturalisme, métissage. L'époque était au mélange, sans que personne ne se demande si les peuples étaient tellement désireux de se mélanger, et surtout en mesure de le faire. Ainsi, ses amis de la mosquée n'aimaient guère le mélange. Ils refusaient que leurs filles fréquentent des garçons étrangers à la communauté musulmane. De leur point de vue, ça se comprenait. Ils ne voulaient pas que Leila, Fatima, Séham, Zeineb tournent mal, qu'elles deviennent des karbah, comme ils disaient : des putes.

Dans le car qui ramenait le groupe au bateau, le guide,

disert et agréable, avait continué à parler. Un petit noyau parmi les passagers de l'*Adriatica* l'entourait et le bombardait de questions. La civilisation carthaginoise, l'histoire de la Tunisie, Bourguiba, Mendès France. Pourquoi Sidi Bou Saïd avait-il été interdit aux chrétiens jusqu'en 1820 ? Où en était le pays aujourd'hui ? Démocratie ou dictature ? À tous, le Tunisien avait répondu avec calme et prudence, souligné les efforts du gouvernement de Ben Ali pour développer le pays. Son principal mérite, avait-il assuré, était de contenir le risque intégriste. La conversation avait roulé sur l'islam.

« Est-ce que vous êtes polygame ? » avait demandé Michèle. Le sujet la taraudait. Elle en parlait depuis le début de la croisière.

« Non, madame », avait répondu le guide.

Elle était restée incrédule. À ses côtés Alain avait soufflé à Jan :

« Ils le sont tous, ces gens-là... Note : ça doit pas être désagréable.

— Je vous assure, reprit le guide ; je suis marié depuis quinze ans avec la même épouse ; j'ai cinq enfants et contrairement à de nombreux Européens, je n'entretiens pas de maîtresse. »

Le groupe avait ri. Michèle n'avait pas désarmé. Elle tenait son sujet. Depuis ce matin, le guide vantait les mérites de la Tunisie et ses trésors. C'était suspect, à la fin. « L'islam, c'est pas la panacée », disait-elle à qui voulait l'entendre.

« Pourquoi les femmes sont-elles voilées dans votre religion ?

— Comme vous avez pu le remarquer, ici elles le sont rarement. » Il ne se départait pas de son calme. En son temps, le président Bourguiba avait décidé un plan d'éducation et d'émancipation des femmes, qui a produit des effets qu'on observe encore aujourd'hui.

Il y avait eu un moment de silence. L'impavidité du guide paraissait avoir eu raison des assauts des touristes. Les conversations particulières allaient reprendre, le chauffeur s'apprêtait à augmenter le son de la musique qui se diffusait dans l'habitacle du bus. Soudain un cri retentit.

« J'en vois une, là ! » Michèle s'était levée. Les occupants du car se penchèrent à la fenêtre pour regarder. Sur le bord de la route, une femme vêtue d'un foulard marchait vers sa maison. La modernité reprenait l'avantage.

Le guide ne parut pas désarçonné. Il continuait de sourire. C'était son métier. « Cette femme, songeait-il, se croit l'interprète intrépide d'une admirable cause, celle du deuxième sexe dans le monde. Elle se sent pousser des ailes. »

Mais ces questions, on les lui posait chaque jour. Ces indignations avaient été mille fois exprimées. Il ne se lassait pas de répondre, toujours courtoisement. Pour la condition féminine, la Tunisie de Bourguiba et Ben Ali ne craignait personne. C'était le pays le plus libéral du Maghreb. À Tunis, il y avait de nombreuses filles en jean et quelques femmes voilées. Comme à Marseille ou Paris. À cause de quelques niqabs qu'on pouvait apercevoir dans ses villes, la France était-elle un pays rétrograde ?

« Chez nous, certaines femmes se couvrent la tête. C'est fréquent dans les pays méditerranéens. Mais c'est moins un précepte religieux qu'une habitude sociale. Une tradition. Il me semble qu'en France, il n'y a pas si longtemps, dans les campagnes, les paysannes portaient aussi un foulard sur la tête. Comment dites-vous ? Un fichu ?...

— C'est un signe d'asservissement », décréta Michèle.

Le petit groupe faisait désormais corps autour d'elle, dressé sur les sièges. « Et la liberté, que faites-vous de la liberté de la femme ? »

Joss commençait à être agacé. « Vénère », comme il disait. Quelle conne, cette nana. Cette façon péremptoire de parler, de voyager avec de grands principes en bandoulière. Ce côté missionnaire qu'avait pris Michèle. Ce n'était pas possible. Il la dévisageait, découvrant sous un nouveau jour la compagne de voyage de ses parents. Elle était plutôt sympa jusqu'ici, qu'est-ce qui lui prenait ?

Pourquoi se souvint-il de cette croisière quand il résolut de choisir l'islam ? Avait-il décidé de se convertir pour échapper à la bêtise de ses contemporains, à leur veulerie ? Eh bien oui, n'en déplaise aux bonnes consciences, il était tombé amoureux de l'islam ; de cette religion qui faisait hurler Michèle parce qu'elle oppressait les femmes, et bafouait les droits de l'homme ; mais elle le rendait heureux, lui, Joss Moskowski.

Revenus à bord, ses parents et leurs amis étaient allés prendre un verre au bar de l'*Adriatica*. C'était une vaste pièce chaleureuse, décorée de panneaux de bois, et de fauteuils club confortables, où en fin d'après-midi une chanteuse se produisait. Il n'avait pas voulu les accompagner. « T'as pas soif, le jeune ? — l'islam ne va pas te dégoûter de l'apéritif quand même, merde ? » Il n'avait rien répondu, et était sorti sur le pont.

Le bateau avait quitté le port. Il était maintenant en pleine mer, fendant les flots agités, dans un mugissement dont on ne savait pas s'il provenait des éléments ou du moteur. La houle était forte. Malgré son poids, le bateau tanguait. Des dames avaient regagné leurs cabines, non sans avoir demandé à l'accueil des pilules contre le mal de mer.

Moskowski revoyait la scène plusieurs années après. Personne n'était dehors : par un temps pareil, quelle idée. Il s'était assis sur une chaise longue, tout seul. Il avait essayé d'allumer une cigarette. Même avec son Zippo, c'était impossible avec ce vent. Il se remémorait la journée à terre, les propos du guide sur la fragilité des sociétés humaines, les commentaires de Michèle.

Ce soir-là, le visage battu, les cheveux ébouriffés, il avait senti monter en lui, comme jamais jusqu'alors, la tentation exaltante de la rupture.

DEUXIÈME PARTIE

Fahrudin Hamzic avait trouvé du travail dans un bar de la place des Carmes, qui étendait ses tables et ses chaises sur la place, sous les yeux de la statue de Flaubert; Hamzic ne craignait pas les allées et venues. Il slalomait entre les tables et les arbres, rapide au point que le patron du bar le surnommait « le toréro ». La taille mince, le visage en lame de couteau fendu d'un sourire, il ne sentait pas la fatigue. Les pourboires lui permettaient de croire qu'il gagnait bien sa vie. Aux beaux jours, les étudiants de la ville aimaient se retrouver là, créant une atmosphère joyeuse et insouciante.

Hamzic faisait la terrasse, et son patron la salle. Normal. Ce dernier se nommait Jacky — il prononçait Yacki : « Moi c'est Yacki. » La quarantaine, cheveux courts et fine moustache, Jacky avait la gouaille inépuisable et appuyée. Qu'une jolie fille commande un café « allongé », le commentaire fusait, coquin, taquin. Jacky avait une allure sportive ou plutôt, à observer de plus près, d'ancien sportif. Ces dernières années, il avait tendance à se laisser aller : une petite panse tendait sa chemise, son visage s'était alourdi. La bière n'arrangeait rien. « Merde! Je gère un bar et l'on voudrait que je sois à l'eau plate. Je m'excuse mais merde ! »

Sur son avant-bras, Jacky arborait un tatouage qu'on apercevait d'autant mieux qu'il portait été comme hiver des chemises blanches à manches courtes. Que représentait-il, ce tatouage ? Un drôle de sigle, où on reconnaissait un dragon et un chiffre : 2. Ce jour-là, c'était un an après son arrivée, ils déjeunaient tous les deux en salle, juste avant le coup de feu de midi.

« C'est quoi ce que tu as sur le bras ?

— L'insigne du 2ᵉ REP, mon pote. »

Et devant l'air interdit du garçon, Jacky avait ajouté : « La Légion étrangère. J'y ai passé quinze ans. »

Fahrudin Hamzic n'avait pas compris de quoi il parlait : il avait entendu « région étrangère ». Il avait l'air important pour Jacky, ce sujet. Prononçant ces mots, il s'était redressé, avait pris une autre contenance. Il n'était plus le brave tenancier de la place des Carmes, un peu épais, mais un être singulier, dépositaire d'une histoire qui échappait au commun.

« Pas "région" : "légion". Un truc d'homme, mon pote. J'en ai bavé mais je n'ai jamais été aussi heureux que là-bas. Va savoir...

— C'est quoi la Légion ? C'est l'armée ?

— Ça va pas, non ? L'armée, c'est la régulière. La Légion c'est autre chose, des seigneurs. Avec un e ! En France, tout le monde va à l'armée. La Légion n'accepte que les meilleurs.

— Pourquoi elle est étrangère ?

— Aucun légionnaire n'est français. Il y a de tout, des Anglais, des Allemands, des Russes. C'est l'ONU. Tiens, y a même des Yougos.

118

— Et toi, t'es pas français, Jacky?

— Si, mais à la Légion, je ne l'étais pas. Sur ma carte, c'était écrit : nationalité monégasque.

— Pourquoi tu t'es engagé?

— Sais pas. Envie de voir du pays. J'ai pas été déçu. Je suis allé au Tchad, au Centre-Afrique, à Djiboute. Tu connais Djiboute? »

Non, Hamzic ne connaissait pas Djiboute. Les villes qu'il connaissait, c'était Rouen, Paris, Caen; et en Bosnie, Sarajevo, Visoko, Vares. Il avait vécu là-bas jusqu'à l'âge de dix ans, à Kladanj, une petite ville de la montagne, au milieu de la forêt. Son père travaillait dans une scierie, au bord de l'eau. Lui et les siens habitaient l'étage de la grande maison qu'avaient fait construire ses grands-parents. Une maison comme on en voit tant en Bosnie : au rez-de-chaussée le garage et le bûcher, au premier étage l'appartement familial.

Bécir, le grand-père, avait fait la guerre dans les rangs de l'armée de libération nationale. C'était un inconditionnel du maréchal Tito dont la photo était en bonne place sur la commode du salon; elle ne représentait pas le président de la Yougoslavie, l'homme mûr qui parlait d'égal à égal avec Brejnev, Nixon ou Nerhu, mais le combattant, le jeune chef des brigades prolétariennes, le héros de la Neretva. Fahrudin revoyait le portrait : un bel homme au sourire engageant, superbe dans son uniforme avec des feuilles d'olivier sur la manche, une pipe à la main.

« Il a permis à la Yougoslavie de se libérer par elle-même », répétait le vieil homme à son petit-fils.

Le non-alignement, l'autogestion, l'originalité du modèle yougoslave, sa place dans le monde, Bécir défendait tout avec ardeur et fermeté. Exception dans les pays communistes, Tito avait permis l'ouverture du pays. Cette tolérance conduisait ses compatriotes à émigrer en Allemagne ou en France, privant le pays de ses éléments les plus jeunes et les plus instruits. Bécir ne comprenait pas. Il avait passé sa vie dans la montagne, au nord de la Bosnie. Son horizon ultime, c'était Sarajevo. Il ne connaissait pas Mostar, ou Dubrovnik, ou Belgrade. Pourquoi y serait-il allé? Il y avait tout ce qu'il fallait, à Kladanj, il y était heureux.

Quand les parents de Fahrudin firent part à Bécir de leur décision de partir pour la France, il y eut quelques éclats de voix dans le salon où trônait le portrait du Maréchal. Le père parlait travail, le grand-père répondait patrie. Le premier disait que la France était une amie de la Yougoslavie, que le Maréchal disait toujours du bien du président Giscard d'Estaing, que de nombreux footballeurs jouaient dans des clubs français, l'autre ne voulait rien entendre. Les partisans, assénait-il, ne s'étaient pas battus pendant quatre ans, le président Tito n'avait pas porté ce pays à bout de bras pendant trente-cinq ans pour que son fils le quitte par convenance personnelle.

La mort de Tito permit le départ de la famille de Fahrudin. Soudainement, Bécir se désintéressa de son pays. Sans le Maréchal, la Yougoslavie n'était plus la même. Le pays était désormais dirigé par une présidence tournante qui respectait les nationalités. Le héros de la libération nationale remplacé par une présidence tournante! Ça ne marcherait pas. Du reste, les faits n'avaient pas tardé à lui donner raison. Des troubles avaient aussitôt éclaté à l'université de Pristina. Des histoires de menus au restaurant universitaire. À moins qu'il ne se fût agi d'une protestation contre la nomination d'un Serbe à la tête de l'Aca-

120

démie des sciences. Peu importe : le Maréchal n'aurait jamais permis cette confusion.

Le père de Fahrudin avait trouvé un argument imparable pour rendre la France aimable au grand-père : depuis quelques mois, le gouvernement français était socialiste, avec en son sein des ministres communistes. Socialiste, communiste, Bécir n'avait guère idée de ce que ces mots recouvraient à Paris. Il avait lu dans *Dnevni Avaz* — *La Voix quotidienne* —, le journal de Kladanj, que Paris parlait de pratiquer la nationalisation de grandes entreprises ; nationalisation, le mot l'avait intéressé. Son fils avait peut-être raison, la France était un pays où l'on pouvait vivre.

Voilà comment la famille Hamzic débarqua à la gare de Rouen, et élut domicile dans les hauts de la ville, un quartier dit nouveau, le Châtelet. Le père était arrivé quelque temps plus tôt. Ayant trouvé du travail à l'Office national des forêts, il avait été affecté à la Forêt verte, et pu faire venir les siens. Dans le jargon administratif, on appelait ça le regroupement familial.

Fahrudin avait alors douze ans. Il avait découvert « le plateau » : un ensemble d'immeubles qui avaient poussé au lendemain de la guerre, comme des champignons. Ils dominaient Rouen. Certaines constructions étaient en brique, d'autres en béton recouvert de plaques préfabriquées. Les anciens disaient qu'avant, au Châtelet, il y avait eu une ferme. Il ne voulait pas le croire. L'appartement donnait sur une grande barre que les habitants avaient surnommée « la banane » à cause de sa forme courbe. Tout autour de lui, il ne voyait que des constructions, les hautes cuves en béton des châteaux d'eau, éclairées la nuit, le centre commercial, la poste. Les immeubles portaient, inscrits en grand sur leurs façades, des noms qui ne lui disaient rien : Charles Cros, Charles Dullin, Ernest Esclangon. Et un, qui désignait une tour de sept étages dont il n'arrivait pas à prononcer le nom : Niépce. C'était qui ce Niépce? Et Giraudoux? Lui aurait-on demandé d'écrire le nom du bâtiment où sa famille résidait, il l'aurait écrit en un mot : Ernestesclangon. Entre les enfants de Charles Cros, Dullin, Esclangon, s'était formée une forte rivalité qui s'exprimait balle au pied et parfois à coups de poing.

Fahrudin était heureux au Châtelet, même s'il regrettait Kladanj, avec ses rues en pente, la forêt toute proche et la rivière. Son village était indissociable de sa petite enfance. Au Châtelet aussi, la nature n'était jamais loin. La forêt, magnifique, était formée de vastes allées cavalières, qui se profilaient entre des hêtres et des châtaigniers. Mais cette majesté n'avait pas la beauté rugueuse des bois autour de Kladanj, où se mêlaient dans un enchevêtrement de ronces et de fougères, entre les rochers, conifères, bouleaux et chênes. Certes, une forêt reste une forêt. Et comme il avait aimé rejoindre son père sur les chantiers de coupes claires de la montagne bosniaque, il aimait se promener avec lui le week-end dans la Forêt verte, respirer l'odeur du bois coupé, prendre dans sa main la sciure fraîche et la porter à son nez, saisir une bûche fendue pour en observer les nervures, avant de la reposer sur un tas que les agents de l'ONF venaient de monter avec une minutie de maçons. Le bois, c'était la vie, qui naissait sous la forme d'un rejet au pied d'une souche, croissait au rythme des saisons, somnolait l'hiver avant de reprendre son cours impétueusement au printemps, et mourait sous la cognée — dans la Forêt verte, les hommes se servaient de puissantes tronçonneuses dont Fahrudin aimait sentir l'odeur d'essence et d'huile mêlée de débris de bois.

Au Châtelet, le vieux Bécir s'était installé avec eux, non plus au premier étage de la maison comme à Kladanj, mais dans une chambre, au bout de l'appartement. Il s'y sentait à l'étroit, alors il passait toutes ses matinées dans un café de la rue Henri-Dunant. L'après-midi, il rejoignait les anciens assis sur la place. Il avait adopté leur tenue : chemise à carreaux, boutonnée jusqu'au cou, gâpette ou fez. Les retraités du quartier venaient principalement d'Algérie. L'un d'eux, Madjid, avait servi dans l'armée française. Il était kabyle, avait longtemps vécu avec sa famille dans un camp du sud de la France avant d'atterrir à Rouen. Il avait travaillé à l'ONF comme le père de Fahrudin. Au Châtelet, on l'appelait « le harki ». Certains habitants prononçaient le mot en tordant la bouche. Ceux-ci ne lui adressaient pas la parole. Bécir s'en moquait bien que Madjid ait été harki et que Youssef et Mustafa aient servi dans les rangs de l'Armée de libération nationale algérienne. Ils étaient ses amis. Ensemble, ils parlaient des conditions de vie des immigrés toujours plus difficiles en France, des mots désobligeants qu'ils entendaient dans leur dos, et parfois aussi devant eux. Quelquefois, ils évoquaient la guerre. Ceux qui n'avaient pas combattu ne pouvaient pas comprendre.

C'est avec Bécir que Fahrudin était entré pour la première fois dans un bar. Il se souvenait du vaste comptoir en zinc, du flipper bruyant devant lequel se pressait un groupe d'adolescents. Son grand-père l'avait présenté à ses amis, assis autour d'une table, et lui avait payé un diabolo menthe. Les anciens buvaient du thé à la menthe.

Ce jour-là, Bécir avait sorti d'un sac en tissu un plateau en bois formé de petits carrés noirs et blancs : c'était un échiquier fabriqué par ses soins. Les pièces du jeu aussi, il les avait sculptées une à une, au couteau. Fahrudin s'était assis en face de lui et la partie avait commencé. Quelques mois plus tôt, Bécir avait initié son petit-fils au jeu d'échecs, qu'à Kladanj on appelait le sah. Il avait détaillé les pièces et lui avait expliqué leur déplacement. La tour crénelée avançait droit, le fou, celui qui a la tête fendue, en diagonale, la reine (kraljica) était omnipotente ; et le roi (kralj) sous sa tutelle. Comme dans le système socialiste où le parti est tout-puissant et son secrétaire général dépendant des autres. Pas étonnant que l'Union soviétique encourage ce jeu dans les pays satellites. Bécir avait suivi avec passion l'affrontement Spassky-Fischer, puis Kortchnoï-Karpov : la presse yougoslave avait commenté l'événement en faisant de l'échiquier une réduction de la planète, où deux conceptions du monde s'affrontaient. Entre Bécir et Fahrudin, c'était pareil. L'ancien était plus technique, l'enfant plus concentré. Celui-ci faisait grand usage du cavalier, dont il aimait les raids qui semaient la perturbation chez l'adversaire. Celui-là préférait les grandes offensives de la reine appuyées par un fou ou une tour. Partie après partie, Bécir expliquait à Fahrudin la philosophie des échecs, qui ne consiste pas à dépouiller son adversaire en prenant ses pièces une par une — on n'était pas aux dames —, mais à installer un dispositif, une toile d'araignée où le roi, pauvre insecte, viendrait se prendre. « Sois économe de tes pijesak », murmurait-il, quand son petit-fils sacrifiait trop facilement ses pions.

Bécir avait l'air heureux. Un seul point le chiffonnait. Il n'osait pas avouer qu'il ne voyait pas bien ce qu'il y avait de communiste en France. Un président qui recevait ses hôtes au château de Versailles faisait-il vraiment partie du camp du progrès ? Il avait regardé à la télévision les images de François Mitterrand, seul au bout d'un tapis rouge devant le Grand Trianon, accueillant Helmut Schmidt, Ronald Reagan et Margaret Thatcher qui descendaient d'un hélicoptère : un monarque entouré de la garde républicaine. Bécir se posait la question, in petto : le marbre rose était-il compatible avec le socialisme ? Il faudrait qu'il demande à Mustafa, l'ancien du FLN qui admirait Boumediene. Boumediene aussi se disait socialiste.

Les débuts au collège Boieldieu furent difficiles. Fahrudin parlait mal le français. Il trouvait que les gens autour de lui s'exprimaient trop vite et articulaient mal. Impossible de saisir tous les mots. Il s'accrocha et peu à peu le monde devint intelligible. Un jour, il eut une surprise. Son prénom suscitait des ricanements. Fahrudin, ça ne lui paraissait pas plus exotique que Fabrice ou Killian. Un sobriquet avait surgi un jour, dans la cour de récréation : « l'Arabe », trouvé par des grands de troisième, deux adolescents nommés Pereire et Marnier.

« Je ne suis pas arabe, je suis bosniaque, avait protesté le petit Hamzic.

— C'est quoi un Bosniaque ? avait rétorqué Pereire. Tu t'appelles Fahrudine, comme Nourredine ou Seyffedine. Tu es arabe. »

Au Châtelet, en ces années-là, on ne connaissait pas la Bosnie, seulement la Yougoslavie. Était-ce une tribu du Sahara ? Fahrudin leur expliqua qu'il portait ce prénom parce qu'il était musulman. D'accord : mais à Boieldieu, les autres musulmans étaient algériens ou marocains, ou tunisiens : arabes, quoi. Il regardait ses contradicteurs avec de grands yeux, s'évertuant à dissocier sa religion d'une région du monde dont il ne savait rien. Aucun membre de sa famille n'était jamais allé à La Mecque. Être « hadj » n'était pas dans leurs moyens. Il s'en sortit avec l'aide de Bécir. « Pas plus que tous les catholiques ne sont italiens, lui expliqua son grand-père, les musulmans ne sont pas tous arabes. »

C'était trop subtil. Ses condisciples continuèrent de penser que la Bosnie était une région du Maghreb, où l'on se déplaçait à dos de chameau. Quand « l'Arabe » devint « Larbi », Fahrudin mit fin à la dérive sémantique au moyen de claques généreusement distribuées. La méthode ne fit pas progresser Pereire et Marnier en géographie, du moins « l'Arabe » disparut-il de leur bouche. Fahrudin devint Faro, gosse du Châtelet.

Place des Carmes, Fahrudin Hamzic ne chômait pas au printemps. Son plateau, encombré de verres de bière, Hoegaarden, Loburg, 3 Monts, ou de tasses de café, il effectuait toujours le même parcours, du comptoir à la terrasse, jetant un coup d'œil à droite et à gauche pour voir si les clients voulaient commander, être servis, encaisser. Il avait devant lui un horizon invariable : la place piétonne, Flaubert, les maisons à colombages, un caviste et un fleuriste. Pour le moment cet horizon lui suffisait. Cela faisait deux ans qu'il travaillait dans ce bar, et comptait bien y rester. Pourtant, la phrase de son patron résonnait souvent en lui ; « Tu connais Djiboute ? »

Jacky était content de Hamzic, de sa vitalité et de son calme. Il était infatigable et accueillait en souriant les impatiences des clients. Les pourboires laissés par ceux-ci formaient à la fin de la journée un joli pécule qui lui payait ses plaisirs du week-end. Et puis, depuis quelques mois, il y avait Élodie. Élodie travaillait chez le fleuriste. Il commençait son service à 7 heures du matin, en pensant à elle, devant la vitrine encore fermée. Quand il l'apercevait vers 9 heures, qui ouvrait sa boutique, il allait jusqu'à elle et lui offrait un café. Pas tous les jours, de temps en temps, comme pour les bons clients. Elle levait le rideau de fer, sortait des pots, arrangeait ses bouquets sur le trottoir de l'autre côté de la place, et lui se redressait, prenait une démarche de félin, et passait son chiffon sur les tables avec un mélange d'application et de détachement. Jacky observait la scène avec bonhomie et un sourire taquin.

« T'as un ticket, "torero". J'ai l'œil, crois-moi, mon pote : quinze ans de comptoir. »

Fahrudin haussait les épaules. Et après ? Il l'aimait bien, Élodie. Elle était mignonne, et tout. Mais au fond, que lui importait d'avoir un ticket avec elle ? Quand elle sortait de son magasin pour choisir une orchidée ou un cattleya pour un client, il n'était pas rare que leurs regards se croisent et qu'ils se sourient. Et cette rencontre le rendait heureux. Cependant ce qu'il désirait par-dessus tout, c'était changer d'horizon, quitter Rouen, voyager. Connaître lui aussi Djiboute. Pas la Djiboute de Jacky, la sienne. Une Djiboute qui serait en Afrique ou en Amérique, un lieu de cocagne. Il n'en avait parlé à personne et continuait à travailler comme si de rien n'était. Samedi, il emmènerait Élodie au cinéma.

Qu'est-ce qu'il y avait à l'affiche des Clubs ? *Danse avec les loups* ? *Les Amants du Pont-Neuf* ? *La Baule-les-Pins* ? Le titre du film serait sans importance. Il la laisserait choisir. Ils allaient au cinéma pour être ensemble. Il passerait la prendre en fin d'après-midi, fièrement installé au volant de sa R 21 immaculée, et ils iraient prendre un verre, avant le film, dans un bar à cocktails. Un jour, si tout allait bien, peut-être dans six mois, ou dans un an, ils s'installeraient ensemble. Pas sur le plateau, où les immeubles seraient bientôt détruits ou réhabilités. Un deux-pièces à Mont-Saint-Aignan ou Bois-Guillaume. Les matins où il ne travaillerait pas, il l'emmènerait au magasin. Le soir, elle reprendrait le bus, après la fermeture. Elle l'attendrait, quand il rentrerait de son service. C'était écrit. Elle lui plaisait, il lui plaisait. Pourquoi attendre ? Cette perspective, il le savait, faisait briller les yeux d'Élodie. Jacky lui disait qu'elle s'impatientait, que ça se voyait, gros comme le nez au milieu de la figure qu'il fallait qu'il fasse gaffe : il allait la perdre, elle irait voir ailleurs. Hamzic ne concevait pas les choses ainsi. Il temporisait. Quelque chose qu'il n'aurait pas su expliquer l'empêchait de faire des projets. Le sourire d'Élodie quand il lui servait son café, ou quand il passait la prendre, au volant de sa voiture, lui suffisait. Il refusait de s'engager plus avant.

Quand il demanda à prendre sa journée, Jacky grogna. Il aurait pu prévenir plus tôt. Un extra, ça ne se déniche pas en un clin d'œil. Enfin... Élodie et lui avaient finalement vu *Les Amants du Pont-Neuf*. Les journaux avaient été dithyrambiques. Elle avait lu sur l'affiche les qualificatifs utilisés par la critique. On passait d'« époustouflant » (*Le Monde*) à « pur chef-d'œuvre » (*Télérama*). Pouvait-on résister à pareils qualificatifs ? Lui s'était franchement ennuyé. Cette poésie artificielle, Paris illuminé par les feux d'artifice du 14-Juillet, la bohême, le pansement sur l'œil de Juliette Binoche faisant du ski nautique sur la Seine, des niaiseries. Ce Carax faisait un cinéma con et prétentieux. Sa seule consolation : Élodie était à son côté, leurs épaules collées l'une à l'autre. Ils avaient bu un verre ensemble après le film, et puis il l'avait reconduite chez elle. Elle aurait sûrement voulu qu'il s'enhardisse, lui prenne le visage avec douceur, devant l'immeuble où elle habitait, approche ses lèvres des siennes, les yeux dans les yeux. Il n'en avait pas eu envie. Au lieu de ça, il lui avait dit au revoir, un peu distraitement.

Dans le train qui le conduisait à Paris, il avait sorti un papier de sa poche : « Fort de Nogent, boulevard du 25 août 1944, Fontenay-sous-Bois. » Boulevard du 25 août 1944. Pas une adresse, ça. C'était une date. Laquelle ? Celle de la naissance du capitaine commandant le fort ? À Saint-Lazare, il avait pris le métro, puis le RER. C'était loin. Le voyage avait commencé. Jusqu'au fort de Nogent, il y avait un bon temps de marche mais Hamzic avait l'habitude. Il s'était engagé dans une voie bordée de petits immeubles coquets, qu'entouraient des pelouses et des haies bien taillées. La rue donnait sur un porche imposant entouré de hauts murs en meulière recouverts d'herbe sur le faîte ; des restes de fortifications. Sur le porche étaient inscrits ces mots : « Légion étrangère. Fort de Nogent. » « Le trou du cul du monde », aurait dit Jacky. Il écrirait à Jacky quand il verrait Djiboute ; il ne connaissait pas son adresse mais il la libellerait ainsi : « Monsieur Jacky, place des Carmes, Rouen. » Ça arriverait toujours.

Un soldat montait la garde devant le bâtiment, qui lui indiqua l'accueil avec un fort accent. Là, un grand légionnaire noir lui tendit des dépliants et des prospectus. Guyane, Corse, Mayotte, Djibouti, autant de destinations enchanteresses. C'était simple. Il suffisait d'apposer un nom sur la feuille, et encore, pas forcément le vrai. Le formulaire d'engagement à remplir était rose.

Il signa. Le Noir lui expliqua que cette signature ne faisait pas de lui un légionnaire, juste un candidat à l'engagement. Il allait partir pour Aubagne, près de Marseille, avec d'autres postulants, pour effectuer des tests. Puis s'il satisfaisait aux conditions minimales, ce serait le temps de l'instruction à Castelnaudary. Avant l'affectation dans un régiment, à Orange, Nîmes, Calvi, Djibouti. À ce nom, Hamzic tressaillit. Auparavant, bien des épreuves se dressaient devant lui. Mais il était prêt.

La semaine précédente, il avait résilié le bail de son appartement. Ensuite, il avait pris congé de Jacky, sans donner d'explications. Il n'avait rien osé dire à Élodie. Il n'avait surtout pas su quoi lui dire. Il s'était dit qu'il lui écrirait. De toute façon, il la reverrait sûrement un jour, enfin peut-être. Les filles c'était compliqué, elles voulaient toujours des explications ; or pour l'heure, Fahrudin Hamzic ne voyait guère clair.

Dans le train qui l'emmenait vers Aubagne, il avait vu le ciel s'éclaircir. On avait dépassé Valence. À l'arrivée, il faisait grand beau. Sur le quai, il avait aussitôt été saisi par la chaleur. Ce n'était pas encore celui de l'Afrique, mais c'était un début.

À la Légion, Hamzic ne fut pas dépaysé. Jacky le lui avait dit un jour : les Yougoslaves étaient nombreux, Serbes, croates, monténégrins, bosniaques, ils étaient les « Yougos ». Le plus ancien d'entre eux était une légende. Un officier passé par le rang, quinze années de képi, et des brouettes. Le capitaine Zlatko Bektic venait d'Herzégovine, près de Medzugorje. La légende racontait que, pour s'engager, Bektic avait gagné la France à la nage. Ce n'était pas faux. Afin d'éviter les questions et les tracasseries au poste-frontière de Vintimille, il était descendu sur le rivage, en contrebas de la route, et s'était dévêtu. De ses vêtements, il avait fait une boule qu'il avait enfermée dans un sac plastique. Puis il s'était mis à l'eau. Le temps était splendide. Zlatko Bektic s'était mis à nager. Il avait l'habitude; à Neum, il avait remporté le championnat de natation de son lycée. Deux heures plus tard, Bektic était sur le sol français. Il avait porté tous les grades jusqu'à celui de capitaine. Pour les légionnaires, il était le « *stari* », l'ancien. Il connaissait les jeunes engagés par leur nom. Paternel, il devinait leurs coups de cafard et les prévenait, avant qu'ils ne commissent une bêtise.

Ce soir là, Hamzic était confortablement assis dans la salle télé du foyer du légionnaire, regardant l'écran dans le brouhaha. Les informations défilaient. Le nouveau Premier ministre français, Édith Cresson, nommée depuis quelques jours, expliquait sa politique; des travailleurs immigrés manifestaient pour obtenir le statut de réfugié. Quelques faits divers, un peu de sport, et on allait avoir la pub. Il écoutait distraitement. Dans le sud-est de la Bosnie, la population avait attaqué le commissariat de police et hissé le drapeau serbe. Il n'était pas sûr d'avoir bien entendu. Il se leva et hurla : « Vos gueules, là-dedans! » Autour de lui, on se tut. Le commentateur donnait des détails. Les affrontements qui avaient ensanglanté la Slovénie puis la Croatie s'étendaient. À l'antenne, le journaliste racontait que l'origine de l'incident remontait à quelques jours, quand la police avait intercepté un camion arrivant du Monténégro et contenant des armes. Des caisses de fusils automatiques pour la communauté serbe de Bileca. Faro connaissait Bileca, près de la frontière; une ville de l'Herzégovine, située près d'un joli lac. Une destination de vacances, moins bondée que Dubrovnik. Là-bas, les Serbes s'armaient et arboraient leur drapeau, bleu, blanc, rouge, frappé d'une étoile formée de quatre lettres de l'alphabet cyrillique, ce qui signifiait : « Samo Sloga Srbina Spasava » : « Seule l'unité sauve les Serbes ». Ils avaient empêché les forces de l'ordre, arrivées de Sarajevo en Land Rover, d'entrer dans la ville. L'incident avait frappé Fahrudin, lui laissant l'étrange impression qu'une tension extrême pesait sur un édifice fragile.

Mais au fond, il n'était guère surpris. Il entendait la voix de Bécir. La Yougoslavie, c'était Tito. Il l'avait créée un jour de 1943, à Jajce, en pleine guerre contre les nazis. Plus de Tito, plus de Yougoslavie. Il avait appris par le journal télévisé les démonstrations d'indépendance des Slovènes et des Croates, et les réactions de « la fédération », c'est-à-dire des Serbes, qui menaçait d'intervenir. Ce n'est pas à lui qu'on apprendrait que les Serbes avaient pris le pouvoir dans la structure administrative yougoslave. Ils contrôlaient notamment l'armée. Un de ses copains, un Croate, s'était engagé à la Légion étrangère parce que l'armée yougoslave avait refusé de l'admettre en son sein. Son seul tort aux yeux du recruteur : être de Zagreb. En France, Göran était aussitôt devenu un des meilleurs éléments de son unité.

Hamzic n'avait guère eu le loisir de penser plus long-temps à ces événements. Quelques jours plus tard, il par-tait avec sa compagnie pour la République centrafricaine. Quatre mois passés à Bangui, à effectuer des patrouilles. Il y avait aussi beaucoup de gardes. La vie là-bas n'était guère différente de celle que les légionnaires menaient au régiment, mais au moins, le décor changeait. Le pays était superbe, les femmes aussi dont la peau sombre rendait fous des hommes qui cherchaient à oublier entre leurs bras les rigueurs de la discipline militaire. Dans les bars et les dancings, les soldats étaient accueillis comme des demi-dieux par des créatures sculpturales et lascives. « Attention : pour elles, vous êtes tous beaux comme Crésus », avait prévenu le chef de section. Le lieutenant von Pikkendorff avait l'esprit pragmatique. Que ses hommes se fassent rincer leur solde par une pute lui importait peu. Cette mésaventure faisait partie du quotidien du légionnaire. Ce qui l'inquiétait davantage, c'était le sida. En Afrique, la maladie faisait des ravages.

Loin de France, et loin de Bileca, dans la chaleur équatoriale, perdu au milieu de paysages magnifiques, Fahrudin Hamzic n'avait plus guère songé aux images vues à la télé avant son départ. Il aurait dû : des excités brandissant des armes et utilisant un vocabulaire étrange, « oustachis », « tchetniks » ; des mots qui remontaient à la Seconde Guerre mondiale, ça ne présageait rien de bon. Quand les hommes commençaient à penser dans un rétroviseur, il n'y avait pas de quoi être rassuré.

En janvier 1992, Muhamed Mesanovic fut assassiné. Ce chauffeur de taxi n'était pas un ami de Hamzic. Il n'avait même jamais entendu parler de lui. Le malheureux avait été retrouvé baignant dans son sang, sur le siège de sa Lada, tué de deux balles de pistolet Zastava. Ce fait divers était survenu à Zivinice, au sud de Tuzla : à quelques dizaines de kilomètres de chez lui alors que les Bosniaques s'apprêtaient à voter par référendum pour leur indépendance. Pour protester contre ce crime, les taxis, mais aussi les routiers, les mineurs s'étaient mis en grève, accusant l'armée fédérale. Il y eut des incidents dans la région. Au foyer du légionnaire, Hamzic ne tenait plus en place.

Quand il décida de déserter pour rejoindre son pays, c'est le capitaine Bektic qu'il alla voir. Depuis quatre ans qu'il était au régiment, le « stari » avait souvent été de bon conseil. Il lui avait même arrangé ses affaires : ainsi, lorsque l'été précédent il était rentré de permission avec douze heures de retard, c'est le capitaine qui, apprenant qu'il arrivait de Bosnie, lui avait évité des jours d'arrêt. Le légionnaire en avait été quitte pour une punition à la Zlatko : convocation dans son bureau, engueulade accompagnée d'une paire de claques. Le sujet avait été clos ainsi, sans rapport écrit.

« Mon capitaine, c'est la guerre chez nous. »

Bektic avait gardé le silence. Il savait. Comme tous ses compatriotes, il suivait avec inquiétude l'enchaînement tragique de la situation en Bosnie, le soulèvement des Serbes des environs de Sarajevo, la circulation des armes dans la population, les échauffourées, les premiers coups de feu. Depuis plusieurs semaines, Bektic menait un combat furieux avec lui-même. En Fahrudin, il retrouvait le jeune légionnaire qu'il avait été, le chat maigre et volontaire qui s'était maintes fois illustré lorsque sa section avait été engagée, au Liban ou au Tchad. Celui qu'il avait été luttait avec l'officier exemplaire qu'il était devenu.

« Tes frères ont besoin de toi ! criait le premier.

— Déserter serait la pire des conneries », rétorquait doucement le second.

Zlatko Bektic fut soulagé. Hamzic ne venait pas lui demander conseil mais l'informer : « Je pars samedi mon capitaine. » Il se contenterait de fermer les yeux, comme chaque fois en pareil cas.

L'officier garda le silence. Il serra la main du légionnaire avec une intensité particulière. Depuis trois mois, il ne s'était passé guère de jours sans qu'un légionnaire ne vienne le trouver. Dragan, Stjepan, Luka, Nenad, Ramiz, tous partis. Au régiment c'était l'hémorragie. Dans les bars de la ville, des hommes en civil mais dont l'allure martiale trahissait l'origine abordaient les permissionnaires. Ils leur disaient que les rangs croates et bosniaques manquaient de cadres et n'avaient même pas besoin de leur proposer une forte somme d'argent. Il suffisait qu'ils parlent à leur cœur.

Après le départ de Hamzic, Bektic irait voir le lieutenant von Pikkendorff et lui expliquerait l'attitude de Fahrudin. Quand un homme est appelé au secours par sa mère, il n'y a pas d'argument assez fort pour le ramener à la raison. Pikkendorff comprendrait, Bektic en était sûr. Le jeune officier était d'origine étrangère, d'une famille éparpillée en Europe. On trouvait des Pikkendorff en Allemagne, en Autriche, en Belgique, en France. Bien que nouveau dans la carrière, Pikkendorff savait qu'une vie militaire peut être émaillée de cas de conscience. Un jour, il avait raconté à Bektic qu'en 1940, des hommes de sa famille avaient servi dans des armées adverses. Ils avaient combattu en sachant que leur cousin était en face. Cela ne les avait pas empêchés de faire la guerre comme ils la faisaient depuis toujours. Sans haine, mais sans faiblesse. À cet homme-là, Bektic était sûr qu'il pourrait parler.

Fahrudin Hamzic avait pris le train à Saint-Charles. Là-même où il avait débarqué quelques années plus tôt. Un dernier regard sur Marseille, du parvis de la gare qui domine la ville. Derrière les immeubles, se découpant sur le ciel bleu, il y avait la montagne blanche qui enserre la ville comme un écrin. Et derrière les montagnes, la route de l'Italie. Le trajet était magnifique. De son siège, la tête appuyée contre la vitre comme un enfant, il regardait le paysage qui défilait, les maisons de couleur, la montagne, le ciel. Un panorama de peintre. Il somnolait, rêvant qu'il faisait le chemin pour la première fois. Pourtant, dans sa tête, il avait maintes fois fait le trajet, Belluno, Trieste, Rijeka, le grand port du nord de la Croatie, et enfin Split. Il fredonnait un air qu'on chantait dans sa section : « Adieu vieille Europe, que le diable t'emporte. Adieu vieux pays, pour le ciel si brûlant... »

Il se souvenait de ses vacances d'adolescent à Kladanj. Tous les ans, ses parents et lui revenaient au pays, pour profiter de l'été yougoslave. Le voyage ressemblait un peu à celui qu'il était en train d'effectuer. Un interminable défilé d'images et d'impressions attrapées par la vitre de la 504 break. La famille passait un mois en Bosnie.

Chaque année, à Kladanj, Fahrudin plongeait dans un monde à la fois différent et très proche. La jeunesse yougoslave avait en effet les yeux tournés vers l'Ouest. Au café, vautré sur les banquettes à la turque, il faisait écouter à ses amis Deep Purple et Michael Jackson, en buvant une Tuzlanska. Le samedi soir, dans leur chemise blanche immaculée, les cheveux luisants de gomina, accompagnés d'un groupe de filles qui gloussaient, Fahrudin, Sulejman et Brahim allaient au cinéma. Une vieille salle tendue de velours rouge, qui hésitait entre le théâtre de style austro-hongrois et la maison close, comme on imaginait qu'il avait pu en exister à Paris, à la Belle Époque. À l'affiche, on donnait *Rambo*, ou *Police Academy*, ou *Terminator* qu'il avait déjà vu à Rouen. Les filles de Kladanj auraient préféré *Diabolo menthe* ou *La Boum*, que Fahrudin leur vantait, parce que ses copines de Boieldieu avaient « a-do-ré ». Les ado-

136

lescents de la ville s'asseyaient dans des sièges un peu défoncés. Ils allumaient une cigarette et le film commençait, sous-titré.

C'était ça, l'Europe au xxᵉ siècle, un espace où, de Bruxelles à Sarajevo, des jeunes en jean et chemise blanche allaient au cinéma pour voir les mêmes films et écouter les mêmes musiques, en provenance des États-Unis. Ils riaient aux facéties d'Eddie Murphy, applaudissaient aux exploits démesurés de Sylvester Stallone et ovationnaient, en live ou dans le vacarme d'une boîte, une chanteuse nommée Madonna. Le rock démodait la musique populaire yougoslave, la sevdah. Faro écoutait Police et Indexi, mais rien n'égalait à ses yeux Bono, le grand Bono, le leader de U2, quand il s'écriait « Sunday, bloody Sunday ». Il ne connaissait pas l'histoire de l'Irlande, ses années de poudre et de sang; il ne connaissait rien non plus à la guerre civile, à part ce qu'en racontaient les vieux. Mais c'était les anciens. Et puis ce n'était qu'une chanson.

Les hommes n'y pouvaient rien. Ils auraient beau concevoir des systèmes politiques, inventer des mots et ériger des barrières de barbelé pour distinguer le bien du mal, le communisme du capitalisme, la musique passait pardessus des murs, les images les traversaient aisément. Cette culture uniformisait la jeunesse du monde. Elle était le meilleur rempart contre la Troisième Guerre mondiale. On ne combat pas contre quelqu'un avec qui on chante « Forever young ». Incroyable mais vrai : pour la première fois de leur histoire, les Européens avaient mis la guerre au ban de leur civilisation. On le croyait, en ce début des années 90, après que le bloc communiste s'était ouvert sans bruit ni violence, comme une figue trop mûre. L'histoire se ferait pacifiquement. Mais s'appellerait-elle encore « histoire », dans ces conditions ?

Les paysages défilaient par la fenêtre du train, les rangées de cyprès, et les lumières de l'Italie évoluaient au rythme de la journée qui s'écoulait. Fahrudin Hamzic partait pour la guerre.

Quelques mois plus tôt Bécir était mort pendant son sommeil. Un matin on l'avait retrouvé dans son lit, gris, inanimé et froid. Fahrudin avait eu beaucoup de peine, ravagé par l'impression qu'il ne lui avait pas dit au revoir. Ce jour-là, il n'était pas allé travailler. Il était monté au Châtelet. Son père lui avait ouvert la porte sans dire un mot, et l'avait conduit à la chambre au fond de l'appartement. Bécir était sur son lit, figé, les joues creusées, statufié. L'échiquier était là, sur une table ; à en juger par l'emplacement des pièces, une partie était en cours, bien engagée. La vie est plus cruelle que les échecs. Dans le jeu, toutes les pièces sont menacées par les pièces adverses, mais son esprit permet qu'on anticipe, qu'on esquive, ou qu'on consente. Un bon joueur n'est jamais pris au dépourvu. Bécir avait quitté cette terre, comme si une main invisible avait balayé l'échiquier et fait tomber une pièce sous la table sans qu'on parvienne à la retrouver, rendant la partie impossible à poursuivre. C'est peut-être du jour de cette mort qu'il fallait dater la décision de Fahrudin Hamzic de rejoindre le front.

Qu'est-ce que c'était que la guerre ? Il ne savait pas bien. Il avait servi plusieurs années à la Légion étrangère, mais il n'avait jamais fait la guerre. À peine le soldat. Entraînement, stages de perfectionnement, force d'interposition, contingent humanitaire, il avait fait tout ceci, jamais combattu. Fahrudin se faisait ces réflexions en fixant les montagnes qui se dressaient partout autour de lui. Elles étaient comme autant d'obstacles qui l'empêchaient de rejoindre Kladanj. Il lui tardait maintenant de retrouver son cousin Sead qui se battait depuis des mois. Ce sont ses lettres qui l'avaient convaincu de partir pour rejoindre les rangs de l'armée de son pays. La dernière était au fond de son sac. Il en connaissait par cœur certaines phrases, celles qui l'avaient décidé à partir. « Sais-tu qui commande les troupes serbes dans notre coin ? écrivait Sead. Dusan Adamic. » Adamic, l'instituteur de Vlasenica, celui qui avait enseigné à des générations d'enfants la devise du pays, « Unité et fraternité », celui qui leur avait appris des comptines, et la règle de trois. Quelle misère.

« Je suis passé à Vlasenica, poursuivait Sead. J'ai vu l'école détruite par un obus. Crois-tu que ce soit Dusan qui ait donné l'ordre de la bombarder ? Crois-tu qu'il ait braqué ses canons sur son ancienne école ? J'ai traîné longtemps dans les décombres, en pensant à ce qu'avait été notre enfance. À l'époque nous ne savions même pas que Dusan était serbe. Il était notre instituteur. Sous les gravats, j'ai retrouvé les cartes murales, tu te souviens : « La République socialiste fédérative de Yougoslavie est composée de six républiques : la Serbie, la Croatie, la Bosnie-Herzégovine, la Slovénie, le Monténégro et la Macédoine. » « En Serbie, le climat est continental. Plus au sud, en Croatie, il est méditerranéen... La Slovénie est une grande plaine où on cultive... »

Le convoi freinait dans un grand fracas. Il entrait dans une gare. Fahrudin sortit de sa rêverie et rangea la lettre de Sead.

Split lui fit l'effet d'une fourmilière. Depuis le début de la guerre, la grande ville de la côte croate servait de plaque tournante à toute la région. L'aide humanitaire qui arrivait du monde entier était stockée ici. Le port avait été transformé en gigantesque entrepôt; un périmètre entouré de hautes grilles renfermait des tonnes de vivres, de vêtements et de médicaments. Toute la journée, des palettes étaient déchargées, déposées, reconditionnées, puis rechargées sur des camions à destination du nord du pays. Elles contenaient de l'huile, de la farine, du lait en poudre, des conserves de poisson, des biscuits vitaminés, des compresses, des antiseptiques, de l'aspirine pour les populations assiégées.

Des cohortes de camions, Skania, Mercedes, Berliet, Tom, manœuvraient dans une épaisse fumée. Les chauffeurs s'interpellaient, se passaient des consignes ou faisaient de grands gestes pour guider leurs collègues. Fahrudin regardait ce spectacle. La sortie du port était en proie à un embouteillage monstre. « Il te suffira de trouver Husejin, avait dit Sead qui précisait : Il t'attendra à partir du 10. » Trouver Husejin, ce n'était pas très compliqué.

Il faisait très chaud sur le port. Le soleil se réverbérait sur le ciment du sol. Fahrudin avait marché un bon moment depuis la gare. Il était en nage. Régulièrement, il palpait son portefeuille qui contenait sa dernière solde et ses économies. Dans un bureau de change de la ville, il avait converti une partie de son argent en Km (Konvertibilna marka). C'était la nouvelle monnaie de son pays. La guerre transformait tout, les hommes, les paysages et la monnaie. Fini le dinar de sa jeunesse.

Il était passé le long d'une aire où stationnaient des véhicules, chargés de marchandises. À l'aller, ceux-ci avaient transporté du bois, à en juger par leurs longues plates-formes parsemées de morceaux d'écorce. Un groupe d'hommes fumait en devisant. Ils attendaient un laissez-passer pour prendre la route de Sarajevo. Hamzic s'approcha :

« L'un d'entre vous connaît-il Husejin ? »

Un chauffeur répondit par l'affirmative d'un simple mouvement du visage, dans la fumée d'une cigarette.

« Il est à Split actuellement ? »

Même acquiescement muet. L'homme tendit la main vers un bar à quelques dizaines de mètres. Justement, en sortait un colosse à l'air fermé, les mains dans les poches et un mégot aux lèvres. En voyant Fahrudin, son visage s'éclaira.

« Salut Legija ! Je te paie un verre ? »

Legija, le légionnaire. Il n'y avait qu'Husejin pour l'appeler ainsi. Déjà il l'entraînait vers le bar dont il sortait.

« Viens, je t'emmène chez le cousin.

— Le cousin ? Quel cousin ? »

C'était une plaisanterie entre les chauffeurs. Ils disaient que le patron du bar était le cousin du chef des douanes, et que celui-ci retenait tout le monde car il touchait une commission sur les consommations. Il devait être richissime.

L'endroit était noir de monde. Ils trouvèrent une table, au fond. Une fois assis, Fahrudin regarda longuement Husejin. Devant son bock, celui-ci jouait nerveusement avec ses mains.

« Tu m'attends depuis longtemps ?

— J'attends surtout leur putain de laissez-passer. Ils ne veulent pas me le donner. Hier, ça m'a énervé. Alors j'ai un peu secoué un douanier. Un con dont l'activité consiste à lire les ordres de mission et à tamponner un papier, avant de rentrer chez lui et de baiser sa femme. Pas compliqué. Eh ben, c'est encore trop. Pour le visa, faut attendre. »

Fahrudin sourit de l'énervement de son ami. Pour l'avoir mis hors de lui, les douaniers avaient dû être odieux. À l'armée, lui, il avait appris l'attente.

« Comment est la route ?

— Ça dépend des endroits... À l'aller, le trajet s'est pas mal passé... C'est cet hiver que ça a été vraiment dur... Les camions ne passaient plus : trop de la neige. À Donja Dreznica, on est restés bloqués plusieurs jours dans la montagne, jusqu'à ce que l'Équipement vienne nous tracter, avec des grues de remorquage. Depuis le dégel, la route s'est arrangée. Enfin, si on veut... Il y a des endroits où l'on s'embourbe encore... »

Hamzic était heureux de retrouver Husejin. C'était l'ami de son adolescence. Quand ils s'étaient retrouvés, ils s'étaient donné une accolade fraternelle. En sa présence, l'air du pays devenait palpable.

« Et ton père, et ta mère, en bonne santé ? Et Ediba ? »

Tout le monde allait bien, merci. Ediba était la sœur d'Husejin. Elle était bien jolie, du moins la dernière fois qu'il l'avait vue. Cela remontait à cinq ans. Une question lui brûlait les lèvres : parlait-elle parfois de lui à son frère ?

Pendant les vacances d'été, Fahrudin et Husejin étaient inséparables. Enfants, ils partaient pêcher dans les torrents, et se baignaient. Ediba les accompagnait quelquefois et sa présence lui était agréable. Pour elle, il était fier de ramener des truites grosses comme une main d'homme, qu'ils faisaient griller entre deux pierres au bord de l'eau. Cette joie-là, il ne l'avait jamais connue au Châtelet. Comme ils étaient loin, ces souvenirs.

142

À seize ans, Husejin avait quitté la ferme de ses parents et avait pris la route. Il avait d'abord trouvé du travail comme manœuvre dans une entreprise d'Olovo, dont les camions descendaient le bois de la montagne alentour; puis il avait conduit des semi-remorques à travers l'Europe. Quand Fahrudin revenait l'été, Husejin n'était pas toujours là. Ediba, si. La petite fille espiègle était devenue adolescente.

Au volant, Husejin parlait peu. En quittant l'enfance, il était devenu laconique. Pendant le voyage, cela laisserait à Hamzic tout le loisir de découvrir le paysage.

La Bosnie était un échangeur routier. Quand il l'avait quittée, c'était un pays paisible enserré dans son écrin de montagnes, relié au monde par quelques routes plus ou moins carrossables. D'autoroute, il n'y en avait que sur quelques kilomètres, mais si peu. Ici, on ne disait pas qu'on habitait à telle distance de Sarajevo, on indiquait le temps pour s'y rendre. L'isolement faisait partie de la mentalité des Bosniaques, ils s'en accommodaient bien. Maintenant les routes étaient sillonnées par des dizaines de camions, d'engins militaires, de tracteurs.

Traversant l'Herzégovine, Fahrudin regardait le défilé incessant des semi, des blindés des Nations unies, et des voitures qui fuyaient les zones assiégées par les Serbes. Et parfois sur la route, comme si de rien n'était, un homme très droit sur son siège, menant sa carriole tirée par un cheval. Son allure obligeait des dizaines de véhicules à ralentir, provoquant un embouteillage, un kilomètre derrière, dans un concert de klaxons et de jurons. C'était donc ça, la guerre : la métamorphose d'un pays en une ruche. Dans les villages, les habitants regardaient ce trafic inhabituel. Tout était devenu inhabituel depuis le déclenchement des combats, jusqu'à la mentalité des hommes, soudainement endurcie.

Hamzic ne se lassait pas d'admirer les paysages au-dessus de Mostar, les roches grises, striées par le vent, puis à partir de Sarajevo, la vraie montagne, un agglomérat dense de sapins, de rochers et de torrents. Sa montagne. Il n'avait jamais traversé son pays au pas des hommes. Les routes que le camion empruntait, les imprévus au sein du convoi qu'il formait avec dix autres véhicules, les embarras soudains, tout les contraignait à avancer lentement. Il n'y avait pas eu d'incident majeur, pas de crevaison, pas non plus de tirs serbes. Depuis de récentes escarmouches qui avaient fait des victimes, les chauffeurs avaient pris leurs précautions. Les Serbes se tenaient cois. Fahrudin se dit qu'ils ajournaient leur rencontre. Un bon présage.

Husejin conduisait les yeux mi-clos en tirant sur sa cigarette. Les premières heures, Fahrudin avait dormi sur la couchette, à l'arrière. Maintenant, il respirait l'air de son pays, regardait les visages des femmes et des enfants. Il n'y avait plus d'hommes, ceux-ci avaient délaissé leurs foyers pour l'armée. Il fut frappé par le regard inquiet des gens, leur air de bêtes traquées. Que s'était-il passé? Un enfant lui fit un geste de la main. Il le lui rendit. Ce gosse était le premier à lui souhaiter la bienvenue.

« Parle-moi de la guerre, dit Fahrudin à Husejin.

— Tout a commencé au lendemain du référendum... »

Husejin garda le silence. Fahrudin comprit que le récit irait au rythme du narrateur.

« Nous étions aux premiers jours de mars... Un soir, la peur s'est emparée de la ville. Sans qu'on sache vraiment pourquoi. Les rideaux de fer des commerces ont commencé à se baisser, les restaurants se sont vidés d'un coup, les passants ont allongé le pas. Des rumeurs circulaient... Des barrages avaient été dressés par les milices serbes. Il paraît que dans certains quartiers, on entendait des tirs... C'est ce que la radio annonçait... Les gens se pressaient vers le tramway, comme si c'était le dernier.

— C'était pas des rumeurs?...

— Non : les Serbes étaient aux portes de la ville. Ils occupaient l'Holiday Inn, tu sais, sur Zmaja od Bosne. On voyait les sentinelles monter la garde, à l'entrée. »

L'Holiday Inn, s'il savait? Fahrudin se souvenait de l'hiver 1984. Toute sa famille avait suivi avec passion les jeux Olympiques organisés par la ville, sur le mont Igman. On était fier, au Châtelet. La Yougoslavie organisait les JO, comme les États-Unis ou le Canada. Bécir jubilait. Ce n'était pas le Maroc ou l'Algérie qui auraient été en mesure d'accueillir un événement de cette importance, hein. C'est pour les Jeux que l'Holiday Inn avait été construit. Le building ultramoderne se dressait au milieu d'autres tours, dans le nouveau quartier de la ville. Il avait été le symbole de la prospérité et de la réussite de la Yougoslavie. Qu'il ait ensuite servi de QG aux Serbes, ça lui foutait le bourdon, à Fahrudin.

« Dans les jours qui ont suivi, poursuivit Husejin, il y eut une drôle d'ambiance en ville. Les gens rentraient chez eux en milieu d'après-midi, craignant la nuit. Une fois, le président Izetbegovic s'est promené dans les rues pié-tonnes, pour montrer qu'il n'y avait pas de danger, rien n'y a fait. Trop tard. Tu sais, Legija, cette année-là, le rama-dan a commencé avec des soldats armés devant les mos-quées de la ville. La guerre était déjà dans les têtes. »

Le soir, Husejin avait laissé son passager à l'entrée de Kladanj. Il allait jusqu'à Tuzla. Faro l'avait salué d'un geste de la main et avait suivi le camion du regard jusqu'à ce qu'il disparaisse au bout de la route. Il le retrouverait à son prochain passage.

Devant Hamzic, une vingtaine de garçons se tenaient en ligne. Au garde-à-vous. Enfin, si l'on veut. À la Légion, leur position aurait fait éructer de rage le caporal Marshall. Les uns avaient les bras tendus le long du corps, les autres le pouce glissé dans la bretelle de leur fusil, plus détendus. Leur attitude allait de pair avec leur équipement, hétéroclite lui aussi. Treillis camouflé, jean, tee-shirt noir, chemise à carreaux de trappeur, des garçons allaient tête nue, d'autres portaient une casquette de la Bundeswehr. « Une troupe de bras cassés, songeait-il. Mais ce sont mes amis. »

Depuis qu'il était à Kladanj, il avait pris la tête d'une diverzanti, un commando chargé d'effectuer les coups de main contre les lignes serbes. Officiellement, il faisait partie des Muslimanske Oruzane Snage, les forces spéciales de l'Armija Bosna.

Il les regardait un à un, passant les hommes en revue avec la lenteur qu'il aimait à la Légion. Ifet, Azem, Nedzad, Jasmin, Emir, Igor, Mensur, Aldin. Tous étaient de Kladanj, tous ses copains, depuis l'école, comme Husejin. Ensemble ils avaient joué au foot sur la place du village entre les saules et couru dans la montagne. D'eux, il savait tout. Azem travaillait comme forestier, Jasmin n'en faisait pas lourd, se faisant engager çà et là. Son oncle, émigré en Allemagne, revenait chaque été au volant d'une grosse BMW. Entre-temps, il envoyait de l'argent à sa famille. Aldin, lui, était livreur à la petite supérette de la ville.

Quand Fahrudin revenait à Kladanj l'été, il parlait de son école et Husejin, Jasmin et Aldin de la leur. Les petits Bosniaques avaient un cours d'instruction militaire : « Odbrana I Zastita », « Défense et sécurité ». C'était dans le programme scolaire, au même titre que l'histoire et le calcul. « Démontage-remontage » du M48, tir, exercice de secourisme, évacuation, alerte nucléaire. Il paraît que le monde entier en voulait à la Yougoslavie : les Américains, les Soviétiques. Il fallait être prêt à toute éventualité.

« Démontage-remontage », à l'époque, cet exercice ne disait rien à Fahrudin. Les profs de Boieldieu s'efforçaient plutôt de lui faire apprendre le poème d'Eluard « Liberté » : « Sur mes cahiers d'écolier, sur mon pupitre et les arbres... » Celui-là, combien de fois l'avait-il ânonné. Pendant les exercices d'« Odbrana I Zastita », lui racontait Aldin, l'ennemi portait un nom : Zapad, l'Ouest. C'était drôle. Les films, les groupes de rock dont les jeunes de la ville s'abreuvaient, d'où venaient-ils, sinon de l'Ouest ? Fahrudin, Jasmin et Aldin déambulaient dans les rues de la ville, en hurlant *Roxanne*, le tube de Police : « Roxanne, you don't have to put on the red light, Those days are over, You don't have to sell your body to the night. » Ils n'avaient pas l'âge ni l'envie de réfléchir à cette contradiction.

« Entraînement difficile, guerre facile » : combien de fois avait-il entendu cette phrase à la Légion ? Sur le parcours du combattant, quand il peinait à sortir des trous de chars, pendant l'exercice du lancer de grenade où il ne brillait guère, au vingtième kilomètre de la marche-commando, quand le sac à dos commençait à cisailler les épaules; il y avait toujours le caporal Marshall pour crier d'une voix mal assurée avec son fort accent anglo-saxon : « Entraînement difficile, guerre facile! » Hamzic l'aurait tué. Qu'est-ce qu'il savait de la guerre, celui-là?

Ici, à Kladanj, elle régnait depuis trois ans; elle était imprévisible, désordonnée, sans loi, sans règle, mais jamais sans cruauté. À la sortie de la ville, à quelques kilomètres sur la route d'Olovo, les Serbes contrôlaient le col. Et au nord, la route de Stupari, qui allait à Tuzla encerclée. Ils étaient cantonnés à Tupanari et tenaient la route sous le feu de leurs canons. Régulièrement, ils prenaient des camions pour cible. Ils ne lançaient aucune offensive, ne franchissaient pas le pli de terrain qui les séparait de la route; ils se contentaient d'empêcher tout déplacement entre Kladanj et Tuzla. Ils attendaient que la ville tombe comme un fruit mûr. De la route, on distinguait très bien les chars postés en lisière de village, et les mortiers enterrés. Il fallait ajouter à cette ligne de défense des snipers embusqués; fréquemment, ils abattaient les conducteurs des véhicules qui s'engageaient sur la route. C'est cette ligne que Hamzic projetait d'attaquer. « Entraînement difficile, guerre facile ». Il allait enfin savoir si le caporal Marshall avait raison.

Hamzic ne commandait pas une section de pjesadija, les fantassins de l'infanterie bosniaque. Encore moins de linijasi, soldats chargés de garder les lignes : ceux-là étaient des intermittents de la guerre; ils servaient trois jours puis rentraient chez eux se reposer. Fahrudin était à la tête d'un groupe chargé d'effectuer des coups de main chez l'ennemi. Lui et ses hommes étaient toujours sur la brèche.

Il déplorait leur amateurisme, leur indiscipline, mais ne pouvait leur reprocher de la pusillanimité. Les hommes de la diverzanti étaient courageux jusqu'à l'inconscience. Emir et Izla étaient armés de RPG 7, les fusils lance-grenades, et Igor d'un lance-roquettes antichar, la seule arme lourde que possédât la troupe. Igor était serbe. Natif de Kladanj, il s'était naturellement joint à ses copains pour la défense de la ville, sans réfléchir davantage. S'il fallait se battre, autant que ce soit du côté de l'amitié. Igor était surnommé Osa, la guêpe : « Je vole comme un papillon, je pique comme une guêpe », minaudait-il pour faire rire les autres. Pendant les offensives, Igor allait et venait, se postait, parfois à quelques dizaines de mètres des chars tchetniks, et tirait avant de s'enfuir prestement. Insaisissable Osa. Aux jumelles, Fahrudin observait ses hommes, qui s'approchaient des lignes avec une audace folle, ouvraient le feu, kalache à la hanche, tirant par courtes rafales, sèches, précises, efficaces. À la Légion, ces assauts intrépides auraient valu à ceux qui les avaient menés une citation, ou même une croix de la valeur militaire, n'était le désordre dans lequel ils progressaient. Ici, au retour d'une opération, le chef de bataillon se contentait de lui asséner une bourrade dans le dos : « C'est bien, Faro. »

À l'issue d'une opération, Hamzic et ses hommes marchaient jusqu'au point de ralliement, portant leurs blessés quand il y en avait. Ils embarquaient dans des combi Volkswagen défoncés, qui les ramenaient à leur bivouac dans un village voisin. Les Serbes avaient gardé le matériel de la JNA, l'ancienne armée fédérale, les Casques bleus roulaient dans de robustes VAB blancs ; eux, les volontaires bosniaques, dans de vieux véhicules brinquebalants, bourrés d'hommes et de matériel, qui allaient trop vite. Sur la route du retour, ils hurlaient à tue-tête : « Mlada partizanka bombe bacala », la jeune partisane a lancé une bombe. C'était un chant qu'avait appris à ses élèves leur instituteur, Dusan Adamic, celui qui leur inculquait ce principe intangible de la Yougoslavie : « Unité et fraternité. »

Fahrudin et Husejin étaient assis sur une banquette dans un café de Kladanj devant deux thés. Ces derniers jours, les combats avaient relâché leur pression. Des hommes jouaient au billard. La télévision diffusait un téléfilm allemand sous-titré. Faro regardait distraitement les images : des images de banlieues cossues, des villas blanches entourées de jardins coquets. Salles de séjour impeccables ou cuisines américaines, les personnages en brushing comme on n'en voyait jamais, même chez le coiffeur, tenaient des discussions assez sottes. La niaiserie occidentale. Que tout ceci était loin d'eux.

« Tu sais, Legija, disait Husejin, au début de la guerre, Sarajevo a été défendue par les voyous. Contre l'armée fédérale, il a fallu envoyer ceux qui avaient des armes et qui savaient s'en servir. Tu te souviens de Juka ? »

S'il s'en souvenait ? Avant la guerre, Juka était célèbre dans tout le pays, pour avoir mis en place un important réseau de trafic de cigarettes. Qui ne fumait pas des Juka, payées moins cher, grâce à un ami d'ami ? Quand les troubles avaient commencé, Juka était en prison. Le président Izetbegovic s'était alors trouvé devant un sérieux

152

dilemme : laisser massacrer son peuple ou demander que prennent les armes ceux qui en possédaient et savaient s'en servir. Autrement dit, les mauvais garçons de Sarajevo. « Izet » avait libéré Juka en échange d'une promesse : que celui-ci se consacre à la défense de la ville. Lui et ses hommes avaient repris les armes. Légalement pour une fois.

« Ce sont eux qu'on a envoyés à l'assaut des troupes serbes dans Sarajevo. Ils les ont affrontées, parfois à l'arme blanche. Ça a été sanglant. »

Juka n'était pas le seul mauvais garçon de Sarajevo à avoir apporté son concours à Izetbegovic. Ramiz Delalic et Mussan Topalovic eux aussi s'étaient vu confier des responsabilités dans l'armée. C'est peu dire que ces hommes, promus commandants de brigade, n'avaient pas l'esprit militaire. Régulièrement, ils contestaient les ordres, tenaient tête à l'état-major, menaçaient de tout arrêter. Mais, armes à la main, ils ne craignaient personne. Au risque d'aller trop loin. À Célo était imputée la mort de Nikola Gardovic, exécuté sur le parvis d'une église de Sarajevo, pendant un mariage. C'est ce crime qui avait servi de prétexte aux Serbes pour investir brutalement la ville.

« Notre état-major cache cette affaire, dit Husejin. Aux Nations unies, Juka ferait mauvais genre. On dissimule sa présence derrière des dénominations militaires plus respectables. »

Fahrudin pensait à Madjir, le harki du Châtelet, et à Mustafa, qui avait fait la guerre en Algérie dans les rangs du FLN. Les amis de son grand-père évoquaient parfois devant lui la guerre civile. Ils disaient que ce type d'affrontement était particulièrement horrible. L'enfant qu'il était ne comprenait pas pourquoi. Depuis, il voyait très bien ce que Madjir, Mustafa et Bécir voulaient dire. Ici, on ne distinguait pas des hommes les uns des autres. Ici, l'ennemi ne parlait pas allemand ou turc mais la même langue que lui. Et pourtant se menait un combat sans merci. Depuis trois ans, des amis s'étaient éloignés, des voisins avaient été contraints de déménager. Dans les villages, il y avait eu des atrocités qu'en temps de paix les journaux auraient qualifiées de drames de voisinage, mais qui étaient de véritables massacres. Que s'était-il passé? Désormais les religions séparaient les Yougoslaves. C'était nouveau. Dans son enfance, il ne serait venu à l'idée de personne de désigner quelqu'un par sa confession. Fahrudin savait que certains de ses amis étaient chrétiens, orthodoxes ou catholiques. Et encore, pas toujours. Ce n'est qu'à l'occasion d'une communion ou du ramadan qu'il découvrait quelle était leur religion. Jusqu'alors il n'y avait pas prêté pas attention. De toute façon, dans la Yougoslavie de Tito, la religion était une caractéristique marginale de l'être humain.

Dès son arrivée à Kladanj, il avait entendu parler des Serbes comme de parasites et de sans-gêne. Milorad Dzivic, paraît-il, passait sa tondeuse à gazon rien que pour déranger ses voisins. Ah bon... Et sa femme était hautaine. Elle ne disait pas bonjour tous les jours. Soit. Ce climat agressif évoquait celui d'un couple en plein divorce.

À la Légion, un de ses camarades, un Suisse du nom de Robert, lui avait raconté la séparation d'avec sa femme : « Du jour où tu romps, tout te tombe dessus : tu es accusé de fumer au lit, de ne jamais faire la vaisselle, de ne pas emmener la petite à l'école. On se demande encore comment ta femme te supportait un mois plus tôt. » La guerre civile c'était pareil : un divorce à l'échelle d'un pays, les petits tracas de la vie de quartier étaient devenus

154

de graves différends, insurmontables. C'était douloureux de combattre des gens proches de soi. Au moins au début. Maintenant les hommes avaient vu de telles horreurs, entendu le récit de tant d'exactions qu'ils ne se posaient plus de questions. Ils partaient au combat pour défendre leur village, leur famille contre ceux qu'ils tenaient pour des envahisseurs, mais qui demeuraient pour certains à quelques kilomètres de chez eux.

Hamzic se souvenait d'un livre. Un livre ? Une brochure signée du président Tito. Il n'y avait pas de livre chez ses parents, sauf un, posé entre la photo de leur mariage et un chat en faïence qui appartenait à sa mère. L'ouvrage était mince. Sur la couverture au liseré vert, on pouvait voir le président tirant sur un fume-cigarette, et ce titre : « Od otpora do nezavisnosti », « De la résistance à l'indépendance ». C'était un texte écrit par *drug* Tito, le camarade Tito, pour les trente ans de la victoire sur le fascisme. Il exaltait les combats des brigades prolétariennes contre l'occupant, allemand et italien. Les phrases du livre, Fahrudin aurait pu les réciter à peu près par cœur tant il les avait maintes fois entendues de la bouche de Bécir : « Parallèlement à nos victoires militaires, se renforçait la conscience politique des larges masses populaires. Il était de plus en plus manifeste que le peuple ne voulait plus d'un retour à l'ancien état de choses, que son avenir, etc. » « Il nous fallut déployer bien des efforts pour faire entendre au monde entier le cri du peuple yougoslave, qui versait son sang dans la lutte contre les envahisseurs fascistes, etc. » « La lutte héroïque des peuples du Vietnam et du Cambodge, ainsi que des peuples des anciennes colonies qui se sont libérés et ont conquis leur indépendance, montre qu'un peuple, décidé à combattre pour sa liberté et son indépendance, est capable de résister à un ennemi de loin supérieur... » Etc.

Fahrudin Hamzic préférait se dire qu'il faisait la guerre comme *drug* Tito le demandait, plutôt que contre des hommes de la ville d'à côté.

La diverzanti était au repos pour plusieurs jours ; les hommes étaient allés déjeuner à quelques kilomètres de Kladanj. Le restaurant était installé dans un site magnifique, au bord d'un torrent. C'était un chalet de rondins, mais le client pouvait profiter de la terrasse, construite à côté de vastes bassins en ciment qui grouillaient de poissons, des truites et des carpes. Fahrudin aimait cet endroit où il venait avant la guerre, pendant ses permissions.

Son combi Volkswagen se gara sur le parking à côté d'un véhicule blanc, un modèle devenu familier en Bosnie. C'était un VAB appartenant aux Nations unies. À l'intérieur de l'établissement déjeunaient une dizaine d'hommes en treillis. À leur ceinture était glissé un béret bleu. Ils s'interpellaient dans une langue étrangère. Des Hollandais ou des Suédois, Fahrudin ne put distinguer précisément. Les hommes de la diverzanti étaient d'abord restés à l'extérieur, près des bassins, à taquiner les poissons avec un morceau de bois. Ils faisaient peu de cas de ces soldats de la paix, qui leur compliquaient la vie. Leur mission était ambiguë, ils en convenaient eux-mêmes. En empêchant des évacuations, ils avaient laissé faire des massacres. Les Bosniaques leurs disaient : « Laissez-nous vos armes et vos véhicules et surtout, laissez-nous faire. » C'est peu dire qu'ils les méprisaient.

L'air était doux. Un soleil de printemps perçait à travers les arbres. Le patron vint à leur rencontre. C'était un

colosse aux cheveux roux qui arborait d'étranges rou-
flaquettes. Dans le pays, il était connu sous le nom de
« Rumeni », le rouquin. Quelques mois plus tôt, avec son
frère, Rumeni était à la tête d'un des commandos les plus
efficaces de la région. Depuis le déclenchement des hostilités, le chalet au bord de la route ne faisait plus restaurant. Volets clos et porte fermée, il abritait une quinzaine
d'hommes qui menaient les coups de main les plus auda-
cieux contre les positions serbes. Et puis son frère avait
été tué. La semaine suivante, Rumeni lui-même avait été
soufflé par l'explosion d'un obus tout près de lui. Un
miracle qu'aucun éclat ne l'eût blessé. Il était resté alité
plusieurs semaines sans rien entendre qu'un tintement
dans ses oreilles. L'ouïe lui était revenue peu à peu, mais
pour lui, la guerre était finie. Un matin, il avait rouvert
les volets du restaurant, balayé le seuil, tiré le tuyau du
jet d'eau devant la maison, rempli à nouveau les bassins,
remis du poisson et, bien vite, la nouvelle avait circulé :
« Rumeni est de retour. »

Hamzic et ses hommes étaient maintenant attablés en
terrasse, devant une assiette de przani saran, de superbes
carpes grillées. Rumeni avait même déniché des citrons.
De l'intérieur de l'établissement, leur parvenaient des
bribes des conversations. Quelle langue parlaient les
hommes des Nations unies ? Fahrudin ne parvenait pas à
l'identifier. À la Légion, il avait connu deux Suédois. Mais
ceux-ci parlaient peu dans leur langue maternelle. Ver-
boten. Le caporal Marshall leur aurait mis des jours d'arrêt,
ou des coups de pied au cul. Ceux-là étaient des soldats du
Nord, en tout cas. Ils venaient de pays qui n'aimaient pas
le conflit, qui pensaient qu'une société pacifiée, tolérante
et lisse, était possible. Quels sentiments nourrissaient-ils

envers les pays en guerre ? Les tenaient-ils pour inférieurs, barbares ? Les avaient-ils en pitié ?

Quand il eut fini de manger son poisson, il rentra dans le restaurant, salua les convives, et dit quelques mots à l'interprète qui accompagnait les soldats de la Forpronu : vous venez d'où ? Il fait beau, le printemps arrive... Nederland, Nederland, les Casques bleus venaient des Pays-Bas. Ils avaient bonne mine, les cheveux clairs, bien coupés, l'air prospère. Leur mission ici durait depuis quatre mois. Ils connaîtraient les beaux jours en Bosnie, le surgissement subit de la nature hier encore engourdie par le froid. Rumeni se mêla à eux, apporta de la slivovica. On but, on trinqua, on se tapa sur l'épaule. Les Hollandais riaient, heureux de cette fraternité.

Quand Hamzic regagna le Volkswagen, ses hommes l'attendaient à l'intérieur du véhicule. Entre leurs jambes, ils dissimulaient des nourrices de gas-oil. Pendant que leur chef trinquait avec les Hollandais, ils s'étaient glissés sous les VAB et avaient siphonné une partie des réservoirs. Ces Casques bleus étaient de braves types au fond. Il avait constaté que c'était des soldats semblables à ceux de toutes les armées du monde. Comme les appelés de l'armée française qu'il avait connus, ceux que les légionnaires désignent d'un mot dédaigneux : « la régulière ». Des garçons engagés dans une histoire lointaine, qu'ils comprenaient mal, exécutant des ordres étranges et parfois absurdes, et désireux avant tout d'éviter la casse. Même si l'ONU s'efforçait de leur procurer d'agréables conditions de vie, ils souffraient de l'éloignement, du mal du pays. Ils n'étaient pas habitués à la guerre, encore moins aux scènes sanglantes provoquées par les bombardements ou les exactions. « Ils ne nous aident en rien, déclara Aldin.

158

Ils peuvent bien nous ravitailler en carburant ; comme ils avaient l'air gentil avec toi, on n'a pas abusé. On leur en a laissé assez pour regagner leur base. »

La Forpronu feignait d'être d'un grand secours aux Bosniaques. Des aides comme ça... les Bosniaques pouvaient s'en passer. En 1944, Staline avait envoyé des chars à Tito. Fahrudin revoyait l'instituteur quand il prononçait ces mots, avec gravité, en détachant chaque syllabe : « envoyé des chars ». Une brigade de T 34 pour appuyer les partisans dans la prise de Belgrade. Les Bosniaques se moquaient bien d'échanger des claques dans le dos avec les Casques bleus, ils se fichaient de trinquer avec eux, ce qu'ils voulaient, c'est de la poudre et des balles. « Pour le courage, on n'a besoin de l'aide de personne », pensait-il en regardant ses camarades de combat qui riaient du bon tour joué aux Hollandais, insouciants du lendemain.

TROISIÈME PARTIE

À Zenica, Joss Moskowski et Hassan Ould Ahmed avaient été pris en charge par un homme qui parlait français, un Maghrébin portant une courte barbe, qui leur avait fait faire le tour du camp. Ici la salle de prière, là les douches, le réfectoire. Et voici les dortoirs, constitués d'une batterie de lits superposés.

Les deux garçons avaient posé leur sac, sans dire un mot. Ils avaient choisi un lit par hasard, parmi les derniers qui restaient inoccupés. La plupart étaient en hauteur :

« Prends un lit en bas, lui dit Hassan. Tu verras quand tu seras fatigué : monter, descendre, remonter. Tu me remercieras... J'ai passé mon enfance dans un lit superposé, mon frère aîné dormait dans celui du bas. Crois-moi... »

Ils étaient exténués. Ils avaient roulé plus de vingt heures depuis la France, ne s'arrêtant que quelques minutes pour faire le plein. Tout le jour, des images avaient défilé devant ses yeux. En route, Joss avait pensé que l'Europe, qu'Hamon dénigrait tant, avait quand même ses avantages : on pouvait circuler aisément, du nord au sud.

La veille, Joss et Hassan étaient montés dans un minibus, place de la Nation à Paris. Six personnes y avaient déjà pris

163

place. Des hommes jeunes pour la plupart, qui avaient salué les nouveaux arrivants d'un mouvement de tête. Joss et Hassan avaient échangé un regard : pour la conversation ça risquait d'être limité. Ce n'est qu'une fois sur l'autoroute que le conducteur avait rompu le silence. Un homme, la quarantaine, qui se présenta : « Je m'appelle Youssef. » Il leur annonça que le voyage durerait vingt-quatre heures. En fin d'après-midi, ils étaient déjà à la frontière allemande.

Entre Strasbourg et Augsbourg, Moskowski avait eu l'impression qu'ils traversaient une interminable zone industrielle, éclairée par les enseignes lumineuses des grandes marques de l'industrie allemande. De puissantes berlines les dépassaient, des BM, des Audi, des Mercedes. Ce défilé de voitures avait eu pour effet de rompre la glace. Des exclamations avaient fusé. Les passagers du minibus avaient apprécié, en connaisseurs. Pas lui. S'intéresser aux voitures, à leur cylindrée, lire *Auto-moto*? C'était bon pour les petits bourges à qui leur père payait une Supercinq quand ils avaient décroché le bac.

L'Autriche par l'autoroute était une succession de tunnels creusés dans la roche. Le pays de Sissi impératrice était dans la nuit. On ne devinait rien des forêts couvertes de sapins, des villages aux églises blanches. Le minibus avalait les kilomètres à 120 km-heure ; le moteur ronronnait, les occupants somnolaient. Y avait-il vraiment la guerre au bout du voyage de ces jeunes gens qui ressemblaient à un groupe de touristes mal rasés et impécunieux qui traversaient l'Europe ?

Exception faite des limitations de vitesse, qui n'étaient jamais les mêmes d'un pays à l'autre, ils avaient circulé sans encombre. C'est après l'Autriche que les choses

164

s'étaient compliquées. Jusqu'à Villach, les Deutsche Marks étaient le langage commun. À la vue de la devise allemande, le pompiste, le barman, le caissier acquiesçaient. Au-delà, c'était plus compliqué. Les panneaux de l'autoroute indiquaient Ljubljana. La Slovénie, déjà. On entrait dans un autre monde, moins fluide. Déjà le chauffeur avait ralenti, et pris la voie de droite pour quitter l'autoroute. Il s'engageait sur des routes secondaires, moins rapides, bientôt plus sinueuses, qui menaient à la côte croate, par laquelle les garçons comptaient entrer en Bosnie.

Ce voyage ininterrompu lui fit penser à Karine. Il revoyait la jeune fille faisant un geste précis : le doigt pointé vers l'est : « L'Allemagne, c'est à côté : mille cent kilomètres d'autoroute. »

C'était au début de leur première année de fac. Les cours avaient repris depuis un mois. Un matin Karine était venue s'asseoir à côté de lui, deux minutes avant le début du cours, lui avait lancé bonjour, tu vas bien, avait déposé un baiser sur sa joue, s'était emparée de ses notes pour voir ce qu'elle avait manqué et lui avait soufflé : « J'étais à Berlin. » Étourdissante. Moskowski n'en revenait pas de son culot.

Plus tard, au restau U, elle avait à nouveau surgi : « Je peux ? » et sans attendre sa réponse avait déposé un plateau en face de lui. Il l'avait regardée sans rien dire, interloqué. Pour traverser le campus, elle s'était empressée et l'air frais lui avait rosi les joues.

L'automne était là, maussade. Le jour peinait à se lever. À l'heure du déjeuner, les néons étaient allumés dans la salle pourtant ouverte sur l'extérieur par de larges baies. Sur le plateau de Karine, entre l'assiette de poisson et la barquette de compote de pommes, Joss remarqua un paquet. Elle le lui tendit : « Tiens, c'est cadeau. » C'était un pavé.

Karine lui avait alors raconté la semaine qu'elle venait de passer. Elle était chez des amis — « des Parisiens, tu connais pas ». L'ambiance était paisible, arrosée de whisky-Coca et Malibu, on refaisait le monde. Les télévisions diffusaient à longueur de journée des images de Berlin. On y voyait des jeunes gens allant et venant de part et d'autre de la ville, dans la nuit froide de novembre. Le communisme était moribond. C'était la première fois qu'on venait à bout d'un totalitarisme sans violence, disaient certains. Cette bonne volonté de sa part lui serait comptée, du reste. Un nouvel horizon emplissait de bonheur les esprits : l'humanité progressait.

L'un des convives avait lancé : « Et si on y allait, à Berlin ? »

« On a quitté Paris dans ma vieille 104, et on a filé vers l'Allemagne. Tu sais, par l'A 4, l'Allemagne, c'est à côté : mille cent kilomètres d'autoroute. On a roulé toute la journée, sans s'arrêter. Le soir, on y était. »

Berlin chantait « Imagine », et « Give peace a chance » et ses habitants dansaient dans le froid. La radio avait annoncé que Rostropovitch s'était rendu sur les lieux avec son violoncelle, l'avait posé sur les ruines et avait joué devant les Berlinois et les caméras du monde entier. Mais Karine ne l'avait pas vu. Ce qu'elle avait vu, c'étaient des hommes et des femmes se donnant l'accolade, fraternels, comme s'ils se retrouvaient après une longue absence. Des couples s'embrassaient sur des gravats. Leurs silhouettes enlacées se dessinaient sur le mur à la nuit tombée. Elles feraient le bonheur des photographes et peut-être la une d'un magazine de l'autre bout du monde. L'enseignement qu'on pouvait tirer de ces événements, ce n'était pas que l'amour avait triomphé de la guerre. L'histoire ne se faisait plus : elle se donnait en représentation.

« On a dormi dans la voiture trois nuits de suite, emmitouflés dans nos sacs de couchage, serrés les uns contre les autres. Ça caillait, je te dis pas ! Heureusement on se tenait chaud. »

Joss avait alors tressailli. Karine blottie contre un garçon qui la réchauffait ? Idée insupportable. Elle avait poursuivi son récit, enjouée, comme si de rien n'était. Après avoir marché des heures dans Berlin, arpenté les rues grises des quartiers Est, rencontré des Allemands de leur âge, les jeunes Français continuaient leur discussion dans leur voiture. Ils ne cessaient de s'interroger : « Vivons-nous la fin du communisme ? Qu'y aura-t-il après ? La planète va-t-elle devenir une démocratie globale ? »

Le 14 juillet 89 devant la Bastille ouverte, la nuit de la libération de Paris, le 13 mai 58, place du Forum à Alger, lors de ces événements, la fête n'était à chaque fois qu'une conséquence du dénouement, après des jours de tension. Cette fois, elle en paraissait le moteur. C'était étrange. Fallait-il y croire ? L'humanité était-elle sortie du tragique ?

En écoutant Karine devant son plateau-repas, Moskowski avait eu un moment de tristesse. Ces événements de Berlin, lui, il les avait suivis chez ses parents, à Troyes. Tous les trois installés confortablement dans le canapé du salon, à regarder la télévision. Un nouveau modèle grand écran, dont Jan et Lydie étaient contents : la qualité de l'image était sans comparaison avec la précédente. Ne perdant pas un mot des commentaires des envoyés spéciaux, ils siro-

taient un Campari en épluchant des pistaches. Joss s'était
fait un gin tonic. Son père et sa mère répétaient : « Mais
c'est pas vrai ! » Lui n'en avait cure. Il se versait gin sur gin,
en haussant les épaules quand sa mère lui disait sans
quitter l'écran des yeux : « Bois pas trop. »

Quand le minibus avait rétrogradé, Moskowski avait eu
un haut-le-cœur qui l'avait fait revenir à la réalité. Karine
était loin, et loin les événements de Berlin. Ils arrivaient
en Croatie.

Les douaniers avaient immobilisé le véhicule et demandé
aux occupants leurs papiers d'identité. Le conducteur
avait sorti une lettre à en-tête certifiant qu'ils rejoignaient
l'association humanitaire « Aide directe ». C'était la couverture du mouvement qui recrutait des volontaires pour
le front bosniaque. Mais les douaniers n'étaient pas censés
le savoir. Ils avaient gardé leur air soupçonneux. Se dou-
taient-ils de quelque chose ? Moskowski bouillait : « Qu'est-
ce que ça peut bien leur foutre ? On entre dans leur
pays pour les aider à se défendre, quand même. »

Il y avait eu des palabres, des négociations, des éclats de
voix. Finalement, ils avaient été autorisés à redémarrer.
Trois heures de perdues, mais le passage s'était fait sans
trop de difficultés ni d'anicroches, si on exceptait les car-
touches de Marlboro qu'un factionnaire leur avait confis-
quées, après inspection détaillée des bagages.

À Zenica, les moudjahidin étaient installés dans une
ancienne caserne de l'armée fédérale, à la sortie de la ville.
Sitôt passé le poste de garde, on se trouvait devant un ali-
gnement de bâtiments en béton lépreux, dans lesquels
avaient été sommairement aménagées les chambrées. Celle

de Moskowski et Ould Ahmed était formée de cinq rangées de lits superposés peints en gris. Le long des murs, des armoires métalliques de la même couleur. Au milieu, un poêle à bois qui enfumait légèrement la pièce.

Moskowski s'assit sur son lit; le sommier grinça sous son poids. Par la fenêtre, il apercevait les gigantesques immeubles de Zenica. « À côté, les Minguettes font village fleuri », pensa-t-il. C'était des constructions de vingt étages, en escalier, tristes à mourir, avec leurs façades noircies par les fumées d'usine. En traversant la ville, il avait vu quelques magasins, et à même le trottoir des échoppes où l'on vendait des fruits, des cigarettes, des chaussures. Zenica était un mélange d'urbanisme débridé et d'industrialisme triomphant. Du linge séchait sur un balcon. De là où il était, c'était le seul signe de vie qu'il pouvait apercevoir. Aucune fenêtre n'était ouverte. Seul ce linge qui flottait mollement dans l'air. Un drap, une chemise de couleur, un pantalon. Femme? Homme? Il avait espéré qu'une silhouette féminine apparaîtrait pour le rentrer, ce linge. Et qu'elle serait gracieuse. Personne. Était-ce un présage?
Enserrée autour de hauts-fourneaux qui marchaient au ralenti, Zenica portait les marques de l'ennui. La guerre était loin, insoupçonnable si ce n'était par la présence des soldats qui circulaient, entassés dans des combis Volkswagen ou des camionnettes hors d'âge, et les milliers de réfugiés venus de tout le pays, qui fuyaient les massacres. Dans la ville, il n'y avait pas de quartiers détruits comme il en avait vu dans des bourgs de l'entrée du pays, pas de maisons éventrées par les bombardements, pas de carcasses de voitures brûlées. Dans les parcs de Zenica, sur les

rives de la Bosna, s'étaient multipliés les lopins de terre où les habitants cultivaient des choux, des poireaux et des tomates. Le fleuron industriel de la Yougoslavie titiste était devenu un vaste potager.

Zenica était la ville de cantonnement d'« Odred el Mudzahedin », la brigade El Moudjahid, qui rassemblait les volontaires du monde entier venus faire la guerre en Bosnie. Les deux Français avaient été affectés dans cette unité.

Moskowski s'allongea sans retirer ses chaussures. Il faisait bon dans la chambre, le poêle ronflait. Aussitôt il s'assoupit, sans s'en rendre compte.

C'est au lendemain de ses examens de licence qu'il avait annoncé à sa mère son départ. Il déjeunait avec elle dans un petit restaurant du vieux Troyes, près de la cathédrale. Lydie portait un tailleur pantalon turquoise et des escarpins à talon hauts. « Tu fais femme d'affaires », l'avait taquinée Joss. C'était vrai. Au Club des marques, elle avait encore pris du galon et travaillait désormais à la « com » de la galerie. Elle avait à peine une heure à consacrer à son fils autour d'une assiette. Elle préparait une grande campagne qui devait inciter les Parisiennes à venir à Troyes pour la journée. Un « pass privilège » leur permettrait de prendre le train gare de l'Est, d'être emmenées dans les magasins d'usine pour faire leurs achats, de déjeuner et d'être de retour en fin d'après-midi. Cette journée marathon à moins de 100 francs était qualifiée d'« exceptionnelle ».

Il écoutait sa mère. Elle rayonnait, Lydie, elle avait de l'assurance et de l'ambition. Et paraissait fière de s'afficher aux yeux de tous avec un jeune homme.

« Tu pars en Afrique ?

— Non : en Bosnie.

— Mais c'est la guerre, là-bas !

— Maman, on fait rarement de l'humanitaire dans des pays riches et en paix.

— D'accord, mais hier encore, au JT, ils parlaient de choses horribles qui se passaient à Sarajevo. Sois prudent. Enfin, j'espère que tu as pris "Europe Assistance". En cas de pépin, tu pourras toujours te faire rapatrier sanitaire.

— Ne t'en fais pas. Tout se passera bien. »

Lydie ne s'en ferait pas. Pour elle, l'action humanitaire c'était « Médecins sans frontières » ou « Médecins du monde ». À ces deux ONG, elle faisait chaque année un don déductible. Les « french doctors » avaient tous la gueule bronzée de Bernard Kouchner et comme lui une barbe de trois jours. Avec eux, son fils ne risquait rien.

Ce que Lydie ignorait, c'est que les autorités musulmanes, choquées que les ONG occidentales envoient en Bosnie des vivres qui ne respectaient pas les prescriptions de l'islam, avaient sollicité d'autres organisations en provenance d'Arabie saoudite ou d'Égypte. Celle qu'allaient rejoindre Joss et Hassan s'appelait « Aide directe »; c'était la vitrine d'Al Takfir wal-Hijra (Expiation et exil), un mouvement qui aidait les volontaires du monde entier à rejoindre le front bosniaque. Elle ne faisait pas d'appel à la générosité par des placards dans les magazines français. À la différence de Kouchner, ses militants étaient vraiment barbus.

Les deux garçons avaient rencontré à Paris un représentant d'« Aide directe ». Le contact s'était établi facilement, grâce à l'imam de la mosquée. Rendez-vous avait été pris pour un départ, le mois suivant. On les préviendrait. Pour lui, Moskowski et Ould Ahmed s'appelleraient désormais

« Bilal » et « Walid ». Ils commençaient une nouvelle vie.

La veille de son départ, Joss était allé s'acheter une paire de Stan Smith neuves dans un magasin de la rue Émile-Zola. Il n'allait pas affronter l'inconnu sans Stan Smith. C'était depuis des années ses chaussures fétiches : à l'origine destinées à pratiquer le sport, le tennis notamment, elles lui avaient servi en de multiples occasions, sauf sportives puisqu'il avait renoncé successivement au tennis, au judo et au football. Les Stan Smith étaient moins lourdes que les rangers à lacets rouges, de rigueur chez les punks. Le soir, rentré chez lui, il se sentait bien dans ces longues péniches blanches qu'il avait portées durant toute son adolescence.

Il avait fait le tour de sa chambre une dernière fois. L'aube pointait à peine. La maison était silencieuse. Lydie était partie la veille à Antibes. Leurs adieux avaient été étranges. Aux effusions de sa mère, il avait opposé l'indifférence. Pas seulement celle de l'homme qui veut se protéger de la sensiblerie qui s'empare des femmes au moment des adieux. Quelque chose de plus fort l'éloignait d'elle.

Il avait pris une poignée de CD, The Cure, Les Garçons bouchers, Bérurier Noir. Écouterait-il de la musique dans la voiture ? Il s'était ravisé et les avait jetés sur son bureau. La veille, il avait mis à la poubelle des vieux numéros du magazine *Onze Mondial*, et des paquets de feuilles remplies d'une écriture serrée : ses cours de droit. Tout ça, c'était derrière lui. C'était son adolescence. Elle était vraiment finie. Dans son armoire, il laissait aussi ses vêtements trop larges, son pantalon lacéré au genou, son blouson sur le dos duquel il avait peint en rouge « The Cure are not dead ». Depuis plusieurs semaines, il avait renoncé à sa coiffure en épi. Il avait vérifié son bagage une dernière fois. Un sac de couchage, des grosses chaussettes, des slips, un gros col roulé noir. Un walkman. Un tapis de prière, un Coran. Et dans une poche, au fond, il avait aussi glissé une barrette de shit.

Pourrait-il encore en fumer là-bas ? Halal le shit ? Haram ? Il verrait bien. En tout cas il était content d'emporter cette barrette. C'est Pierrick qui la lui avait mise dans la main, la veille : « Ça peut te faire du bien, une petite fumette. Au Vietnam, les GI se relaxaient comme ça. » Joss avait accepté. Une barrette lui serait précieuse, en effet. Inch'Allah.

Sitôt fermée la porte du pavillon, il avait pris la direction de la gare. Dans la rue, déserte à cette heure, il s'était mis à marcher au milieu de la chaussée. Il allait prendre le train de 7 h 12 pour la gare de l'Est. L'air était froid, mais il allait faire beau. Un horizon orange et rose l'annonçait. En longeant les grilles qui donnaient sur la voie ferrée, il fredonnait un air, celui d'une rengaine de son enfance. Un disque que sa mère écoutait sans se lasser, à la fin des années 70. Il en voyait la pochette, comme si elle était sous ses yeux. Une Noire sublime, à la poitrine généreuse, jouait de la guitare électrique et chantait : « One way ticket, one way ticket » : « Choo choo train truckin' down the track Gotta travel on, it never comin' back... »

Il avait eu du mal à chasser ce refrain entêtant de son esprit. One way ticket...

Le camp d'entraînement des moudjahidin était situé à Kamenica, dans la montagne, au nord de Zenica. Les combattants l'appelaient « Ma' sadat al ansar », la tanière des compagnons. Flottait un drapeau noir où étaient imprimés en blanc deux fusils croisés et cette phrase : « Odred el Mudzahedin nas put je dzihad », « Brigade El Moudjahid : notre route c'est le djihad ». Les recrues avaient été amenées en camion. Elles étaient logées sous des tentes, dans une petite vallée, au bord de la Bosna. Les conditions de vie y étaient sommaires. Plus encore qu'à Zenica. On s'y levait aussi tôt, on mangeait abondamment et mal ; on faisait du sport, on s'ennuyait ; comme dans toutes les armées du monde.

Moskowski regardait Hassan à ses côtés, le visage émacié, les yeux brillants de fatigue, la barbe du combattant. Quelque chose de tendu. Où était l'étudiant studieux qu'il avait connu ? Ici, les moudjahidin ne l'appelaient que Walid. Il ne parvenait pas à lui donner ce prénom. Pour lui, il resterait Hassan. Hassan lui traduisait les ordres et les conversations de l'arabe. Le reste du temps, les deux garçons se débrouillaient dans un mélange de français et d'anglais.

La *ceta* dans laquelle ils avaient été affectés comptait une centaine d'hommes. Officiellement, ils appartenaient à l'armée bosniaque : la 7e brigade, plus précisément. Mais dans les faits, ces volontaires se distinguaient du reste des combattants, ne serait-ce que par leur tenue. Ici pas de jeans ou de tee-shirts, mais un uniforme impeccable, treillis camouflé, brelages serrés. Les compagnons d'armes de Moskowski et d'Hassan étaient algériens, yéménites, anglais. Il y avait aussi des Palestiniens qu'ils appelaient les « Palestos » et même des Pakistanais, les « Pakis », reconnaissables à leur turban. La plupart des soldats de la brigade portaient autour de la tête un bandeau vert avec une inscription en arabe : « Allahou Akbar ». C'était leur cri de guerre, le « takbir ». La profession de foi au nom de laquelle ils combattaient.

« L'hiver dernier, certains d'entre nous ont combattu en espadrilles, lui expliqua un soldat, avec un fort accent maghrébin. Moi, le gel m'a pris deux orteils. Mais on a tenu tête à ces "chalb", ces chiens de tchetniks. Pourquoi on aurait cédé ? Parce qu'on avait froid aux pieds ? Eux, ils étaient bien équipés. Mais tu ne remportes pas la victoire parce que t'es mieux habillé. Tu la remportes parce que tu la désires plus que ton ennemi. »

Moskowski pensait à sa paire de Stan Smith neuves rangées dans son armoire, qu'il portait le soir, après la journée d'instruction ; il ne répondit rien. De fait, l'aide extérieure, venue du monde arabe, l'argent du Moyen-Orient, les armes d'Iran ou de Turquie avaient peu à peu transformé une armée de gueux en redoutables combattants. Dans les rangs bosniaques, il se disait que c'était grâce aux moudjahidin que le front avait tenu. Sans leur intervention, les volontaires, encore mal équipés, mal entraînés, n'auraient pas longtemps résisté à l'armée serbe. L'endurance et l'audace folle des moudjahidin avaient permis aux Bosniaques de tenir puis, après l'alliance avec les Croates, de contre-attaquer.

En écoutant le récit des débuts de la brigade, Moskowski songeait à une image très ancienne, dans un livre d'histoire de son enfance. On y voyait les soldats de l'an II. Il ne se souvenait plus très bien contre qui ils combattaient, ceux-là. Mais sans instruction et mal armés, ils avaient accompli des prodiges dans toute l'Europe. Les moudjahidin étaient les soldats islamiques de l'an II. Et il en faisait partie, lui, Joss Moskowski, devenu Bilal, pour la grandeur d'Allah.

Moskowski croyait savoir que leurs instructeurs étaient afghans. La plupart étaient effectivement vêtus comme les paysans de ce pays, qu'on voyait au journal télévisé depuis quinze ans : chalwar, kamis beige, et le patou, une sorte de plaid dont ils se recouvraient le soir, agenouillés devant le feu. Dans l'ombre, le visage éclairé par la flamme, ils ressemblaient tous au commandant Massoud.

Selon la version qui circulait dans le camp, les « Afghans » de Kamenica s'étaient battus contre l'Armée rouge. Cela leur donnait un prestige considérable. Il imaginait les montagnes enneigées, les Spetsnaz, les hélicoptères, les missiles Katioucha, et ces hommes, courageux comme des lions, menant des offensives d'une audace inouïe contre l'envahisseur soviétique. Ce n'était qu'une légende, nourrie par la rumeur. Mais la rumeur est le seul canal d'information du soldat. Elle précède les ordres. Elle annonce un départ imminent, ou l'arrivée de nouveaux renforts. Ou une victoire remportée à cinquante kilomètres de là. Est-elle vraie ou fausse, peu importe. La rumeur nourrit le combattant, comme une boule de pain, elle le leste. Elle donne un rythme à ses journées.

La brigade El Moudjahid était commandée par l'émir Abou El Maali ; il était beaucoup question de lui au camp, mais on le voyait peu, sauf lors des rassemblements où, de sa haute silhouette massive et intimidante, il donnait ses instructions en arabe. Les hommes formaient un cercle autour de lui. Il imposait le silence et se mettait à parler, avec de grands gestes. Moskowski ne comprenait rien à sa harangue, et se contentait de jeter des coups d'œil autour de lui. Quand les soldats interrompaient leur chef, en criant « Allahou Akbar » et en brandissant leurs fusils, il faisait de même.

L'instruction à Kamenica durait un mois. Les recrues avaient reçu en dotation une kalachnikov. La fierté qu'il avait ressentie en prenant en main son arme. Un sentiment de puissance l'avait envahi, comme si cet objet de métal froid avait été le prolongement de lui-même, un autre bras capable de donner la mort en son nom.

L'A47 est l'arme de tous les pays en guerre, avait expliqué l'instructeur. Elle est réputée pour ne jamais s'enrayer, ne jamais trahir, à condition d'avoir été entretenue correctement. « C'est ta femme, martelait-il. Oui, ta femme. Si tu en prends soin, si tu l'entretiens, elle ne te trahira jamais et un jour elle te sauvera la vie. Mais pour cela, il y a une règle : ne la quitte jamais des yeux. » Il mangeait donc avec sa kalachnikov, allait aux toilettes, dormait avec elle.

Ce qu'il aimait par-dessus tout, c'était les séances de tir.

Les recrues se rendaient dans une ancienne carrière, située à l'extérieur du camp. Elles se mettaient en ligne, debout ou couchées, sous la direction d'instructeurs directs et brutaux qui aboyaient leurs ordres et les accompagnaient de coups de pied.

Au signal, Mosko courait, faisait une roulade, puis se mettait en face de la cible et ouvrait le feu. Il tirait soit au coup par coup, soit en rafales. Il s'appliquait. Il aimait sentir le froid de son arme contre sa joue. Il calait avec soin la crosse au creux de son épaule, visait longuement, et faisait feu. Jouissif !

Quand ils ne s'entraînaient pas au tir, les hommes pratiquaient une sorte de gymnastique sommaire, qui tenait du parcours du combattant et du parcours Hébert. Une échelle à franchir, puis un passage grillagé sous lequel il fallait ramper, et enfin une fosse dans laquelle il fallait sauter, en ressortir, avant de traverser sur une poutre en équilibre, chargé d'un sac et d'une arme.

Moskowski retrouvait un plaisir qu'il avait oublié depuis ses seize ans : celui du sport. Il en avait pratiqué plusieurs, du judo au foot et au tennis. Ensuite, il avait vécu trop de nuits blanches, bu trop de bière, trop fumé pour poursuivre. Il avait arrêté le sport et s'était vite alourdi. Au bout de trois semaines à Ma' sadat, ses cheveux coupés court, son corps soumis à des exercices, Mosko avait retrouvé une silhouette juvénile, amincie, vigoureuse. Il pouvait à nouveau se soulever à la force des bras, pour sortir d'une fosse, courir pendant une heure et demie sans s'essouffler, marcher sans ployer sous le poids de son sac. Mais l'entraînement des moudjahidin n'avait pas pour but de remettre en forme. Il visait à transformer chacun des volontaires en un combattant opérationnel.

Outre son prénom et son apparence, une autre chose

avait changé chez Moskowski. Il ne se rasait plus. C'était interdit ici. Dans l'islam, l'homme doit porter la barbe. Pour lui, ça n'allait pas de soi. Un barbu, c'était un hippie : les Beatles durant leur pire période. Ou alors un prof. Au lycée, nombreux étaient ceux qui portaient un collier grisonnant. Fallait-il vraiment qu'il s'inflige ça ?

Il s'en était ouvert à l'imam du camp. C'était un petit homme rond chaussé de grosses lunettes, qui lui faisaient des yeux énormes. Il portait un anorak sur sa djellaba et au pied des chaussures de sport. Pas des Stan Smith tout de même. L'imam parlait anglais avec un fort accent.

« De nombreux hadiths le disent : le Prophète — paix et bénédiction sur lui — préconise la barbe pour que les croyants se différencient des polythéistes. C'est wajib, Bilal. »

Moskowski lui avait fait répéter : « What does it mean : wajib ? » Ça voulait dire obligatoire.

« La barbe, c'est ce qui différencie l'homme de la femme. Al-Boukhari dit qu'Allah maudit les hommes qui imitent les femmes. »

L'imam avait ajouté qu'il y avait d'autres principes d'hygiène qui s'imposaient à un musulman : se couper les ongles, nettoyer le creux de ses doigts et de ses orteils, se laver les narines en aspirant de l'eau, se brosser les dents, s'épiler sous les bras, se raser le bas-ventre.

Moskowski se laissa donc pousser la barbe. C'était long, avant d'obtenir un résultat acceptable. Pour l'heure, elle se limitait à une maigre guirlande de poils épars sur ses joues. Ce n'était pas encore la barbe élégante d'Hassan ou celle des Afghans, noire, drue, si bien implantée qu'on n'imaginait pas que ces jeunes gens aient pu un jour être imberbes. Moskowski pensait à Lydie qui détestait les hommes pas rasés. Elle avait la phobie des poils. Plus une

pilosité était abondante, plus c'était grossier. Quant à l'exhiber en ouvrant sa chemise ? Le comble de la vulgarité...
« Qu'il cache sa moquette, celui-là », disait-elle avec dégoût.

La journée au camp était rythmée par la prière. Dans ses prêches, l'imam parlait longuement de Dieu, du message de Mahomet qui commandait que l'on combatte ici, jusqu'au sacrifice de sa vie. Bien qu'il ne le comprenne pas plus que l'émir, Moskowski l'aurait écouté des heures. L'orateur parlait d'une voix tranquille. C'était normal. Tout était si logique : c'était la logique d'Allah le Tout-Puissant, le Miséricordieux.

Il s'était vite familiarisé avec les prières quotidiennes. Il savait désormais se prosterner vers la qibla, front et nez contre le sol, puis s'asseoir sur le pied gauche et répéter : « Soubhana rabbi al-adhim » : « Gloire à mon Seigneur le Sublime. »

Il avait appris à savourer ce temps qui rompait le rythme soutenu des journées. Qu'il soit soldat, étudiant ou commerçant, la prière contraint le croyant à s'arrêter, alors que tout, le cours du monde, son métier, son tempérament, le pousse à continuer son travail, sa marche, sa discussion. Moskowski n'en revenait pas. Il aimait sentir au-dessus de lui un pouvoir contraignant. Loin de la considérer comme une tyrannie, il trouvait que la Loi de Dieu donnait à tout acte de l'homme soumis à sa volonté une sorte d'objectivité.

Il attendait avec sérénité le moment de la « salat ». Alignés derrière les instructeurs, les soldats sortaient de leur sac à dos un tapis de prière, ôtaient leurs chaussures qu'ils rangeaient soigneusement et les mains levées, paumes tournées vers l'intérieur, proclamaient la grandeur de Dieu. Commençait la récitation de la Fatihah : « Bismillah al rahman al rahim, Al hamdoulillahi rabbi ll alamine »...

180

Le calme se faisait. Une paix profonde prenait possession de lui, contrastant avec le tumulte de ses journées, les cris des instructeurs pour rassembler la troupe, les invectives des soldats entre eux. Il aimait se prosterner, sentir son poids basculer en avant et trouver un équilibre entre ses épaules et son bassin, sa tête servant de balancier. Il pouvait rester ainsi des heures entières. Il sentait que le fardeau du jour le quittait par les épaules pour glisser jusqu'au sol. Une force mystérieuse l'en libérait. Apaisé, il se prenait à réciter les incantations, comme l'eût fait un amoureux : « Gloire à Dieu, louange à Dieu, il n'y a pas de Dieu, digne d'adoration, excepté Dieu. Dieu est le plus grand et il n'y a pas de force ni de puissance si ce n'est en Allah »...

Entre deux prières, Moskowski avait pris l'habitude d'égrener son subha, ainsi que l'imam le lui avait recommandé. Pendant les marches, il prenait dans sa poche son chapelet en répétant « Dieu est grand » ou « Gloire à Dieu ». À ces mots, il trouvait une signification chaque jour plus belle, une puissance irrépressible. Ce qu'on lui enseignait depuis quelques mois, c'est intérieurement qu'il le ressentait : Dieu était grand et celui qui le servait par la prière et le jeûne en éprouvait de la joie.

L'imam martelait : leurs frères mouraient sous les bombes et les assauts des Serbes, dans l'indifférence du monde occidental. Il fallait leur venir en aide, libérer la Terre sainte de Bosnie de la présence avilissante des infidèles. Le djihad aussi permettait de servir Dieu. Ce combat était impératif. Moskowski voulait maintenant en découdre, non pas seulement pour faire la guerre mais pour combattre au nom de Dieu. Il lui tardait. Les dernières semaines, à Ma' sadat, il avait redoublé d'efforts, multiplié les prouesses au tir. Maintenant il était prêt.

Quand Fahrudin Hamzic revenait à son enfance, il lui semblait qu'elle n'avait été qu'une longue promenade. Il se rappelait un matin de vacances. Ce matin-là, le grand-père et l'enfant s'étaient levés à l'aube. Ils avaient pris un bus, sur la place de Kladanj. Bécir avait emporté avec lui un drapeau soigneusement enroulé dans une housse. Il ne comprenait pas très bien pourquoi ils partaient si tôt, ni où ils allaient, mais cela semblait important. Le bus avait roulé de longues heures, jusqu'à Jablanica, sur la route de Mostar, en Herzégovine. C'était une image précise et forte. Quinze ans plus tard, il était repassé à Jablanica avec Husejin. La ville était aujourd'hui située sur un tronçon libre, un des rares de Put Spasa à être goudronné et carrossable. Son ami avait eu l'air heureux de trouver enfin une route digne de ce nom, et d'accélérer. Il avait passé la troisième avec un sourire de contentement. Tandis qu'il traversait la ville, lui était revenue en mémoire cette escapade avec Bécir.

La foule était déjà nombreuse sur l'esplanade de Jablanica, sommairement aménagée face à la rivière Neretva. Ce n'était pas le plus bel endroit pour contempler la rivière, pas le plus lumineux, ni le plus dégagé. En face d'eux, il y avait seulement un pont métallique affaissé dans l'eau. Et une estrade dressée, et pavoisée aux couleurs de la Yougoslavie. La foule scandait : « Drug Tito mi ti se kunemo da sa tvoga puta nè skrenemo » : « Camarade Tito, nous te jurons que jamais nous ne dévierons de ta voie. » Plus tard, des hommes monteraient à la tribune pour parler.

« Je crois bien que Tito en personne était là, raconterait-il à ses copains de Boieldieu. Enfin, il y avait un dignitaire en uniforme. Il a pris la parole et a parlé longtemps, longtemps. »

Le pont sur la Neretva était un événement fondateur de la légende de la résistance yougoslave. Pour les partisans, leur prise de la Bastille. En 1943, afin d'échapper à leurs poursuivants, Tito et ses hommes l'avaient fait sauter au passage d'un train, au nez et à la barbe des Allemands. Après la guerre, le pont avait été reconstruit. Et puis un jour, une équipe de cinéma était arrivée pour tourner un film : *Bitka na Neretva*, la bataille de la Neretva. Yul Brynner, Curd Jürgens, Sylva Koscina étaient au générique. Encore un souvenir de la vieille salle de cinéma de Kladanj, ce film, vu bien des années après, pendant un séjour d'été. Était-ce un bon film ? Hamzic n'aurait pas su le dire. Mais à l'époque, il raffolait des films sur la Seconde Guerre mondiale, *Les Canons de Navarone*, *Les Douze Salopards*, *La Grande Évasion*, *Tora ! Tora ! Tora !*, qui passaient dans « La Dernière Séance », le mardi soir sur FR3.

Pour les besoins du tournage, le réalisateur avait obtenu que le pont soit à nouveau détruit. L'explosion avait provoqué une fumée noire du plus bel effet à l'écran. On s'y serait cru. Mais que faire des débris métalliques et de la locomotive ? Ils resteraient au beau milieu de la rivière.

« Ça fera plus vrai que nature, avait-il répété aux habitants de Jablanica. Et puis, une ruine plaît toujours aux touristes. »

Ce n'était pas faux. Authentique ou pas, le pont affaissé sur la Neretva faisait son effet. Il était devenu un symbole. On venait de loin pour le voir. Il contribuait au prestige personnel de Tito.

Ce jour-là, se rappelait Fahrudin, les enfants des écoles de la région étaient habillés avec soin, un foulard de couleur à leur cou. Ils reprenaient le slogan, à la gloire du père de la Yougoslavie moderne : « Drug Tito mi ti se kunemo. »

Pour lui, l'affaire était entendue, la guerre qu'il menait reproduisait le combat contre l'occupant, mené cinquante ans plus tôt.

« Le Serbe, c'est l'Allemand des temps modernes. Nous sommes les nouveaux partisans. »

Il aimait à scander le slogan que son grand-père lui avait appris dans le bus qui les conduisait à Jablanica : « Smrt fasizmu ! Sloboda narodu » (Mort au fascisme ! Liberté au peuple !). Inscrit sur la pierre de la place, en face du pont sur la Neretva, il était devenu un des cris de guerre de la diverzanti. Il voulait faire renaître l'esprit des brigades de choc prolétariennes de Tito.

Il entendait encore la voix de son grand-père réciter les paroles du président Tito : « Quarante et un, un défi qui emplit de fierté le cœur et l'âme de nos peuples. Quarante et un !, c'est la vaillante épopée de nos peuples, la naissance d'un monde nouveau, un guide pour l'avenir, l'assise d'une vie plus belle », etc. Dira-t-on cela de 1994 vers 2050 ?

184

Et pourtant on n'était plus en 1943. Les soldats ne se déplaçaient plus à dos de mulets mais en combi ou dans des autobus ; des soldats à casques bleus et véhicules blancs sillonnaient le pays, donnant au monde l'illusion que la situation était sous contrôle ; la télévision informait chaque camp de sa situation, et de ce que pensait l'opinion publique internationale ; c'était incroyable d'imaginer que les nouvelles de Sarajevo parvenaient aux combattants par les chaînes allemandes.

Malgré ces prodiges technologiques, la guerre restait la guerre. Elle était, hier comme aujourd'hui, faite de coups de main, de hasards, de chances ; c'était une guerre de pauvres.

Regarder la télévision à la faveur d'une halte ou au retour d'une opération avait toujours quelque chose de fascinant. En un clin d'œil, on quittait le monde de la violence : s'estompaient le bruit des mitrailleuses qui crachent, les cris insoutenables des hommes pour conjurer la mort qui les guette. À l'écran apparaissaient des images irréelles d'un monde qui existait à quelques centaines de kilomètres de là. La vie en Occident était-elle cet éternel feuilleton où des familles étalaient leurs disputes, leurs états d'âme, leur alcoolisme ? Était-elle uniquement rythmée par les talk-shows, les jeux et le sport ? Le championnat de football ? Les matchs Borussia Dortmund contre Schalke 04, ou Mönchengladbach contre Hambourg suffisaient-ils pour rassasier les âmes ?

La guerre n'amenuisait pas la passion des hommes pour le football. Ses soldats en raffolaient, ils ne cessaient d'en parler. Étrangement, le vocabulaire des commentateurs sportifs s'inspirait de celui des militaires. Il n'était question que d'attaques, de tactique, de défaites et de défense. Un soir, il avait vu à la télévision des images de hooligans affrontant les forces de l'ordre. C'était en Grande-Bretagne. L'après-midi même, il avait coordonné l'assaut d'un point tenu par les Serbes. Les commentaires à la télévision l'avaient choqué. La comparaison avec la guerre était poussée loin, jusqu'à l'indécence. Il y avait une différence de taille entre ces rixes et le combat que Hamzic et ses hommes menaient. Le leur avait un sens : la libération du pays. Mais le foot, quel était son sens ? Après le match, les adversaires se donnaient l'accolade et regagnaient les vestiaires ; les supporters, même les plus acharnés, allaient au bar voisin pour prendre une bière. Il n'y avait pas de morts dans un match de foot. Les hôpitaux de la ville n'étaient pas remplis de jeunes gens qui gémissaient de souffrance. Le sport était un simulacre de guerre, pour pays repus. Le football avait été inventé pour canaliser la violence des hommes.

Moskowski observait ses compagnons d'armes. Ils avaient tous le même visage aux traits tirés par la fatigue et le manque de repos. Mais leurs yeux brillaient d'un éclat particulier : ils avaient vu la mort, l'avaient donnée. Elle était devenue une compagne de tous les jours. Ce n'était pas de l'exaltation ; au contraire : tous étaient très calmes. Cet éclat, pensait-il, est la marque de celui qui possède la vérité.

Qui étaient-ils, ces hommes, pour lui ? Des copains. Jamais ce mot ne lui avait paru si adapté. Ils n'étaient pas liés parce qu'ils aimaient la même musique, ni parce qu'ils jouaient au tennis ensemble. Mais parce qu'ils partageaient la même condition, le pain bien sûr mais surtout les bivouacs sur des lieux de fortune, les assauts, au coude à coude, au cours desquels la mort passait et parsemait leurs rangs. De ces journées de combat, ils rentraient plus unis encore les uns aux autres.

Salim avait passé son enfance dans la banlieue du Caire. Il disait que c'était Dieu qui lui avait ordonné de venir se battre en Bosnie ; il était passé par le Sud-Liban où il avait suivi un entraînement. Puis il avait gagné la Turquie pour rejoindre Zenica. Avait-il vingt ans ? Maigrelet comme un gosse des rues, il présentait un visage rieur. Au camp, il se promenait avec dans une main un sabre court, dans l'autre un morceau de bois qu'il taillait inlassablement. Il se racontait que cette arme lui avait servi à décapiter un Serbe. Moskowski enviait la gaieté féroce et insouciante qui se dégageait de lui ; la vie, la guerre, le plaisir, la mort, rien n'avait d'importance à ses yeux.

Omar, ce qu'il aimait, c'est entretenir sa kalachnikov. Quand son unité était en opération, il profitait de la première halte pour déployer une bâche en plastique et entreprenait de la démonter et de l'huiler. Son cauchemar : qu'elle s'enraye, qu'elle le trahisse comme il disait. Qu'elle le laisse sans défense face aux balles infidèles. Omar était superstitieux. Un jour, après une offensive, il avait trouvé une balle serbe fichée dans un chargeur qu'il avait glissé dans la poche de son treillis, contre sa poitrine. Son harnachement lui avait sauvé la vie. Depuis Omar était devenu maniaque comme une vieille fille. Il s'équipait avec application : brelages, chargeurs, baïonnette, tout obéissait à un rituel rigoureux.

Abdel, lui, était venu de Londres avec d'autres frères. Comme Joss Moskowski, il avait rejoint la Bosnie encouragé par un imam.

« À Finsbury Park, Bilal, c'est une légende, notre imam : il a perdu une main et un œil en Afghanistan. Il prêche en agitant un crochet, au bout d'un moignon — Abdel disait "stump".

— What is that, stump ? »

Abdel agitait son bras, en passant le tranchant de la main sur son poignet, comme une scie. Il expliquait à Moskowski que la guerre devait se mener, non pas seulement par les armes, mais aussi par la parole. Un jour, au camp, un homme était venu trouver Abdel. Il avait besoin d'un combattant anglophone. Il transportait un magnétophone. Il lui avait demandé de raconter son histoire et d'enjoindre à ses compatriotes de rallier eux aussi les rangs de la brigade. Abdel parlait bien, en roulant légèrement les r. Il prononçait : « brrotherr ». La cassette avait été envoyée dans des rédactions. Le lendemain Abdel avait fait la manchette des journaux du monde entier.

Amine, lui, ne parlait pas anglais. C'était un grand échalas édenté, originaire de la région parisienne. Sur ses joues, la barbe était parsemée comme s'il avait donné des coups de ciseaux maladroits. Il avait atterri ici, nul ne savait comment. Il suivait les deux Français comme un chien perdu. Amine avait le mal du pays. Omar leur disait d'éviter sa compagnie : un soldat déprimé, ça porte malheur. Amine, il avait la scoumoune.

Les garçons se tenaient à une terrasse, non loin de la Bosna. À l'issue des semaines d'entraînement à Kamenica, une journée de détente leur avait été accordée, à Zenica, sous l'œil attentif de leurs instructeurs. Cela faisait plusieurs semaines qu'ils n'avaient pas revu une ville et des gens habillés en civil.

En attendant leur café, ils regardaient la rivière aux eaux si pures et aux rives si sales, souillées par des sacs en plastique accrochés aux branches des arbres plantés au bord. Les grands immeubles gris qui se dressaient sur fond de ciel bouché dégageaient une forte impression d'accablement. Seule la mosquée Ahmedova arborait un air pimpant. Elle était fraîchement repeinte, grâce aux subsides d'un pays ami, un Émirat pétrolier. La solidarité musulmane permettait aux Bosniaques de supporter leur malheur.

Le temps était franchement maussade. Les jeunes moudjahidin ne parlaient pas. Ils avaient le regard vague. La fatigue des semaines d'entraînement se ressentait. Leurs jambes étaient lourdes, ankylosées. Ils sortaient des véhicules avec des grimaces. Leurs premiers pas étaient douloureux.

Sur Ulica Marsala Tita, la grande rue piétonne de la ville, un groupe de filles s'attardait devant un magasin de chaussures. Leur conversation était animée jusqu'à ce qu'elles se fussent avisées d'une présence derrière elles. Elles s'étaient alors mises à pouffer en se poussant du coude. Commença l'éternel jeu de l'adolescence et de la séduction. Joss avait croisé le regard de l'une d'elles, clair comme le ciel au-dessus de leurs têtes. Il l'avait suivie des yeux, fixant le bas de ses reins. Hassan avait-il lu dans ses pensées ? Il avait mis la main sur son bras.

« On n'est pas en France, ici, mon frère. On ne regarde pas les filles comme ça. »

Moskowski avait haussé les épaules, vexé, avant d'en convenir. Hassan avait raison. Il fallait qu'il s'amende. La prière et la lecture du Coran l'y aideraient.

De l'intérieur du café, provenaient des accents de rock. Il tendit l'oreille sans parvenir à reconnaître le morceau. Le serveur avait apporté les consommations. Du café pour tout le monde. Ses copains disaient du « kahva ». Il était servi sur un petit plateau de cuivre. Il était épais. Les deux sucres que Joss mit restèrent longtemps à la surface, avant de se dissoudre. Quand il remua avec sa petite cuillère, ils disparurent. « Vous voyez, les mecs, lança-t-il, le sucre, c'est nous. On met du temps à se fondre dans la troupe. Mais les instructeurs du camp nous y aident. La cuillère, c'est eux. » Les moudjahidin éclatèrent de rire. Même Amine se dérida.

« Ça va, mon frère ? lui lança Salim.

— Non. Ici c'est nul à chier.

— Tu t'attendais à quoi ? dit Moskowski. Au Club Med ? "Y a du soleil et des nanas, darla dirladada" ?

— Arrête ton char, Bilal. Mon père me disait que la guerre avait été le meilleur moment de sa vie.

— Il a fait la guerre, ton père ? Laquelle ? Contre les Allemands ?

— Non, la guerre d'indépendance en Algérie. Il en parlait souvent de sa vie dans l'armée de libération.

— Mais, toi t'es né en France, Amine ? C'est quoi cette embrouille ?

— Il est venu en France après. Mendier un boulot auprès des gens qu'il avait combattus, ça lui a foutu les glandes. Dégoûté qu'il était, nardine. Il s'est enfoncé dans la déprime. Heureusement que ma mère, elle travaillait. Ce sont les imams qui nous ont tirés de là. Ils sont venus d'Algérie quand le FLN a commencé à les persécuter. À Trappes, ils ont ouvert un centre et ont pris mon père comme gardien. J'ai commencé à les fréquenter, avec mes frères. Un jour, ils m'ont parlé de la guerre. Ils m'ont expliqué que chacun menait la sienne. Il y avait eu les guerres d'indépendance, puis celle qu'avaient menée les moudjahidin en Afghanistan contre les Russes, puis celle des Palestiniens contre Israël. Quand on a commencé à parler de la Bosnie, ils m'ont dit que des musulmans souffraient là-bas, que c'était mon devoir de leur porter

191

secours. J'ai pensé à mon père : "Le meilleur moment de sa vie". »

À Ma' sadat, les instructeurs martelaient : « Ici vous êtes chez les moudjahidin, les soldats de Dieu. Vous vaincrez les Serbes, et demain les Américains, les Israéliens, tous ceux qui s'opposent au règne de Dieu. »

Moskowski apprenait l'inactivité. Comme tous les soldats du monde, il passait des heures à attendre un ordre, adossé à un arbre ou à l'ombre des véhicules. Il aimait aller à la rivière, et regardait couler l'eau, sans fin. Rien ne l'arrêtait, surtout en cette saison où la Bosna était forte de ses affluents, qui descendaient à toute allure de la montagne.

Pour tuer le temps, allongé sur l'herbe de la rive, profitant d'un pâle soleil, il sortait son Coran. Il sentait qu'il n'aurait pas assez de sa vie pour épuiser la parole de Dieu. De sa lecture il sortait à chaque fois ragaillardi : Allah ne cessait de répéter qu'il donnerait la victoire à ses serviteurs. Il se souvenait de ses cours à la fac. Des discussions sur la transition démocratique en Espagne, en URSS ou en Afrique du Sud. La paix, les droits de l'homme... Tout ça c'était du vent... L'imam était catégorique sur ce point : la paix pouvait être envisagée à condition que la terre soit acquise à l'islam : dar al-salam. Tant que Dieu ne serait pas connu et honoré, la paix n'aurait pas de justification. Il fallait combattre pour lui : dar al-Harb.

Joss avait honte. Il n'arrivait pas encore à être un bon musulman. Il regardait les filles, était distrait pendant la prière. Et au fond de son sac, il conservait un livre qui ne plairait sûrement pas à l'imam, *Putain de mort*. Était-il haram ou halal? Il ne voulait pas le savoir. Ce livre lui plaisait. Il l'avait lu d'innombrables fois; son état délabré, froissé, corné en témoignait. Il l'avait trouvé chez un bouquiniste du vieux Troyes. C'est le titre qui l'avait attiré : *Putain de mort*, c'était violent comme une chanson punk. Le récit de Michael Herr plongeait le lecteur dans une autre guerre, au Vietnam, d'où il ressortait que les soldats américains étaient tous fous, que la plus grande puissance du monde défendait ses intérêts en engageant au combat des gosses abrutis par la came et le rock. À l'époque, cette description l'avait enchanté : elle transportait son univers de musique et de shit à Saigon. The Cure, l'offensive du Têt, la came de Pierrick, *Platoon, Apocalypse Now*, le Vietnam rendait un son familier. Le GI selon Michael Herr était un autre lui-même,

À Zenica, il n'avait rien trouvé de semblable. Pas de shit, pas de rock — pouvait-on sérieusement qualifier ainsi l'exécrable musique qu'on entendait dans les bars? Si : un jour, en passant dans une rue en 4 × 4, il avait lu sur un mur de la ville un dessin au pochoir : « *God save Sarajevo's* ». C'était signé « Sex Pistols ». Qui avait pu tracer ce graffiti? Plus tard, il avait cherché à le retrouver, en vain. Avait-il rêvé? À moins que l'inscription n'ait été recouverte par une de ces affichettes bordées de vert qui annoncent quotidiennement la mort d'un habitant du quartier? Qu'importe. Ici l'ambiance n'était pas celle des derniers jours des Américains à Saigon.

Moskowski partageait la vie d'hommes déterminés à vaincre. Il brûlait de leur ressembler en tout, et pas seulement par l'uniforme. Il les voyait le soir, fumant calmement la chicha, parlant de façon déterminée d'une opération à venir. Rien de l'hystérie décrite par Herr. Moskowski eut vite sa théorie là-dessus : la guerre du Vietnam fut horrible pour les soldats américains parce qu'ils soutenaient une cause injuste. En Bosnie, les moudjahidin se battaient pour défendre leurs frères. Le bien-fondé de leur combat leur procurait la paix.

Le Coran était formel : s'ils mouraient en chahîd, en martyrs de la foi, ils seraient immédiatement conduits au paradis d'Allah, que le prophète décrivait comme un lieu de fraîcheur et de délices.

Il n'en était pas encore là. Un peu à l'écart des autres, il glissa un morceau de shit dans une cigarette qu'il était en train de rouler avec précaution. Il lisait *Putain de mort*, dissimulé dans un vieux journal, un quotidien bosniaque dont il ne comprenait pas un traître mot. C'était plus fort que lui, il avait encore besoin d'un peu d'isolement, d'une existence individuelle. Personne ne le soupçonnait, mais en tirant sur sa clope, le nez plongé dans sa lecture, il était très loin de Zenica : il avait gagné des territoires qui n'appartenaient qu'à lui.

Les premières semaines, Fahrudin Hamzic et ses hommes avaient effectué essentiellement des patrouilles de reconnaissance. L'Armija Bosna n'était pas encore prête pour l'offensive. Elle fourbissait ses armes.

Un véhicule déposait les hommes près de la ligne de front ; ils s'enfonçaient dans les bois pour observer les positions serbes, repéraient leurs défenses, signalaient leurs mouvements. Parfois ils entendaient une voix toute proche, devinaient la présence de soldats ennemis qui s'interpellaient ; ils n'étaient qu'à quelques dizaines de mètres d'eux, tapis dans un fossé. Il leur était même arrivé d'être repérés par une sentinelle qui avait ouvert le feu, les obligeant à battre précipitamment en retraite.

Bientôt, les hommes de la diverzanti apprirent comme tous les combattants du monde à sentir le danger, à reconnaître le bruit des armes, leur crépitement sec, ou le sifflement qui précède un tir d'obus ou de roquette. Pendant un échange de coups de feu, ils étaient comme un piéton qui se repère à l'oreille dans une ville, se guide au bruit des moteurs pour traverser une rue.

Ils marchaient depuis plusieurs heures. Le temps était bouché, gris, des bandes de brume flottaient à la lisière des bois. C'était un jour à se faire accrocher. Les hommes avançaient machinalement, l'un derrière l'autre, en suivant l'orée.

Hamzic était à la peine. Un orteil mal soigné lui faisait mal. Chaque pas était un petit supplice. Son pied avait gonflé. Il souffrait et avançait sans un mot, serrant les dents. Il pensait à sa période d'instruction à la Légion, qu'il avait finie en piètre état, souffrant d'une tendinite. La dernière épreuve était un raid dans la montagne, en solitaire. Des kilomètres effectués en trottinant, abruti par la douleur. Il avait tenu bon.

Malgré son pied endolori, il était heureux. Il mettait son expérience militaire au service de son pays. Il était prêt à mourir cette nuit d'une balle en pleine tête, ou d'un éclat de roquette. Mais il ne mourrait pas sans combattre. Si un Serbe surgissait, il tirerait le premier; il le ferait sans haine, sans cette folie qui s'empare d'un criminel au moment où il accomplit son forfait. C'était ça, la différence entre un serial killer et un soldat. Lui tuerait calmement, assuré d'agir pour le bien. Un calme profond l'habitait. D'une main il tenait son arme, retenue à son épaule par une bretelle, de l'autre, une carte de la région.

Il ne fit pas attention à la forme qui se dessinait à la lisière de la forêt, sur sa gauche. Postée à cinquante mètres de la colonne, elle se confondait avec la couleur claire des troncs de chêne et de bouleau. Ce fut quand la forme bougea que Hamzic remarqua qu'il s'agissait d'une grosse boule de poils. Un chien perdu, pensa-t-il. Perdu? À plusieurs dizaines de kilomètres de toute habitation? Il empoigna ses jumelles. Un loup.

Soudain l'animal bondit, et se réfugia à couvert. Fahrudin remonta la file et se plaça à côté de son cousin Sead. Un loup ! Était-ce possible ?

« En effet, confirma celui-ci. Avec la guerre, ils sont revenus. »

Une demi-heure plus tard, l'animal réapparut. La lumière était meilleure, l'endroit plus dégagé. Pas de doute possible, c'était bien un loup. Quand Hamzic était enfant, il en avait vu dans la forêt, alors qu'il accompagnait son père sur un chantier, dans la montagne. Et puis le loup s'était éloigné des contrées habitées par les hommes. Sauf un hiver particulièrement rigoureux où certains à Kladanj avaient raconté qu'ils en avaient croisé un, qui cherchait pitance en lisière du bourg. Il avait été déconseillé aux femmes et aux enfants de sortir à la tombée de la nuit. Des hommes avaient entrepris une battue, au printemps, le loup avait disparu.

Sead prit ses jumelles.

« Celui-ci est un jeune, qui apprend à chasser. C'est l'époque. Il y a quelques jours, sa mère le nourrissait encore : il mangeait des boulettes de viande qu'elle mâchait et régurgitait pour lui.

— Pas de danger qu'on s'aventure dans le bois. La carte dit qu'il est miné.

— Parfois, on entend une détonation, et un jour on retrouve un cadavre d'animal déchiqueté. »

Ils firent une pause, déposant leurs musettes, formant les faisceaux comme leur chef le leur avait enseigné : les kalachnikovs étaient dressées en trépied. Les hommes restaient debout, allumant une cigarette. Le loup était sur toutes les lèvres.

« T'as vu comme il nous regardait, disait Aldin à Nenad.

Crois-moi, le loup est aussi intelligent que l'homme. Il lutte avec lui pour le contrôle d'un même territoire.

— Mon grand-père prétendait que les hommes et les loups ont signé un pacte, il y a longtemps. Les hommes régnaient pendant le jour et les loups la nuit. Les hommes ont rompu ce pacte. Alors les loups les ont attaqués, jusque dans les villages : pour les punir de leur trahison. »

Fahrudin écoutait Nenad en souriant.

« Mon père m'a montré comment ils se déplacent. Chaque loup met ses pas dans ceux du loup qui le précède. C'est très malin pour ne pas être dénombré..,

— On devrait instaurer ça pour les patrouilles. »

Quand la nuit tomba, ils avaient repris leur marche. Hamzic pensait aux loups, si proches. Il croyait voir leurs yeux luire dans l'obscurité. Nenad n'avait pas tort. Les loups rivalisaient avec les hommes, ils leur disputaient le monde.

Il leur fallut marcher jusqu'à un village, distant de plusieurs kilomètres. La lune brillait. Les hommes avançaient en silence le long d'un chemin, en lisière d'un bois pour être hors de vue des sentinelles ennemies. Les Serbes tenaient la montagne à quelques kilomètres. Pourquoi la voiture n'était-elle pas au point de ralliement ? « C'est le bordel ! maugréait Hamzic en marchant. Il ne manquerait plus qu'on se fasse surprendre par une patrouille. »

Deux phares percèrent l'obscurité. Un bruit de moteur se fit entendre. Les hommes s'immobilisèrent. Postés le long du bois, ils se confondaient avec la végétation. Une camionnette passait sur la route à cinquante mètres. Véhicule civil, militaire ? Nul n'aurait su le dire. La pénurie obligeait à recourir aux moyens du bord. Peut-être était-ce un habitant de la région qui vaquait à ses occupations. La guerre se faufilait dans la vie quotidienne de la Bosnie.

Jusque sur la ligne de front, des villages continuaient à vivre, tant bien que mal. Au cinéma, la guerre est toujours totale, elle se déroule dans un espace délimité peuplé de soldats. Ici, les combattants traversaient des bourgs où des femmes allaient et venaient, des enfants jouaient. À peine s'interrompaient-ils dans leurs jeux au passage des véhicules. Parfois les habitants se réfugiaient dans les forêts voisines pour l'après-midi, dans l'espoir d'échapper aux combats. Ils passaient des heures à attendre, sans guère parler, écoutant le claquement sec des tirs d'armes légères, non loin d'eux, puis quand le silence était revenu, ils s'en retournaient en fin de journée, comme après un pique-nique de printemps, retrouvant leur intérieur détruit à la grenade ou saccagé par quelque pillard.

Les hommes virent un faisceau de phare qui pivotait dans leur direction : le véhicule quittait la route pour emprunter le chemin qui menait vers eux. C'était le leur, enfin. La diverzanti embarqua et une demi-heure plus tard fut déposée au village où les moudjahidin bivoua-quaient. Les garçons descendirent pour se dégourdir les jambes. Ils allumèrent une cigarette. Un groupe de villa-geois s'approcha. Ils voulaient des nouvelles. Avaient-ils vu des Serbes ? Eu un accrochage avec eux ? On disait que...

Hamzic s'éloigna. Son rapport, il le réservait au chef du secteur. Il était fatigué par la longue marche. Il allait bientôt pouvoir ôter sa botte, soigner son pied. Il avait besoin de douceur. Une vieille femme, vêtue de longs cotillons, un foulard sur la tête, s'approcha de lui. Elle était de petite taille et, nullement intimidée par les gaillards qui l'entouraient, elle sortait d'un sac des pains qu'elle offrait, en répétant : « Praha. » C'était insignifiant. Ni lui ni ses hommes n'avaient faim. Ils étaient plutôt bien nourris dans les villages où ils cantonnaient. Sur la route du retour, il avait grignoté un sandwich de viande de veau, la juneca, et bu une bière. Pourtant, il prit le morceau que la vieille lui tendait et murmura « Hvala », merci.

Le soir, dans son sac de couchage, Hamzic eut du mal à trouver le sommeil, malgré la fatigue de la marche. Son pied était endolori. Depuis le retour au village, il avait évité la compagnie des autres et ne les avait pas accompagnés au café. Il était rentré tout seul au bivouac, abîmé dans ses pensées. Il avait nettoyé son orteil enflé, pansé la plaie et s'était couché. Il n'avait pas sommeil, ne cessait de se retourner. Il eut envie de fumer, se redressa et sortit son paquet de Drina. En tirant sur sa cigarette, pour la première fois depuis longtemps, il se surprit à penser à Élodie.

Moskowski avait pris des habitudes. Le matin, il rangeait ses affaires avec application. Pliait son sac de couchage et le remettait dans sa housse imperméable, avant de le glisser dans sa musette : prêt à partir. Prêt à mourir. S'il ne revenait pas, il fallait que ses camarades trouvent ses affaires en ordre. Joss ordonné ? Lydie ne l'aurait pas reconnu. C'était plutôt une sorte de rite ; comme Omar astiquait son arme, lui laissait ses affaires en ordre. Dans l'incertitude de son existence, le combattant a besoin d'immuable.

De sa pile de vêtements pliés, il sortait un bonnet de marin. Quand il l'enfilait, il entendait la voix de sa mère lancer : « Il ne fait pas chaud ce matin, prends ton bonnet ; on prend toujours froid par la tête. Ou par les pieds. » Il portait ce bonnet contre les frimas, même si le temps était plus clément que les semaines passées : depuis qu'il avait les cheveux rasés, il avait l'impression d'avoir froid à la tête. Et puis ce bonnet lui donnait une identité. La plupart de ses camarades portaient une casquette, un keffieh ou un bandeau. Lui un bonnet. Quand on l'interrogeait, il répondait que ce couvre-chef le protégeait, sans préciser si c'était de l'hiver ou des balles. On aurait dit qu'il parlait d'un casque lourd,

Son bonnet, disaient ses copains, le faisait ressembler au commandant Cousteau. C'est Amine qui avait trouvé ça : « Bilal, c'est Cousteau. » Il avait souri. Le commandant Cousteau était une des personnalités préférées de Lydie. Les dernières années de sa vie, l'océanographe à la longue silhouette ponctuée d'un bonnet rouge était devenu une star mondiale. Une sorte de père de la planète, au chevet de la flore, de la faune, des eaux, semblant préférer la compagnie de la nature à celle des hommes.

« Tu connais Cousteau, toi, avait-il lancé un jour à Omar, qui l'appelait ainsi.

— Bien sûr, avait fièrement répondu le garçon. L'imam m'a dit que c'est un grand scientifique. Et un bon musulman. »

Moskowski avait ouvert de grands yeux. Pour lui, Jacques-Yves Cousteau représentait l'esprit moderne par excellence, qui n'adore pas de dieu mais vénère la terre et la mer. On le voyait tout le temps à la télévision, en France, qui parlait d'écologie, de démographie, d'économie. Mais de religion, jamais...

« Parfaitement, avait insisté Omar. Il a confirmé scientifiquement ce que le Prophète dit dans le Coran : l'eau douce et l'eau salée ne se mélangent pas. Tu demanderas à Abderamane quelle sourate décrit ce phénomène. »

Cousteau musulman ! Il savait pour Cat Stevens et Maurice Béjart. Et aussi pour Roger Garaudy, le philosophe marxiste que chérissaient ses profs. La puissance de la foi se manifestait partout. Joss se sentit ragaillardi : si Allah était avec eux, qui serait contre ?

Il se souvenait de conversations avec Karine, de leurs

accrochages. Foi et raison, religion et violence. Peut-on être scientifique et croyant ? L'argument de Karine, il l'avait parfaitement en mémoire. C'était un slogan : « Un peu de religion éloigne de la science, beaucoup de religion en rapproche. » Jolie formule qu'il ne comprenait pas bien. Pas plus hier qu'aujourd'hui.

Elles étaient interminables, leurs discussions à la cafétéria ou, l'été, sur les pelouses du campus. Karine aimait ça et lui aimait être avec elle. À l'époque, il s'élevait en faux contre les arguments de son amie, rompait des lances avec elle. Moitié pour s'opposer et moitié pour la provoquer, pour voir ses joues s'empourprer de rage devant sa mauvaise foi.

Après les examens, il avait quitté la fac sans lui dire au revoir. Sans lui parler de ses projets d'été. Que lui aurait-il dit ? Qu'il allait effectuer un voyage humanitaire ? Ce boniment, c'était bon pour Lydie. Il lui aurait dit qu'il partait combattre pour sa foi. Qu'aurait-elle répondu, la jolie Karine ? Qu'un Dieu n'a pas besoin qu'on se batte pour lui ? Que la foi se propage par l'amour ? Que... il entendait sa voix qui le troublait et ses paroles qui l'agaçaient. Halte au sketch ! Il les avait toutes entendues, ses réponses, et ne voulait plus les entendre. D'ailleurs, l'imam lui avait dit que dans l'Évangile, Jésus annonce qu'il est venu apporter un feu sur la terre. Comme pacifisme, on faisait mieux. Il n'en démordait pas : le christianisme de Karine, c'était une religion de vaincus, d'hommes qui consentaient à la défaite. Ici, en Bosnie, l'islam vaincrait par les armes.

Le bar s'appelait « Kod Asterix ». Hamzic avait souri en entendant ses soldats parler de l'établissement : « On va chez Astérix. » À coup sûr, le patron avait habité la France. Il pariait pour un type arborant une belle paire de moustaches. Un petit homme sortit pour les accueillir, et prendre la commande. Il était conforme à la description qu'il avait imaginée. Gagné. Il s'assit en terrasse devant un bock de TZ, la bière de Tuzla. Le ciel était à la pluie, la vue bouchée. Il frissonna. Dans la rue, des femmes se pressaient sous le crachin naissant. Il sortit son paquet de Dina, donna dessus un petit coup sec pour en expulser une cigarette. Il la porta à sa bouche, l'alluma avec son zippo, en aspira une longue bouffée et allongea ses jambes devant lui. C'était curieux, la guerre. À cette heure, rien ne pouvait contrarier en lui un profond sentiment de bien-être. La chorba chaude et épicée et le cevapi l'avaient lesté. La fumée de sa cigarette provoquait en lui une légère impression d'enivrement.

La veille, il avait reçu via l'état-major bosniaque un message, qui l'avait ému et ébranlé. Sa compagnie de Légion était à Sarajevo. À Rajlovak, pour être précis : à l'entrée de la ville. Le lieutenant von Pikkendorff l'invitait à fêter Camerone, à Sarajevo. Pour la Légion, Hamzic était déserteur. Mais pour l'officier, il était toujours des leurs, parti pour des raisons supérieures. Impossible de lui en faire grief.

Camerone était le nom d'un combat que la Légion célébrait tous les 30 avril. Où qu'ils fussent ce jour-là, même dans le camp retranché de Diên Biên Phu sur le point de tomber, les légionnaires fêtaient Camerone. La section Pikkendorff n'entendait pas déroger à la tradition à Sarajevo. Comment avait-il su où le joindre? Mystère. La guerre facilitait la constitution de réseaux de communication souterraine. Les nouvelles circulaient. Était-ce par un légionnaire bosniaque — ils servaient d'interprète — que le lieutenant avait appris dans quelle unité il servait et où elle était cantonnée? À la guerre, les hommes se déplacent moins commodément que les informations.

Il hésitait à se rendre à l'invitation. Comment gagner Sarajevo, alors qu'Olovo était sous le feu serbe, soumis à des bombardements quotidiens? Les belligérants n'ordonneraient pas un cessez-le-feu pour lui permettre de fêter Camerone, même si chaque camp comptait en son sein d'anciens légionnaires; chez les Serbes, il y avait Oulemek, Klempic, Zelinac; chez les Croates Filipovic, Cajic.

Pour rejoindre ses camarades, il lui faudrait prendre la route de la montagne, au risque d'être bloqué à un barrage, ou par un effondrement de la route ou un embouteillage provoqué par un convoi arrivant en sens inverse. Où était son devoir? Rester avec ses hommes ou partir s'arsouiller avec ses anciens frères d'armes, en mémoire d'une vieille bataille? Mais que dirait le lieutenant s'il ne répondait pas à l'appel? La Légion enseigne à ses hommes le caractère sacré de la fidélité. Que faire?

D'ailleurs, le moment était-il bien choisi pour faire une sortie à Sarajevo? Ce luxe-là, il le laissait aux vedettes internationales. Ces dernières semaines, la presse avait relaté la présence d'une célèbre cantatrice venue chanter au théâtre national; des écrivains et des ministres faisaient des apparitions dans la ville assiégée. Les plus courageux arrivaient dans un convoi humanitaire, les autres en hélicoptère, pour quelques heures. Tous faisaient la une des journaux télévisés. Engoncés dans des canadiennes, les envoyés spéciaux, soufflant de la buée devant leur micro, répétaient que la présence de ces personnalités remontait le moral des défenseurs de la ville. S'ils le disaient. Dans le meilleur des cas, l'arrivée de stars assurait une accalmie sur la ville. Les habitants profitaient de la trêve pour sortir, se ravitailler. Ils n'avaient que faire des gestes symboliques. Ils demandaient des armes lourdes pour chasser les Serbes des collines autour de la ville. La guerre n'est pas un défilé de mode.

Hamzic avait pris sa décision. Il n'irait pas fêter Camerone à Rajlovak.

Le convoi s'arrêta devant le bar, interrompant sa rêverie : des 4 × 4 de marque allemande, moteurs rugissants, drapeaux verts au vent; en sortirent des hommes en treillis de camouflage, portant la barbe, le front ceint d'un bandeau qui les faisait ressembler à des pirates. Les moudjahidin! Ils s'installèrent en terrasse, non loin de lui. Astérix sortit à leur rencontre, empressé, visiblement impressionné par cette escouade.

L'armée bruissait de la rumeur de leur présence dans la

région. On leur prêtait les exploits les plus fous, un courage inouï, un dédain absolu de la mort et de la souffrance. L'enlèvement d'un général croate, échangé contre des prisonniers, au nez et à la barbe de l'ONU, leur avait valu un immense prestige dans les rangs bosniaques. Si les moudjahidin étaient ici, c'est que des combats se préparaient, qui allaient être décisifs. Hamzic ne les quittait pas des yeux. Les barbus s'interpellaient en arabe ; parmi eux, il y en avait un de type européen. Un blond, au visage juvénile et aux yeux clairs. Hamzic l'entendit clairement dire à son voisin en français : « Je mangerais bien quelque chose. »

Cela faisait des semaines qu'il n'avait pas entendu parler français. Un an plus tôt, il parlait, pensait, et peut-être même rêvait dans cette langue devenue pour lui une deuxième patrie. À la Légion, toute langue étrangère était proscrite. On apprenait le français selon une méthode vigoureuse, parfois à coups de taloches dans la nuque. À ce régime, on apprend vite. C'est seulement le soir, au foyer du légionnaire, qu'entre Yougos la langue maternelle retrouvait droit de cité.

Les moudjahidin parlaient fort. Deux d'entre eux s'étaient levés et avaient interpellé Astérix. Passaient-ils commande ? Derrière son comptoir, il avait l'air paniqué. Hamzic tendit l'oreille. Un homme à la barbe rousse lui reprochait de vendre des boissons alcoolisées.

« Tuzlanski Pilnar, Sarajevsko Pivo, disait-il en montrant les bouteilles, tu ne dois pas vendre ça. C'est haram. »

Astérix bredouillait que oui, il allait cesser. Quelques minutes plus tard, il déposait à la table des moudjahidin des cafés et des thés. Le barbu dominait le barman de deux têtes. Il prit la parole à la cantonade :

« Incheb ! La ferme ! Nous nous battons à vos côtés.

Demain nous reconstruirons les mosquées que ces chiens de chrétiens ont détruites. Mais vous, les Bosniaques, de votre côté, il faut que vous soyez de bons musulmans, respectueux des préceptes de l'islam... »

Il y eut dans la salle un brouhaha. Pas un tollé, un grondement de protestation. Mustafa, Mehmet, Sabahudin commençaient à maugréer. Hamzic hésitait à se lever pour les calmer. Trop tard. Emir l'avait devancé :

« T'es qui, toi ? T'as pas de leçons à nous donner. Nous sommes musulmans depuis cinq siècles. Nous respectons Dieu et les commandements du Prophète. Mais nous sommes des musulmans d'Europe.

— Un musulman est un musulman... Il doit obéir à la charia.

— Ici, on ne mène pas une guerre de religion. On est en Bosnie. D'accord ? On se bat pour nos villages et nos enfants. Simplement pour que nos filles puissent aller à Sarajevo sans être arrêtées par les Serbes, sans être violées.

— Mais tu...

— Ta gueule ! Tu les vois, lui, et lui (il désignait Igor et Zlatan) : eux sont serbes. Depuis le début de la guerre, ils combattent à nos côtés. Normal : ils sont d'un village tout près d'ici. Et lui (il désignait Astérix qui se terrait dans un coin), sa femme est de Belgrade. Elle est restée ici, même au plus fort des combats. Parce qu'elle est née ici, a grandi ici. Et regarde : elle sert en salle, les cheveux dénoués. Elle est jolie, non ?

— Nardine bebek... »

Les deux hommes se faisaient face. Emir, le beau gosse aux cheveux courts en brosse, et le grand moudjahid, qui en imposait par sa stature et sa barbe de feu. Celui-ci fit un signe à ses hommes qui se levèrent. Hamzic bondit de son siège et se plaça au côté d'Emir. Mehmet, Sabahudin l'imitèrent. La terrasse se prêtait assez bien à une bagarre. Il tenait le dossier de sa chaise, prêt à l'empoigner et à la projeter sur le groupe des moudjahidin. En permission, il avait maintes fois expérimenté la tactique : l'exiguïté des bars, leur encombrement ne permettaient pas les grandes manœuvres, il fallait combattre, sans avoir à se déplacer, en attrapant tout ce qui tombait sous la main : bouteilles, verres, chaises.

De longues secondes passèrent. Chacun retenait son souffle, un geste de part ou d'autre, et c'était la guerre. Le moudjahid fit un pas, très lentement, vers la sortie. Il passa devant Emir en soutenant son regard, les dents serrées, et se dirigea vers sa voiture, suivi par ses hommes. Hamzic vit le moudjahid blond, celui qui avait parlé français juste avant l'altercation, qui sortait à son tour. Il lui lança :

« On est en Bosnie, ici. Pas en Algérie. Dis-le à tes copains. »

L'autre le regarda longuement, et ne répondit rien. Les véhicules démarrèrent, bruyants. En partant, les conducteurs firent crisser les pneus sur la chaussée.

À Kamenica, Moskowski pouvait rester de longues minutes à regarder le ciel sans parler à personne. Allongé sur son poncho, près de sa tente, il se reposait après son repas. Une boîte de podravka, du pâté de poulet, des fruits, accompagnés d'un soda horriblement sucré. Il regardait les nuages qui prenaient des formes sans cesse changeantes, stimulant son imagination. Tiens, un chien, un oreiller, une main.

Il se leva et se rendit à la fourmilière. C'était sa distraction des dernières semaines. Il ne souhaitait la partager avec personne. Dans un bosquet, il avait découvert un monticule de terre haut de cinquante centimètres. Des milliers d'insectes allaient et venaient et ce spectacle le fascinait.

Les jours précédents avaient été calmes. Les moudjahidin étaient laissés au repos. Ils se contentaient de faire des exercices. Les hommes s'entraînaient au tir, à l'assaut. C'est en se dégourdissant les jambes, mû par une forte envie de pisser, qu'il était tombé sur la fourmilière. Un tas de terre anodin, formé contre le tronc d'un arbre abattu; apparemment inerte, il était en réalité traversé par des milliers d'insectes en mouvement. Fasciné, Moskowski s'était assis et avait observé. Cette fourmi traînait vers l'entrée un fétu quatre fois plus long qu'elle. Celle-là transportait une miette de pain. Un groupe avait entamé l'ascension du tronc sur lequel il était assis. Il progressait en file indienne. Le spectacle l'avait beaucoup distrait, jusqu'à ce que la voix d'un instructeur, qui appelait au rassemblement, le fasse revenir à la réalité.

Depuis, il était souvent revenu à la fourmilière.

Le soleil perçait à travers les feuilles. Il retrouva le tertre et son activité inlassable. Les insectes étaient indifférents au cours du monde ; tant qu'un obus ne tomberait pas sur leur cité enfouie, ils continueraient à travailler.

Moskowski prit une petite branche qu'il posa en travers du chemin emprunté par une colonne de fourmis. Cela obligea les ouvrières à faire un détour. Il prit un autre rameau et le posa plus loin. D'abord arrêtés, les insectes cherchaient l'issue, hésitaient à escalader l'obstacle ou à le contourner. Avec la branche, il creusa une ligne — pour elle une tranchée profonde — et leur barra le chemin. Sans hésiter, la colonne descendit dans le sillon qu'il venait de tracer et remonta de l'autre côté. Les insectes ne ménageaient pas leurs efforts. Quelques minutes plus tard, ils avaient repris leur chemin. Rien ne paraissait pouvoir les arrêter. Attrapait-il l'une d'elles avec sa tige de bois, la suivante prenait sa place sans s'interroger sur la disparition de celle qui la précédait. L'émir aurait été content : les fourmis étaient de bons petits soldats.

Il retira sa montre et orienta le verre pour capter le soleil. En maintenant une certaine inclination, il pouvait former un faisceau de lumière fin comme une paille et brûlant comme un laser. Et s'il dirigeait celui-ci sur la colonne en marche, il pouvait les carboniser en un instant. Touchée par l'éclat brûlant du verre, la fourmi de tête se consumait en se tordant : un vermicelle dans une poêle. Il orienta son arme sur une deuxième fourmi, puis une troisième. Les insectes poursuivaient leur progression, sans conscience du danger. C'était très amusant : une fourmi, ça ne crie pas, ça ne gémit pas de douleur, ça meurt en un clin d'œil. En tuer une ou dix ne prêtait pas à conséquence.

Il se lassa avant elles de ce jeu, remit la montre à son poignet et regagna ses camarades qui somnolaient à quelques dizaines de mètres. Il savait que l'activité avait repris sur le tertre de terre. Les fourmis continuaient leur ouvrage, sans prêter attention à leurs congénères défuntes. Le chagrin est le propre de l'homme, se dit-il. C'est aussi son talon d'Achille.

Il s'allongea sur son poncho, cala sa tête sur sa musette et étendit ses jambes. Entre les branches, le soleil filtrait, lui procurant une douce caresse. Quelques secondes plus tard, il dormait.

« Bilal... »

La voix d'Hocine le tira de son sommeil. Il s'était installé à côté du Français endormi et fumait une cigarette, les yeux tournés vers le ciel. Hocine venait lui aussi d'Algérie. C'était un garçon au visage traversé par une bouche immense et un sourire inquiétant. Il portait un treillis ajusté près du corps qui lui donnait une démarche de prédateur. Il avait grandi à Boufarik où son père tenait un magasin de fruits : la riche vallée de la Mitidja était toute proche. La vie à Kamenica paraissait lui convenir à merveille ; tirer au AK-47 en mode semi-automatique l'enchantait, comme s'il était à la fête foraine. Ces derniers temps, son comportement inquiétait Moskowski.

« La guerre, je la fréquente depuis longtemps, disait-il.

— T'es trop jeune pour l'avoir connue !

— Ça te dit quelque chose le FIS, Bilal ?

— Le fils ?

— Le FIS. C'est un mouvement qui est né chez moi pour protester contre le parti unique, le FLN. Tous mes copains l'ont rejoint, dégoûtés par la corruption en Algérie. Moi aussi, un jour, j'ai fait le pas. C'était après les élections de 1992. Dégoûté aussi.

— Il a perdu les élections ?

— Pas perdu. Le FIS, on l'a volé. C'est beau la démocratie en Algérie. Quand le résultat ne plaît pas, on annule. Et c'est ce gouvernement de tricheurs qui nous donne des leçons. Avec la protection de la France. Des vendus, oui ! Cette injustice m'a révolté. Alors, j'ai quitté Boufarik pour un camp pas très différent de celui-ci, où on m'a appris à manier une kalache, à fabriquer une bombe dans une cocotte-minute remplie de clous et de lames de rasoir. Je suis revenu chez moi. Je faisais désormais partie des militants du FIS. On sillonnait la ville, armés de bâtons, intimidant les femmes qui ne portaient pas le voile. Je me souviens d'une après-midi. On avait repéré sur le balcon d'un immeuble une parabole. On est montés rendre visite à son propriétaire. "La télé, c'est haram, que je lui ai fait. Tu ne dois pas regarder les chaînes françaises. Elles passent que des émissions dégueulasses." L'homme, il répondait rien. Pour l'aider à tenir sa résolution, on a cisaillé le câble de la parabole, et arraché l'appareil. On a bien rigolé. »

Hocine arborait un large sourire qui fendait son visage.

« Mais ma première mission sérieuse, ça a été de m'occuper d'un journaliste. Un type d'Alger, qui écrivait des conneries. Si un journaliste n'écrit pas la vérité, il faut qu'il change de métier. Ou qu'il meure. Il n'a pas voulu changer.

— Tu l'as tué? demanda Moskowski.

— Veux pas en parler. »

Le visage d'Hocine s'était soudain obscurci comme s'il renfermait encore de la violence. Pourquoi était-il aujourd'hui en Bosnie? La guerre est-elle un engrenage? Après avoir combattu, un homme peut-il revenir à la paix avec lui-même? Hocine était-il condamné à aller de conflit en conflit, incapable de concevoir l'existence sans explosions, sans embuscades, sans une arme que l'on pointe sur un homme pour l'abattre?

Hocine répéta :

« Un thé, Bilal? »

La diverzanti avait marché toute la matinée et faisait une halte à la sortie d'un village. Les hommes avaient posé leurs armes et leurs musettes. Hamzic alluma une cigarette. Devant lui, s'étendait un champ d'herbes folles desquelles surgissaient des stèles toutes semblables. Il aimait les cimetières de son pays, avec ses tombes éparpillées dans la nature. Les plus récentes, au fond, étaient recouvertes de terre fraîche. Spontanément, Fahrudin écrasa sa cigarette. Les morts, ça mérite le respect. Il se pencha sur une stèle. Un simple cylindre de pierre sur lequel le nom du défunt avait été gravé, suivi des dates de naissance et de mort de l'intéressé, au-dessus d'une phrase en caractères arabes : une sourate à la mémoire des morts. Hamzic lut comme une litanie : Sakic Mahmet,

Zinic Azem, Boric Zlatan, Osmanovic Nedzad, Osmanovic Jusufa, Oric Habiba. Les tombes parsemaient l'enclos. Parfois le sol avait bougé et elles penchaient. Aucune n'était alignée ; l'herbe était haute. Il flottait dans le cimetière une impression de désordre. C'était ainsi en Bosnie, le séjour des morts ressemblait à l'existence, imprévue. Il avisa une tombe dont la pierre était ornée d'une fleur de lys. Il en portait une sur la manche de son treillis. Le symbole de son pays était aussi celui de la France. On le trouvait sur les drapeaux des régiments, sur les porches des églises, sur les plaques de cheminée. C'était le chiffre des monarques. Il avait découvert ça lors d'une sortie de classe, au château de Versailles. Ici le lys décorait les treillis et les tombes. En Bosnie, les soldats morts ou vivants étaient des rois.

Omar Mustafic, enterré ici, à côté de Mansur et Zanja Mustafic, avait-il jamais séjourné en France ? Aurait-il pu citer un seul nom de Capétien, de Bourbon dont la fleur de lys était l'emblème ?

Hamzic revoyait le visage de Jasmin, tué deux jours plus tôt. Apparemment il n'avait pas souffert, frappé en pleine tête. Seulement l'air surpris. Les balles de la mitrailleuse s'étaient dirigées vers lui sans prévenir. Sa vie s'interrompait devant le village où il avait mené un assaut, un village semblable au sien, avec ses maisons de parpaing, ses rues en pente qui descendaient de la mosquée à flanc de montagne et sa place plantée de bouleaux.

Jasmin baignait dans une mare de sang. Avec précaution, Fahrudin, aidé d'Aldin et Emir, l'avait soulevé par les aisselles et les jambes. Il pesait lourd. Les garçons avaient envie de lui crier : « Aide-nous, merde ! » Fahrudin ne quittait pas le cadavre des yeux. Il lui semblait que le mort le fixait. Son regard le poursuivait. « Pourquoi moi ? parais-sait-il lui dire. Pourquoi suis-je mort par cette belle journée de printemps ? J'aurais bien contemplé le crépuscule en grillant une clope. »

Ils avaient porté le corps de Jasmin jusqu'à une remorque tirée par un vieux tracteur crachotant, l'avaient déposé avec précaution sur la plate-forme, couché sur le côté droit, ainsi que le recommande le Prophète. Une âme occupait encore ce corps inerte. Dans quelques heures, il serait enterré au cimetière, et regarderait vers La Mecque, à jamais. L'imam réciterait les quatre tekbir de la prière des morts. Jasmin était tombé glorieusement, les armes à la main. Sa mort, ce n'était pas « sû' al-khatima », la fin de celui qui s'est éloigné de Dieu par une vie de débauche, mais « husn l-khâtima », celle de l'homme qui est parti en servant Dieu.

Il faudrait pouvoir choisir son jour, songeait Hamzic. Son jour, et les circonstances. Il se rappelait le calendrier qui trônait dans la cuisine de l'appartement du Châtelet. Un rectangle de carton représentant une petite fille avec un cerceau, ou un paysage de montagne ou un chaton ; quand il était enfant, chaque année au mois de décembre, le facteur sonnait. Il lui faisait choisir, entre dix. Ce n'était pas une mince affaire, pour lui, de choisir entre la petite fille, le chaton et la montagne...

Pour préparer sa mort, Hamzic aurait aimé agir en enfant, prendre le calendrier, et chercher une date, avec le doigt. Il ne se serait pas laissé distraire par la litanie des prénoms : Habib, Hermann, Sophie, Thècle, Wallerand, Michel, Jérôme. Il aurait choisi un jour et s'y serait tenu. Ce serait un matin d'automne, un matin où le soleil est rouge, dans les premiers frimas. Un bon temps pour mourir. D'ici là, il lui faudrait avoir achevé les choses en cours. Avoir fini son paquet de cigarettes, payé une tournée aux copains, écrit des lettres d'adieu à Élodie et Jacky. Mais ce n'était pas possible. Allah ne l'avait pas prévu ainsi. Alors, forcément, tout homme meurt lesté d'un sentiment d'inachevé.

Hamzic fut interrompu par Ifet. C'était un garçon pieux ; ils ne l'étaient pas tous dans la troupe, loin s'en faut. Il ne buvait pas, ne fumait pas, et tous les soirs il s'isolait, effectuant en une fois les prières qu'il n'avait pas pu réciter au cours de la journée.

« Il faut prier pour les morts. »

Ifet avait raison. La guerre accoutumait à la mort, en faisait un événement ordinaire à la signification de laquelle on ne pensait pas. Il y avait longtemps que Fahrudin n'avait pas prié. Ifet avisa un point d'eau à l'entrée du cimetière. Quelques hommes de la diverzanti le suivirent. Quand ils eurent fait leurs ablutions, Fahrudin et Ifet commencèrent à réciter la sourate des morts : « Ne dites pas pour ceux qui sont morts dans la voie de Dieu : ils sont morts. Non, ils sont vivants et vous ne le savez pas. »

Au fond du cimetière, se trouvait un grand carré de terre fraîche : des sépultures des soldats bosniaques tombés dans les dernières semaines. Célébic Ismet, Boric Mansur, Budic Serif, Cacadic Semir, Petkovic Ibrahim, Zikic Rafik.

Hamzic n'en finissait pas de lire ces noms, parfois familiers, qui formaient une chaîne reliant les morts aux vivants. Il avisa au bord du cimetière, à l'orée du bois, une tombe qui se distinguait des autres parce qu'elle était surmontée non d'une fleur de lys mais d'une croix en bois peinte en rouge vif. Un homme agenouillé la désherbait à la main. Hamzic s'approcha et lut : « Rudolf Hren 1965-1994 ». L'homme se releva :

« C'était le mari de ma sœur, expliqua-t-il. Il venait d'Herzégovine. Il y a un mois, au retour d'une patrouille, il s'est écroulé devant moi, tout doucement. Un sniper lui a logé une balle là — il montrait le coin de son nez en haut de la joue. L'ouléma de Sarajevo a autorisé qu'il soit enterré au milieu de nous. »

Hamzic hochait la tête, par politesse. Il tapota l'épaule de l'homme avec compassion, et s'éloigna de cette croix. Le Coran disait : « Jamais tu ne prieras sur leurs morts, ni ne t'arrêteras sur leurs tombes », mais tous les soldats du monde le savent : les hommes qui ont combattu ensemble ont gagné le droit de reposer ensemble. Il y avait sûrement un hadith quelque part, une parole de sage, pour compléter cette sourate. Il y avait surtout l'esprit des combattants, les lois non écrites de la guerre, difficiles à expliquer aux non-belligérants.

Il fit encore quelques pas au milieu des stèles, et fut pris d'effroi. Demain, lui aussi peut-être serait mort, rendu à la terre, avec au-dessus de sa tête une stèle semblable gravée à son nom : Fahrudin Hamzic — 1972-1994. Sur sa pierre tombale viendraient se poser les oiseaux et les papillons quand la guerre serait finie, tandis que lui ne sentirait plus la chaleur du soleil. Il fut une nouvelle fois pris d'une immense envie de vivre. Son cœur battait, ses tempes battaient. Il était vivant!

Il sortit de l'enclos et rejoignit ses hommes. Assis dans l'herbe deux hommes jouaient aux dés. Hamzic les observa qui lançaient les petits cubes d'ivoire et s'esclaffaient en découvrant les chiffres qui s'affichaient. Il imagina que sur une face des dés était inscrit « vie », sur une autre « mort ». S'il lançait les dés, quelle face se présenterait à lui ?

QUATRIÈME PARTIE

En quelques minutes, l'information fut reprise comme un écho par des dizaines de lèvres : « Nous partons pour le front. » Rassemblement! Moskowski s'était préparé. Il avait rempli sa musette en y mettant un sac de couchage, un quart métallique et son poncho imperméable. Il rangea son bonnet et noua autour de sa tête le bandeau des moudjahidin. Les hommes se rendirent à l'armurerie où leur fut distribuée une arme parfaitement huilée; tous reçurent une dotation de chargeurs. D'un seul coup d'œil, il constata qu'il n'aurait pas beaucoup de munitions. « Et si on est à court? demanda-t-il. — Tu en récupères sur un mort, répondit l'armurier machinalement. Il devrait y en avoir. »

Les véhicules se mirent en route.

La veille, les Serbes avaient pris une bourgade et cette position nouvelle enfonçait le front. Il fallait la reprendre, coûte que coûte. Les moudjahidin avaient donc été appelés en renfort.

Le convoi croisait des camions et des cars remplis de femmes et d'enfants qui fuyaient l'avance des Serbes. Parfois le trafic était tel qu'il se créait un embouteillage entre les camions des réfugiés et les véhicules de l'armée. On perdait du temps, on s'invectivait, puis la circulation peu à peu reprenait. Moskowski avait tout le loisir d'observer à travers la vitre les réfugiés, dont fichus et bonnets ne laissaient voir que des yeux rendus craintifs. Leur regard disait assez ce qu'ils avaient enduré.

Le front était-il à trois kilomètres ou à trente ? Moskowski voyait défiler les maisons, les arbres, les ravins. Verrait-il le même décor au retour ? Il ne cessait de penser à la phrase de l'armurier. Chaque seconde qui passait le rapprochait de sa mort ; une bouffée de sueur le prit, il transpirait. À côté de lui, personne ne bougeait, les hommes avaient le regard fixé à la route. Le paysage défilait. Salim souriait. Un drôle de rictus barrait son visage. À quoi pensait-il ? À la confrontation qui se préparait avec l'ennemi, où il serait tantôt le chasseur et tantôt le gibier ? Était-ce la perspective de ce jeu cruel qui faisait sourire Salim et excitait Hocine ? Moskowski n'était pas bien, il sentait ses jambes flageller, son ventre se nouer ; il avait chaud et froid à la fois. À chaque virage, il était sur le point de vomir.

Les véhicules s'arrêtèrent. Combien de temps avaient-ils roulé ? Une heure, une heure et demie ? On entendait déjà des bruits d'explosions. L'artillerie bosniaque était en action. Les hommes se regroupèrent rapidement et se mirent en marche. Les combats se déroulaient à quelques kilomètres dans un vallon. Chaque camp tenait un coteau.

Il voyait les premières maisons, en face à moins d'un kilomètre, entre lesquels s'étaient postés des chars serbes. Déjà, les obus avaient eu raison de deux d'entre eux : leurs carcasses fumaient. Mais les fantassins tenaient solidement leur position. Il allait falloir les en déloger, coûte que coûte.

Un homme s'approcha; c'était le chef du bataillon qui tenait le secteur : « Dès que le bombardement aura pris fin, on donnera l'assaut. »

Les moudjahidin se postèrent silencieusement sur une centaine de mètres. Aguerris, ils n'avaient pas besoin de mots pour évaluer la situation. Ils la sentaient, à l'instinct.

Moskowski avait trouvé un bouquet d'arbres et s'était placé derrière un jeune bouleau, pour observer, la joue contre l'écorce fraîche. Il avait envie de pisser. « Une envie qui me fend le crâne », aurait dit son père. Ce n'était vraiment pas le moment. Il réalisa que ses mains tremblaient un peu, il transpirait, malgré l'air frais. Il murmurait : « Bismillah al rahman al rahim », cherchant à retrouver son calme : Dieu le Clément, le Miséricordieux, allait le lui accorder.

Il était tenaillé par la peur. C'était la première fois qu'il la rencontrait. Quand il avait connu son baptême du feu, quelques mois plus tôt, pas une seconde il n'avait tremblé. Il s'en souvenait très bien. Baptême du feu, c'était un mot de roman pour qualifier une première fois. La première fois ça ne veut pas dire grand-chose non plus, à la guerre comme en amour. Elle peut être jouissive, catastrophique, décevante, la première fois. C'est à la vingtième qu'on reconnaît le guerrier hors pair, le grand amant. Quand Moskowski avait livré son premier assaut, il n'avait guère réfléchi. Il ignorait ce qu'il allait connaître. Il s'était jeté à corps perdu dans la bataille, avait armé sa kalachnikov, sans penser qu'il pourrait être touché, ou qu'il était sur le point de donner la mort. Aujourd'hui, c'était différent. Des images passaient sous ses yeux. Il fallait qu'il se calme.

Il regardait. Derrière lui s'étendaient les bois par lesquels ils s'étaient approchés du village. Devant, les Serbes avaient rasé les bosquets pour dégager le flanc du coteau et empêcher que quiconque s'y poste. Il repéra un rocher un peu plus haut, sur la gauche, d'où il pourrait prendre l'ennemi en enfilade, le moment venu. Il se mit à ramper, protégé par un petit repli de terrain. Les explosions avaient cessé, l'assaut n'allait pas tarder. Soudain, il entendit une balle au-dessus de sa tête. Un tchetnik l'avait repéré ! Il poursuivit sa progression, collé au sol. Une deuxième balle siffla. L'enfoiré. Le rocher n'était plus qu'à quelques dizaines de mètres. Ne pas se relever, faire corps avec le terrain. Il fit encore quelques mètres. Il y était. Une balle vint se ficher dans la pierre, faisant jaillir un petit éclat qui lui griffa le visage. Il reprit son souffle, et murmura : « Bien joué, Mosko. »

Il avait atteint son objectif. Pendant qu'il rampait mécaniquement, il n'avait pas gambergé. Son corps avait agi tout seul, sa jambe repliée sur le côté le propulsant rapidement pendant que ses bras, rassemblés devant lui, facilitaient sa progression. Pas une fois tandis qu'il avançait la peur n'avait paralysé sa volonté. C'était une première victoire. Allahou Akbar. Mais cette chienne de trouille n'avait pas renoncé. Sitôt à l'abri, il sentit son souffle chaud contre son cou. Une bouffée de chaleur monta en lui. Il redevenait fébrile. Il respira profondément, cala son arme contre lui, enroula la bretelle autour de son poignet comme on le lui avait enseigné pour gagner en stabilité et en précision au cas où il faudrait tirer. Il observait toujours ; « chouffait », comme disait Salim. Rien ne bougeait. Il repéra près des premières maisons du village les endroits où il pourrait se poster. Entre elles et lui, il y avait quelques centaines de mètres à couvrir en courant. Cela faisait au moins trois heures que les moudjahidin s'étaient déployés. Le sang de la petite blessure provoquée par l'éclat de pierre avait séché. Où étaient les autres ?

Le silence s'était fait sur le coteau. Le sniper qui l'avait pris pour cible se taisait. Peut-être était-il tué ou blessé ? Ou avait-il quitté sa position pour échapper à l'ennemi. À moins qu'il n'attende patiemment que Moskowski sorte de son abri ? À ces questions, il ne pourrait répondre qu'au moment de l'assaut.

Un cri retentit, terrible. C'était le signal, le moins conventionnel qui soit. Pas de fusée éclairante, d'appel radio, un hurlement jailli du ventre, à glacer le sang de l'ennemi. Il fut suivi par une longue clameur. Les moudjahidin montaient au front. Les soldats de Dieu attaquaient pour faire triompher sa cause. À cet instant, il n'y avait plus de plan tactique, de manœuvre, il n'y avait qu'une horde qui libérait du fond de ses entrailles une fureur, et avec elle une énergie salvatrices. Galvanisés, les moudjahidin jaillissaient de partout et montaient à l'assaut du village. Les Serbes ripostèrent au feu des assaillants, en rafales sèches et saccadées. D'autres armes entrèrent en action. Tarik faisait donner ses mitrailleuses RPK.

Moskowski s'était levé comme un diable. Il allait vite savoir si le sniper avait quitté son poste ou l'attendait. Le fusil à la hanche, sur le mode rafale, il avait couru selon l'itinéraire qu'il avait eu tout le loisir d'étudier pendant l'attente. Aucune balle n'était venue interrompre sa course. Pourtant les tirs fusaient autour de lui. Solidement campés à la lisière du village, protégés derrière des murets ou des embrasures de fenêtres barricadées, les Serbes tenaient à distance les assaillants.

Il fut l'un des premiers à gagner son objectif : un

modeste muret construit à quelques dizaines de mètres de la première maison. Il se colla aux pierres, accroupi, cherchant à reprendre son souffle. D'où il était, il voyait ses frères avancer avec peine. Il observait leur progression.

D'où venaient-ils, ces moudjahidin ? Pourquoi étaient-ils là ? Comme lui, ils participaient à une bataille pour rendre à l'islam un morceau de Bosnie. Leur terre natale, quelque part en Égypte, en Iran, en Algérie, devait leur paraître bien loin. Mais l'imam le rappelait souvent : partout où il y a des musulmans un croyant est chez lui. Et ici, on combattait pour une terre souillée par des pieds impurs : ceux des chrétiens.

Moskowski parvint à mettre son fusil en batterie et vida un chargeur vers les défenses serbes. Aucune riposte ne vint, aucune grenade qui l'aurait pulvérisé. Il se leva, se précipita vers la maison dont il escalada la fenêtre ouverte. Trois cadavres gisaient. Par la porte entrouverte, il vit la rue principale en enfilade. Les Serbes étaient là. Certains décrochaient ; les autres couvraient leur retraite. Il visa soigneusement l'un d'eux, et tira. Un homme s'écroula.

Il venait de tuer. Était-ce la première fois ? Du moins, c'était la première fois qu'il avait visé sciemment un être humain, ajusté son arme, appuyé sur la détente et atteint sa cible. Pour éviter d'être pris à son tour pour cible, il changea d'emplacement. Il aperçut un tchetnik qui, à un coin de maison, défendait l'accès à la rue. Il le voyait de profil et de dos. Il pensa que ce garçon avait son âge. Qu'une femme l'attendait, à Pale ou à Belgrade. Il pressa son doigt sur la détente ; le coup partit et le soldat s'effondra, glissant tout doucement le long du mur, jusqu'à terre.

Il avait abattu deux hommes comme on cueille un brin d'herbe. Vraiment, c'était tout simple de tuer. Un geste, presque machinal. On décidait, on visait, on appuyait sur la détente de son arme et l'humanité comptait un être de moins, la terre un cadavre de plus. À la minute précise où il décidait de tirer, Joss Moskowski avait sur les hommes un droit de vie ou de mort. Il était tout-puissant.

Il entendit une série de coups de feu et aussitôt des claquements secs tout près de lui. Les Serbes l'avaient repéré. Il était une nouvelle fois pris pour cible. Il lui fallait bouger, sans tarder. Il sortit par une fenêtre détruite, traversa une cour, courbé en deux et gagna une maison voisine. Quand il entra, une odeur forte le prit. L'atmosphère était pestilentielle. De la merde, partout. C'était là que les Serbes faisaient leurs besoins. Ils vivaient au milieu de leurs excréments, les porcs. Il poursuivit sa course jusqu'à l'habitation suivante et une fois à l'abri se redressa pour reprendre son souffle.

Il aperçut une silhouette à trente mètres devant lui. C'était Salim. « Ça va, toi ? » lui lança-t-il, comme s'il le rencontrait à l'improviste, à l'entrée d'un cinéma. Le flegme ne l'avait pas abandonné. Salim se retourna et brandit sa kalachnikov sur laquelle il avait installé une baïonnette. Un peu plus tard, Moskowski entendit un cri épouvantable, celui d'un homme que l'on embrochait. Salim nettoyait les maisons qu'il visitait, ainsi qu'on le lui avait appris à Ma' sadat.

Dans la nuit, les moudjahidin furent ramenés à Zenica. Les Serbes avaient quitté le village en fin de journée, laissant plusieurs dizaines de cadavres. Les vainqueurs avaient alors connu l'ivresse subite. Ils avaient parcouru les rues de la bourgade en vidant leurs chargeurs en l'air pour laisser éclater leur joie. Quelques-uns avaient découvert la mosquée, ravagée par les combats, profanée par l'ennemi. Cela les avait mis en rage ; ils avaient juré qu'ils se vengeraient.

Mokhtar marchait en triomphateur au milieu des maisons, le torse bombé, donnant des coups de pied dans les portes, pour bien signifier au monde entier qu'il était le nouveau maître des lieux. Sur le seuil d'une habitation, il avait avisé un soldat étendu sur le ventre, face contre terre. La curiosité l'avait poussé à s'approcher du cadavre. Pourquoi l'avait-il retourné machinalement ? Pourquoi celui-ci ? Pour voir ses yeux étonnés ou — le saura-t-on jamais ? — pour le soulager de son portefeuille ? Ce qui était passé par la tête de Mokhtar à cet instant, lui seul aurait pu le dire. Ce qu'on savait, c'est que sitôt qu'il avait déplacé le corps, la grenade glissée dessous avait explosé. Il avait été tué sur le coup. Il avait oublié que la fin des tirs ne signifie pas celle des hostilités. L'être humain sait déployer des trésors d'ingéniosité pour prolonger le combat, sournoisement.

Allongé sur son lit de camp, dans la nuit claire qui parvenait dans la chambrée par la fenêtre, Moskowski ne dormait pas ; pas plus que quand il rentrait de boîte, à l'aube, il n'arrivait à trouver le sommeil. Comme si les décibels continuaient de cogner en lui, il entendait résonner les détonations et les cris des hommes, qu'ils soient de peur ou de victoire. Il entendait l'explosion qui avait tué Mokhtar, revoyait le corps déchiqueté du pauvre gosse.

La fin de l'assaut avait été impitoyable. Moskowski s'était faufilé derrière une maison pour prendre à revers ses défenseurs. De son côté, Salim arrosait la façade pour les réduire au silence. Il dégoupillait grenade sur grenade, pour les obliger à quitter les lieux. Quand la porte s'était ouverte, Moskowski était devant eux, bien campé sur ses deux pieds, qui attendait les fuyards. Il avait tiré à bout portant.

Une nouvelle fois, il avait vu de près celui qu'il tuait, ses yeux étonnés, il avait entendu son interjection : « Sranje ! », Merde !, comme un souffle qui s'éteint. C'était aussi bête que ça, la mort : rien de grandiloquent ni de solennel. Pas besoin d'écrire une tragédie ou une épopée, de faire venir un chœur. La mort attendait ce tchetnik sur le seuil d'une maison qu'il évacuait précipitamment ; elle avait pris l'apparence d'une balle tirée à bout portant par un moudjahid de son âge, d'origine française. Ce soir, ce soldat ne rentrerait pas avec les autres derrière les lignes, il ne s'enivrerait pas à la slivovica, en jurant qu'il emmerdait les Bàlije — les Bosniaques. En expirant, il avait seulement regardé Moskowski, et murmuré quelque chose que celui-ci n'avait pas compris.

Le lendemain, le soleil se leva dans un ciel lavé, comme il convient pour un jour de victoire. Moskowski se rendit au réfectoire où ses amis partageaient du pain, du saucisson et du lait. Il avait mal dormi et mangeait en silence, les yeux encore fatigués. Il entendit une conversation près de lui, entre Amine et Salim.

« On aurait dû rapporter les têtes, déclarait celui-ci.

— À quoi ça aurait servi ? » demandait Amine.

Moskowski tendait l'oreille.

« L'imam dit que c'est important : si tu décapites ton ennemi, à la résurrection, son corps, il ne peut pas se reformer. Il est foutu pour l'éternité.

— C'est... Tu crois que c'est nécessaire ? intervint Moskowski.

— Ça les humilie. Plus de tête, c'est comme plus de

couilles. T'es plus toi-même. Il paraît que le mois dernier, ceux de la 3ᵉ céta ont joué au foot avec une tête de Serbe. Ils se sont éclatés. »

Moskowski se leva précipitamment. Était-ce l'odeur forte du saucisson de bœuf si tôt le matin, ou l'atmosphère confinée de la pièce, la nausée l'avait pris. Il sortit. Dehors il eut un haut-le-cœur et cracha de la bile. Jouer au foot avec une tête d'homme? Ce n'était pas possible. Allah ne demandait pas ça. Il exigeait des croyants courageux, intrépides, mais pas des monstres.

Pourtant il avait déjà entendu des horreurs de ce genre; il s'en colporte en pagaille, en temps de guerre : un groupe de moudjahidin avait surpris des jeunes filles en train de se baigner dans une rivière. Choqués par l'indécence des baigneuses (sur ce point les versions divergeaient : pour les uns elles étaient nues, pour les autres en maillot), les soldats d'Allah les avaient abattues une à une. Dieu ne tolérait pas que des femmes s'exhibent aux yeux des hommes — hors ceux de leur mari.

« C'est vrai cette histoire de têtes de Serbes? demanda-t-il plus tard à Salim.

— Ce qui est important, Bilal, répondit celui-ci, c'est qu'elle revienne aux oreilles des Serbes et qu'ils y croient. La perspective de servir de ballon de foot leur foutra la trouille. Déjà, nos cris et notre bandeau noir les paralysent... Une guerre se gagne aussi dans les esprits. »

Pour fêter leurs victoires, les moudjahidin défilèrent dans Zenica. La cérémonie militaire eut lieu par un matin frais. Sur Mehmedalije Tarabara, une rue piétonne située entre la Bosna et la mosquée Sultan Ahmedova, au pied des cités grises. La foule s'était massée. Il y aurait des huiles, paraît-il. Des dirigeants venus de Sarajevo. La foule ? Des curieux qui voulaient voir une troupe que ses récents faits d'armes au front avaient rendue célèbre. Ceux que les journaux appelaient les « dzihadovici », les soldats du djihad. Moskowski, Salim, Hassan et les autres avaient quitté leurs treillis sales pour revêtir la tenue blanche des unités de montagne. Ils arboraient un bandeau vert sur leur coiffe immaculée. Marchant au pas, énergiquement, ils descendirent la rue aux cris de « Allahou Akbar » en scandant : « Alaya nahya oua Allaya Namout oua Fi Sabi-liha Noudjahid oua Aalayha Nalya Allah », « Pour elle, nous vivons et pour elle, nous mourrons, dans sa voie nous ferons le djihad et pour elle nous irons à la rencontre de Dieu. » Elle, c'était la République islamique dont l'émir Abou El Maali disait qu'elle était la seule voie souhaitable pour la Bosnie.

En rangs par huit, les moudjahidin occupaient la chaussée, en brandissant leurs armes. À leur tête flottait le zastava, le drapeau de leur unité, noir de jais. « Odred el Mudzahedin nas put je dzihad. » Ils avaient fière allure. Dans leur marche, ils redressaient le torse, allongeant la foulée. À l'arrière, certains tiraient des coups de feu, comme pour une fantasia. Ils formaient une coulée blanche qui dévalait dans la ville. À travers nous, songeait Moskowski, c'est l'islam, puissant et bientôt vainqueur, qui défile. Ce matin-là, il sentit qu'une force prenait posses-sion de lui. Il combattait pour le bien ; et cette juste lutte méritait bien la considération des habitants de Zenica.

À l'issue, les hommes eurent quelques heures pour flâner en ville. Ils avaient leurs habitudes sur Ulica Marsala Tita, le quartier piétonnier de Zenica, pavoisé ce jour-là de drapeaux à fleurs de lys. Les moudjahidin se déplaçaient en grappes chahutant sur les trottoirs, et quand ils croisaient des habitants, ceux-ci longeaient les vitrines des magasins. Leur regard baissé frappa Moskowski. Ils semblaient apeurés par leurs libérateurs.

Moskowski observait l'homme depuis un quart d'heure.
Celui-ci était assis sur le sol en ciment, le dos contre le mur.
Ses mains et ses jambes étaient liées par du fil de fer. Il
venait d'être fait prisonnier par Salim et Hocine.

Quelques heures plus tôt, les moudjahidin avaient une
nouvelle fois livré bataille. Les Serbes n'avaient reculé qu'à
la tombée de la nuit, laissant leurs morts autour d'un
groupe de maisons, au bord de la route. Vers 6 heures du
soir, Moskowski avait entendu le grondement de leurs véhicules qui se repliaient. Et une nouvelle fois les tireurs antichars avaient bien travaillé. Il les avait vus procéder : ils
agissaient seuls, leur arme sur l'épaule, s'approchaient le
plus près possible des blindés ennemis, avec une audace
folle. Un tir suffisait. Ensuite ils se repliaient en faisant des
bonds pour échapper aux snipers, se terraient, avant de
revenir à pas de loup et de viser un autre char : de vrais
taons, teigneux et intrépides. Leur courage était conta-
gieux ; il se propageait aux autres.

Mais les moudjahidin n'étaient pas invincibles. À
quelques mètres d'une carcasse de char en flammes, il
avait trouvé Omar gisant dans une flaque de sang. Une

balle, en pleine tête. Ce soir, Omar ne taillerait pas de nouvelle encoche, comme il le faisait chaque soir de bataille, avec patience, sur un morceau de bois qui était devenu pour lui une sorte de totem.

À cause de la mort d'Omar, les moudjahidin avaient été pris d'une sorte de rage. Ils avaient fouillé les maisons du hameau une à une. Moskowski était entré dans une pièce aux meubles fracassés et au sol jonché de livres. Ça lui avait fait une curieuse impression de retrouver cet objet hier si familier. Depuis combien de temps n'avait-il pas lu un autre livre que le Coran? La question était mal posée : y avait-il un livre qui vaille qu'on néglige la lecture du Coran? *Putain de mort*? Pas ouvert depuis des semaines.

Moskowski s'était agenouillé au milieu des volumes, en avait feuilleté un, puis un autre. Des auteurs inconnus aux titres indéchiffrables. Avait-il entre les mains l'Agatha Christie du coin, le Stendhal bosniaque? Il chassa ces pensées. Qu'est-ce que ça pouvait bien foutre. Omar était mort. Il avait lancé les volumes contre le mur, avec rage, comme s'il les en rendait responsables. Amine était entré sur ses talons et s'était emparé d'un volume. Il avait approché son briquet. Le papier s'était embrasé aussitôt. En deux secondes, la page avait noirci.

« Ça brûle bien, un livre, hein? »

Si ses copains de fac le voyaient. Moskowski songeait qu'en France, l'autodafé représentait le comble du scandale. Quelques années plus tôt, la vieille bibliothèque de Sarajevo avait été bombardée à coups d'obus incendiaires. Un million de livres partis en fumée. À Paris X, l'annonce de la destruction du bâtiment avait provoqué un tollé. Les syndicats avaient protesté, mobilisés contre « la barbarie ». Il se souvenait du slogan : « Une bibliothèque qui brûle,

c'est un peu de liberté qui meurt. » Une destruction volontaire de livres, disaient les orateurs qui se succédaient au
micro, on n'avait pas vu ça depuis les nazis. Cet acte
condamnait définitivement les Serbes. La colère avait été
unanime. Les animateurs d'« EDMT » avaient persiflé,
comme à leur habitude : « Après Sarajevo, Tolbiac. » La
Très Grande Bibliothèque était alors en construction, sur
la rive de la Seine. Le chantier suscitait beaucoup de cri-
tiques et ses incohérences faisaient ricaner Hamon. Tout
le monde n'avait pas ri à cette provocation.

Que lui importaient aujourd'hui ces kilos de papiers
détruits, des trésors de la littérature et de la philosophie :
mais l'homme en avait-il besoin pour manger, prier et
assurer son salut? Moskowski s'interrogeait. Il se demandait ce qu'aurait dit l'imam : l'indignation occidentale
devant un autodafé était-elle justifiée? Si les livres étaient
mauvais ou dangereux, fallait-il les laisser en circulation? N'était-il pas plus important d'en préserver l'esprit
des hommes? Que pesaient ces livres, face au salut d'une
âme?

« Un livre, ça brûle, même si c'est du poison, dit Amine.
Regarde Karadzic, il écrivait des poèmes. Là, parmi tous
ces livres, il y a peut-être ses poèmes. On pourrait se
réchauffer les os avec ça. »

Il était parti d'un grand rire, avait déchiré d'autres pages,
comme pris de rage, avant de quitter la pièce enfumée.
Moskowski était sorti à son tour, en toussant. L'attitude
d'Amine l'avait surpris. « La guerre, ça rend un peu con »,
avait-il songé.

Quand il avait été découvert, le tchetnik se cachait derrière un tas de bois. Il s'était foulé la cheville et, ne pou-

vant plus se déplacer qu'avec peine, s'était glissé entre le mur et les bûches, tant bien que mal. Un faux mouvement avait fait basculer une partie du tas qui le dissimulait.

« Bad trip... », avait murmuré Moskowski en regardant l'homme tenu en joue par dix fusils.

Il allait payer pour Omar, et Abdel, et Munir, et tant d'autres. Joss n'aurait pas aimé être à sa place. Les moudjahidin faisaient peu de prisonniers. Généralement, une balle réglait son sort en un instant.

Cette fois, ce serait différent. L'histoire des têtes de Serbes avait fait du bruit. Paraît-il qu'elle était sortie dans la presse occidentale. En France, les éditorialistes hurlaient à la barbarie. Hassan le lui avait dit, il l'avait entendu à la télé. Ces temps-ci l'indignation se portait bien à Paris.

Ah les belles âmes ! Parmi eux, combien ont fait la guerre ? se demandait Moskowski. Et combien seulement leur service militaire dans une unité combattante ? Qui, parmi ceux qui tracent sur le papier ces mots de « sauvagerie », d'« inhumanité », de « droits de l'homme », de « Convention de Genève », a déjà entendu le bruit d'un obus, respiré l'odeur de la poudre, et serré contre lui une arme ? Qui a déjà connu face à un prisonnier le dilemme d'accepter son silence ou de le contraindre par la force ?

« Qui, hein, qui ? Aucun. Des eunuques ! Alors vos gueules, les eunuques !

— Laisse béton. C'est loin, tout ça », lui avait répondu Hassan.

L'émir Abou El Maali avait décidé d'épargner le prisonnier. Du moins momentanément. L'homme était maintenant assis par terre, sur le sol en ciment, suintant d'humidité. La pièce était sombre. Les Serbes l'avaient barricadée à la hâte, condamnant les fenêtres avec des parpaings. Une ampoule tombait du plafond, diffusant une lumière sale. À chaque fois que quelqu'un se cognait la tête sur elle, elle se balançait, projetant dans la pièce des ombres inquiétantes.

Moskowski et Amine avaient été désignés pour garder le prisonnier, le temps qu'une autre unité de l'armée bosniaque ne vienne le chercher pour l'emmener à l'arrière. Amine montait la garde à l'extérieur, Moskowski à l'intérieur. Il était assis sur une chaise branlante, près de la porte. Un kilim, un tapis bariolé, le protégeait du froid qui montait du sol. Il regardait le garçon à la dérobée. Grand, les cheveux blonds, les yeux très bleus. Robuste, le teint rose. Chez les Serbes, disait-on dans les rangs moudjahidin, on était bien vêtu, bien armé, bien nourri. Quel âge? Le sien à peu près.

Le prisonnier ne bougeait pas. Il regardait devant lui. Il n'avait pas l'air effrayé du tout, plutôt résigné. Ils se faisaient face depuis une heure quand Moskowski se leva pour se dégourdir les jambes. Il fit quelques pas et ouvrit machinalement le tiroir d'une table bancale, au fond de la pièce. Il ne cherchait rien, il inspectait les lieux. Il trouva une bougie déjà entamée, une cuillère sale en inox, un briquet et un paquet de cigarettes ouvert. Il le referma. Tiens, c'était une idée, ça, une cigarette. Il en grillerait une, sitôt venue la relève. Il voulut rouvrir le tiroir, tira sèchement mais le bouton du tiroir lui resta dans les mains.

« Meeeerde! » s'exclama-t-il à haute voix, en traînant sur le premier e.

Il avait lâché son juron comme pour se libérer, après tant de tensions. Il se dégourdissait et pas seulement les jambes, tout le corps et l'esprit.

Le prisonnier avait relevé la tête, d'un coup.

« T'es français ?

— Qu'est-ce que ça peut te foutre ? »

La réponse de Moskowski avait fusé. C'était interdit de parler au prisonnier. S'il avait envie de faire la causette, il y avait Amine dehors.

« On n'est pas si nombreux par ici…, reprit le prisonnier. Je veux dire, à part les Casques bleus.

— Qui ça, on ?

— Les Français.

— Je ne suis pas français, je suis musulman.

— Arrête ton char, tu parles français. T'as une gueule de Français. T'es peut-être musulman mais t'es français.

— Ta gueule ! »

Moskowski retourna à sa chaise. Depuis combien de temps n'avait-il pas pensé à la France ? Bien longtemps. Mais la semaine dernière un soldat bosniaque l'avait interpellé dans sa langue, dans un bar paumé. Et maintenant un prisonnier. On n'échappe pas si facilement à ce qu'on est. Pourtant qu'est-ce qui le rattachait désormais à la France ? Des souvenirs d'enfance ? On ne vit pas avec des souvenirs. Sa ville ? Bah ! Au fond, toutes les villes se ressemblent. Sa mère ? Oui. Il se rappelait la femme qui tous les soirs se penchait sur un bambin, et lui murmurait dans la nuit : « Bonsoir, petit bonhomme. » Elle lui manquait. Mais pas la France ; va mourir la France.

Moskowski pensa à Hamon. Que faisait-il à cette heure-ci le matamore du Champeaux ? Était-il en cours ? Pérorait-il sur l'avenir de la France, l'Europe, le monde ? Était-il auprès de Jeanne d'Arc, oubliant dans l'amour que tout foutait le camp ? Il se rappelait leur dernière entrevue. Il ne lui avait rien dit de ses projets. Mais pour la première fois il l'avait vu tel qu'il était. Hamon : un baratineur. Si l'Occident était au bord du gouffre, que ne réagissait-il ? Les rodomontades de comptoir, les grands développements qui faisaient l'admiration des filles, c'était rien. Pourquoi Hamon ne s'était-il pas engagé ? Il en parlait parfois. Hier le Liban, l'Angola et maintenant la Bosnie, ils ne manquaient pas, les endroits chauds pour les garçons qui avaient envie d'en découdre. La Serbie en armes contre les musulmans, la pureté ethnique, ça aurait dû lui plaire, à Hamon. Mais il était resté à Troyes, avec ses théories, ses discours, et la tendresse de Jeanne d'Arc.

« Qu'est-ce que tu fais chez les Turcos ? »

Le prisonnier avait parlé. C'est Hamon qui lui posait une question. Moskowski garda un moment le silence. Puis se décida à répondre. Après tout, cet homme devait connaître ce qu'Allah avait mis dans son cœur.

« Je me bats au côté de mes frères. C'est écrit : "Celui qui abandonnera son pays pour la cause de Dieu trouvera sur la terre d'autres hommes forcés d'en faire autant"...

— C'est quoi ces conneries ? T'es parti comme moi : pour fuir une vie moisie ; pour connaître le grand frisson de la guerre. C'est ça ? Mais pourquoi t'es allé chez les Muslims ? Fallait venir chez les Serbes. Eux non plus n'aiment pas le matérialisme ni les Américains. Et eux, c'est des chrétiens. »

Moskowski pensa : « Ta gueule, Hamon. » Il connaissait le couplet sur la décadence de l'Occident. Il se contenta de hausser les épaules.

Mais non ! Il fallait lui répondre, à ce mec, à Hamon, à la France entière. Cette fois, il n'aurait pas le dernier mot par K.O. Joss Moskowski, dit Bilal, allait lui dire ce qu'il pensait.

« C'est quoi, des chrétiens ? Ils sont où, les chrétiens, en France ? Les églises sont vides. T'en vois à la télé, mais jamais dans la rue. C'est fini le christianisme, c'est fini la France. L'islam, c'est autre chose, c'est grand.

— T'es fou. Tu ne seras jamais comme eux. Et ils nous feront la peau. Demain. Ou si on leur échappe ici, un jour à Marseille, à Vaux-en-Velin, à Saint-Denis.

— C'est qui, "nous"? railla Mosko. Toi et moi, ou les Français? Cinquante millions de cons gavés de Coca-Cola, roulant en Safrane, l'été à Cavalaire et l'hiver à Isola 2000. C'est eux que tu veux sauver? Mais qu'ils crèvent.

— Ceux-là crèveront de toute façon. Pour moi, la France ce n'est pas ça... »

Le prisonnier s'était tu un moment. Avant de reprendre.

« Tu connais Saintes? C'est au bord d'un fleuve, la Charente, qui coule très lentement au milieu des maisons éclatantes de blancheur, dans le soleil; et autour il y a des champs de vigne. De la fenêtre de ma maison, je les vois à perte de vue, et moi je rêve qu'elles vont jusqu'à la mer...

— Ta gueule, tais-toi! Tu me soûles avec tes vignes. »

Moskowski s'était levé. Il lui lança violemment son pied, qui l'atteignit à l'épaule. Le prisonnier tomba sur le côté en gémissant. Il le bombarda de coups de botte dans les côtes, jusqu'à ce qu'il ne bouge plus, prostré dans la position du fœtus. Moskowski avait les dents serrées. Hamon ne l'avait pas volé, avec ses raisonnements à deux balles.

Il fallait qu'il se calme. Il commença à faire les cent pas, sortit son subha, en murmurant : « Allahou Akbar... » Bientôt les grains défilèrent dans un léger bruit de bois, comme autant de noms de Dieu. « Il est le Tout-Puissant, le Clément, le Miséricordieux... »

Au murmure silencieux de la récitation, le prisonnier avait relevé la tête, puis s'était redressé.

« Moi aussi j'ai un chapelet. Dans une poche. Tu voudrais pas me le donner pour que je puisse le réciter,

— Interdit! »

Moskowski avait aboyé, L'homme le regardait calmement.

« Tu vomis les Français athées comme des singes et tu refuses de me donner mon chapelet?

— Maintenant tu la fermes, sinon je te latte encore. »

Moskowski reprit sa récitation mais son esprit vagabondait. Il n'était plus à la prière, trop énervé pour ça. Il se demandait ce qui allait advenir de cet homme. L'état-major bosniaque ferait-il preuve de cette clémence que le croyant prête à Dieu? C'était la guerre, Un prisonnier est un soldat qui a perdu. Qu'on le relâche et il reprendrait les armes contre ses frères. Ces dernières semaines, les Serbes avaient encore infligé de terribles pertes aux forces bosniaques. Des femmes et des enfants avaient été tués, Des hommes traqués dans les bois. Ce soldat allait-il mourir pour les crimes de ses amis serbes? Une fois ramené à Zenica, serait-il passé par les armes? Moskowski le regarda, Il lui sembla que ses lèvres bougeaient. Lui aussi récitait quelque chose, à mi-voix. Il s'approcha de lui. Sa colère était tombée.

« Il est où, ton subha?

— Mon quoi?

— Ton chapelet. Il est où? Grouille-toi.

— Dans ma poche gauche, là. » Il montrait sa poitrine d'un mouvement du menton.

Moskowski descendit la fermeture éclair du treillis, plongea la main, sentit des grains en bois. Il glissa entre les mains du prisonnier le chapelet. Une croix pendait.

« Cache ça. Si les autres le voient, t'es mort. »

Le prisonnier ne répondit rien. Il fit un geste de la tête qui signifiait : « OK, merci. »

Au milieu de la nuit, Moskowski fut relevé par Hassan. Sans un regard pour celui dont il avait la garde, il quitta la pièce et son humidité qui transperçait ses vêtements.

« Ça s'est bien passé ? lui glissa Hassan.

— Sans problème. »

Dehors, la nuit était fraîche mais le temps était sec. Il s'approcha du bivouac au milieu duquel avait été allumé un feu. Autour des braises, les hommes fumaient la chicha en silence. Moskowski prit place près d'eux. Il sortit de sa musette un embout, avant de se raviser. Il se sentait las, trop fatigué pour fumer. Il resta un moment à regarder les bûches se consumer. À ses pieds, des braises s'éteignaient comme des étoiles. Au matin, la cendre les aurait recouvertes une à une.

Plus tard, allongé dans son sac de couchage, il resta longtemps sans trouver le sommeil. Zut ! Il avait oublié de dire à Hassan que le prisonnier parlait français.

L'image de la télévision était médiocre, mal colorisée. Ça faisait de la neige, comme on disait quand il était enfant. Chez ses grands-parents, il avait un très vieux poste, doté d'une antenne portative qu'il fallait orienter longtemps pour capter au mieux le visage de Marie-Laure Augry. Pourquoi la femme qu'il voyait à l'écran lui faisait-elle penser à Marie-Laure Augry? Elle n'avait pas son air d'institutrice entre deux âges, un peu sérieuse mais bienveillante, mais toutes les deux donnaient les nouvelles à 13 heures. La journaliste de la télévision bosniaque était plus sexy. Elle égrainait les informations de la journée, Mahmed, un des rares Bosniaques de la céta, traduisait. La communauté internationale n'en finissait pas de s'émouvoir, de protester contre la guerre. Les exactions serbes étaient une nouvelle fois condamnées. Mais il y avait un fait nouveau : les États-Unis s'en mêlaient. Ils ne toléraient plus l'attitude de Belgrade, qu'ils jugeaient arrogante.

« On annonce des bombardements sur Pale pour détruire les infrastructures de l'état-major serbe, dit Moskowski.

— Ça fait des mois qu'on en parle, maugréait Salim. Et

nous, Bilal, tu crois qu'on va nous tolérer longtemps ? Quand on a fait appel à nous, c'est qu'on avait besoin de guerriers capables de tenir tête aux Serbes. On était des affreux mais tout le monde en avait rien à foutre.

— Maintenant que l'Amérique entre dans le jeu, renchérit Mehmed, tout change. Bientôt on va nous trouver fanatiques, cruels. On nous a armés, encouragés, mais nous allons vite devenir encombrants : des barbus intégristes au secours de la Bosnie, le scénario n'est pas bon. Pour l'opinion internationale, c'est une terre de tolérance, victime du nationalisme. Au 20-heures, on préférera toujours diffuser des images de femmes bosniaques violées.

— Nous, avec nos sales gueules et nos bandeaux marqués "Allah Akbar", on nous cachera et peut-être, demain, tu verras, on nous chassera.

— On verra bien. » C'était Hassan qui avait parlé. Il cracha par terre. « Si on quitte la Bosnie, on ira se battre ailleurs. Il y a d'autres terres où Dieu appelle au djihad. »

Moskowski garda le silence. Il n'avait pas envie de penser à demain. C'est une caractéristique du temps de la guerre : impossible de se projeter bien loin dans l'avenir. La perspective de la mort réduisait tout au plus court terme. Car d'ici au règlement du conflit, il y aurait encore des opérations, des accrochages, des pertes. Il sentait bien que depuis quelques semaines les assauts étaient moins difficiles. Les pertes moins nombreuses. Comme le gel, après avoir régné tout l'hiver, cède devant l'avancée inexorable du printemps, comme l'obscurité de la nuit devant l'aurore, les Serbes lâchaient prise. Leurs lignes s'étiraient sur une trop large distance pour permettre une défense solide et efficace. L'armée bosniaque, alliée aux Croates, les enfonçait chaque jour davantage.

246

Abou El Maali avait prévenu ses hommes. Pas question de relâcher l'étreinte. Tant que les Serbes seraient en terre bosniaque, il y aurait encore des chars à détruire, des snipers à abattre et des villages à reprendre. La mort serait donnée sans pitié. Entre frères ennemis, ce sentiment n'existe pas.

Alors Joss Moskowski, Hassan Ould Ahmed et leurs frères d'armes avaient continué à faire la guerre sans se soucier des bulletins d'informations. Les attaques avaient succédé aux attaques. Ni plus faciles ni plus difficiles que les autres. L'assaut était leur activité du moment. Ils étaient des combattants, comme d'autres sont couvreurs ou vignerons.

Fahrudin Hamzic avait été envoyé dans la montagne à la recherche de soldats serbes. On signalait une présence ennemie à une dizaine de kilomètres. Lui et ses hommes marchaient en file indienne depuis de longues heures dans une forêt de sapins. Parfois, ils franchissaient une clairière à découvert. La lumière du soleil qui déclinait les surprit. La forêt était déjà dans la pénombre de la fin du jour, triste ; elle le fit frissonner.

Ce furent d'abord des éclats de voix quasi imperceptibles, dans le fracas du torrent. Hamzic les repéra sans mal ; il avait une ouïe exceptionnelle. En contrebas, des hommes bivouaquaient, au bord de l'eau. Les tchetniks. Ils avaient allumé un feu. Il désigna Emir et Aldin pour qu'ils l'accompagnent. Les trois garçons descendirent avec précaution, en s'accrochant aux branches des arbres, prenant soin de ne pas faire rouler les pierres. À quelque cent cinquante mètres, les Serbes se reposaient au bord de l'eau, s'éclaboussant. Certains s'étaient déchaussés. On les entendait parler, rire et chanter. Une sentinelle exerçait une faction distraite. Il tendit l'oreille. De la musique parvenait jusqu'à eux, sortant d'un magnétophone portable. Des soldats chantaient. Braillaient serait plus exact.

« Ne volim te Alija, Zato sto si Bàlija, Skrsio si miran san, Odnosila ti Drina, Trista mudzahedina, Svaki dan. »

La chanson s'adressait au président Izetbegovic. Elle disait : « Je ne t'aime pas, Alija, parce que tu es bosniaque. » Elle promettait que la Drina charrierait trois cents moudjahidin chaque jour, en réparation de ce rêve brisé qu'était la paix.

Hamzic grogna entre ses dents :

« Trois cents moudjahidin dans la Drina, ah oui ? Vous allez voir, bande de cons. »

Il fit un signe à ses compagnons. Une minute après, une sentinelle s'effondrait sans un bruit ; le poignard d'Emir s'était enfoncé dans sa gorge. Le soldat serbe n'avait pas entendu venir les assaillants. Ça s'était passé très vite. Emir avait tant de fois effectué ce geste, à la ferme de ses parents : le matin de l'Aïd, le couteau glissait le long du cou du mouton et tranchait, de la carotide à la veine jugulaire. Entre un mouton et un homme, Emir n'en revenait pas qu'il y eût si peu de différence.

Les Serbes n'avaient rien remarqué. Ils continuaient de brailler et de chahuter. Certains allaient au feu pour se réchauffer. Les flammes lançaient des éclairs sur les visages. Ils avaient laissé leurs armes derrière eux, à quelques mètres.

Les trois hommes armèrent leur kalachnikov. Chacun prit appui, qui sur une branche, qui sur un tronc. L'obscurité tombait sur la rivière. Hamzic vit un Serbe se lever, aller à l'écart, fouiller dans la poche de son treillis, et sortir un paquet de cigarettes. Une flamme jaillit, le soldat avait allumé son briquet et approché celui-ci de son visage.

Aurait-il voulu guider les tireurs dans la pénombre, il n'aurait pas agi autrement. L'homme prenait une posture de cinéma, inclinant la tête, les yeux mi-clos, la bouche tordue : John Wayne.

Les coups de feu partirent. Le fumeur bascula en avant. D'autres soldats, atteints par une rafale alors qu'ils sortaient de l'eau, s'affaissèrent sur la berge. Aucun n'avait eu le temps d'aller jusqu'à son arme. Quand les tirs cessèrent, il n'y avait plus que des cadavres. Seule la musique continuait.

Quelques instants plus tard, Hamzic et ses hommes descendaient avec précaution vers le bivouac. Ils s'emparèrent des armes de leurs victimes, des Zastava M 76 et M 91, des fusils de grande précision avec leurs munitions. Précieuse prise de guerre : les tireurs d'élite de la céta en feraient bon usage. Une cigarette se consumait toute seule sur les feuilles, tombée de la bouche du premier soldat.

Hamzic prit le magnétophone qui tournait encore, et le jeta à l'eau, d'un grand geste, en étouffant un juron. Le silence se fit. Il s'approcha des corps. L'un d'eux était à moitié immergé. Il le poussa du pied et le cadavre fut aussi emporté par le torrent. Il le vit rebondir sur les pierres, en contrebas, pantin désarticulé. « Bon voyage, connard », grogna-t-il.

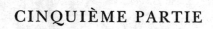

CINQUIÈME PARTIE

Un officier était venu accueillir Fahrudin Hamzic, un type athlétique, au visage horriblement grêlé, qui l'avait fait monter dans son véhicule pour qu'ils effectuent une reconnaissance. Les deux hommes avaient emprunté un chemin creux qui longeait les lignes. En face, on pouvait distinguer l'ennemi. Du moins ses chars, dont les canons émergeaient des fenêtres ou de bosquets d'arbres situés sur la crête.

« Les premiers postes sont là, lui dit l'officier en désignant un groupe de bouleaux. Quand les tirs d'artillerie auront cessé, ce sera à toi et à tes hommes de jouer. Tu as l'habitude, je pense... »

Le bataillon avait été réparti le long d'une ligne courant sur plusieurs kilomètres. Preuve de l'importance que l'état-major attachait à cette opération, les troupes réquisitionnées pour l'offensive appartenaient à des unités chevronnées. Avaient été laissés à l'arrière les linijasi, ces soldats qui faisaient la guerre en traînant les pieds, y consacraient quelques heures puis rentraient chez eux, après avoir reçu une petite compensation en nature, qu'on appelait la gibira.

L'heure était venue de porter un coup fatal aux Serbes. Grâce aux nouveaux missiles livrés par les émirats et aux chars pris à l'ennemi, le général bosniaque Delic et son allié croate Anton Roso espéraient que l'ennemi céderait enfin, irréversiblement.

La veille, Hamzic et ses hommes avaient quitté Kladanj, pour gagner le nord du pays. Le bus où les soldats avaient pris place traversait des villages aux maisons éventrées. Les Serbes étaient passés par là, quelques mois plus tôt. La guerre laissait des cicatrices. Parfois, d'un bâtiment, il ne restait plus que la structure en béton armé, les parpaings ayant été pulvérisés par une roquette ou un obus. Parfois, au contraire, il était peint d'une croix à la peinture. C'était le signe, pour les assaillants, qu'il fallait l'épargner.

Ils étaient arrivés avant midi dans un village à quelques kilomètres des lignes et avaient été conduits dans le bâtiment qui leur servirait d'hébergement : un gymnase. Bonne nouvelle, il y avait un vestiaire et des douches en état de marche. Pour l'eau chaude on verrait bien.

Chacun avait déposé sa musette le long du mur, et déroulé son sac de couchage. Des femmes étaient venues leur servir un repas, un bol de chorba, et une assiette de cevapi : des boulettes de viande glissées dans une galette de pain.

Le commandante les avait prévenus, il ne se passerait rien avant quelques jours. La diverzanti avait tout le loisir de déambuler dans le village. Ils croisèrent d'autres unités, venues, elles aussi, participer à l'offensive. Chacune toisait l'autre. Éternelle rivalité des mâles. Une compagnie d'infanterie arborait un treillis tout neuf, avec de magnifiques brelages. Les fantassins portaient leurs munitions en guirlande. Ils avaient fière allure à côté des hommes de Hamzic, toujours dotés d'un équipement hétéroclite. Il haussa les épaules : « On verra Rambo à l'œuvre. » Il savait bien ce que valait sa troupe.

Les soldats faisaient la sieste, ou grignotaient, allongés sur le sol en regardant le ciel pourtant sans nuages. Des chats plus ou moins sauvages tournaient autour d'eux, attirés par la nourriture. Certains leur donnaient un peu de leur pitance, d'autre les chassaient à grands gestes, quand ils ne leur jetaient pas des pierres. À côté de Hamzic, une radio grésillait. C'était la liaison avec le commandant du secteur. Il s'accommodait du bruit de friture, comme d'une petite musique. Aux aguets pendant la première heure, il n'y prêta plus attention par la suite.

Tous attendaient l'assaut.

Assis sur une pierre plate, fumant consciencieusement sa cigarette, Hamzic pensait à Radman. Où pouvait-il bien être à cette heure ? Milorad Radmanovic et lui avaient passé plusieurs années dans la même compagnie de Légion : « Voici le gang des Yougos. Surveillez vos effets personnels », disaient, rigolards, les sous-officiers en les croisant. Ils étaient inséparables. Radman avait déserté quelques mois avant Hamzic. Mais pour s'enrôler à Pale. Il était serbe.

Pourtant, depuis qu'ils se connaissaient, ils ne s'étaient pas caché grand-chose, ni leurs amours fugitives, ni leurs coups de cafard. Mais quand il avait décidé de rejoindre les troupes serbes, Radman n'avait rien dit à son ami. Saloperie de guerre civile, qui les avait séparés.

Oui, où était-il ? En face ? Du côté de Bihac, de Srebrenica ? Tomberait-il nez à nez avec lui, au beau milieu d'un assaut ? Impossible, songeait Hamzic. Mathématiquement impossible. Mais étaient-elles mathématiquement prévisibles, leurs retrouvailles dans le métro parisien un soir de 31 décembre ? Ce soir-là, les légionnaires étaient en permission, après une semaine passée à Paris dans le cadre de Vigipirate. Hamzic et Radman avaient sillonné les gares, le FAMAS à la main. Ensuite, ils avaient eu quartier libre et Hamzic avait décidé de fêter dignement le changement d'année à Montmartre. Milorad avait déjà rendez-vous avec une fille, qu'il voyait de temps à autre. Qu'importe, Hamzic sortirait seul. La nuit de la Saint-Sylvestre, les amitiés se liaient plus facilement que n'importe quel jour de l'année.

La rame était bondée, remplie de gens qui pour la plupart sortaient réveillonner. Les femmes avaient été chez le coiffeur et sous leur manteau dissimulaient des tenues lamées. Les effluves de leur parfum arrivaient aux narines de Hamzic. À une station, était-ce Trinité, Anvers, Pigalle ?, au beau milieu d'une foule compacte qui se pressait, qui avait-il aperçu, haute silhouette dont l'uniforme et le képi blanc se détachaient ? Radman : oui, le 1re classe Radmanovic. La rame s'était arrêtée, son ami était à quelques mètres de lui sur le quai. Il l'avait hélé. Où allait-il ? Nulle part : quelques heures plus tôt, il avait eu une dispute avec celle en compagnie de qui il comptait passer la nuit.

À la sortie du métro Abbesses, ils étaient entrés dans le premier bar pour prendre un verre. Ils y étaient restés un long moment, accoudés au comptoir, avant de gagner une table. Ils avaient commandé du champagne. Ils avaient tout leur temps, buvaient lentement, échangeant de rares paroles.

En sortant, Hamzic et Radman avaient déambulé dans les rues du quartier, avant d'échouer dans un cabaret où se produisaient des sosies masculins de vedettes de variétés.

L'affiche de « Chez Michou » les avait attirés ; ils avaient échangé un regard amusé et étaient entrés. L'endroit était noir de monde. Mais en voyant leur uniforme impeccable et leur képi immaculé, un homme s'était approché et leur avait glissé : « Michou adore la Légion, je vais essayer de vous trouver une place. »

Au programme, des transformistes qui chantaient Mylène Farmer, France Gall, Françoise Hardy. L'illusion était complète. Comment imaginer un garçon derrière cette Dalida qui fredonnait « Paroles » en remontant sa lourde chevelure comme le faisait la chanteuse ? Et cette Barbara à la taille fine et au regard charbonneux qui chantait « Ma plus belle histoire d'amour »... Devant leur bouteille de champagne, Hamzic et Radman ne perdaient pas une miette du spectacle et échangeaient des coups d'œil goguenards.

Hamzic était assis adossé à un bouleau. Le temps était doux. Il regardait devant lui, l'œil vague, jouant machinalement avec un morceau de bois. Il laissait filer ses souvenirs. Les tchetniks lui accordaient quelque répit. Il en profitait.

Quand, vers 4 heures du matin, la patronne avait vu entrer les deux légionnaires dans son établissement, elle avait envoyé ses plus jolies hôtesses. Après le spectacle des transformistes, Hamzic et Radmanovic étaient passés d'un bar à un autre. Celui-ci tenait plutôt du club privé. Deux filles étaient venues à leur rencontre ; des jolis petits lots, qui, en ce soir de fête, arboraient des boas de couleurs vives. Radman s'était écrié : « Champagne pour tout le monde ! » Aussitôt, une serveuse avait apporté une bouteille, puis une autre, puis une troisième. C'est une loi à la Légion étrangère : une bouteille vidée en appelle une autre. On cesse de boire non pas quand on n'a plus soif, cette mesure est bonne pour les civils, mais quand il n'y a plus de place sur la table.

La gaieté affichée par les légionnaires était un peu feinte. Ce soir-là, au milieu des hôtesses qui allaient de client en client, remplissant leurs verres, câlines, ils ne pouvaient ne pas penser à un endroit du monde où les attendaient une mère, une sœur, une fiancée. « Ce n'est pas une nuit à être triste », leur répétaient les filles en se blottissant contre eux. Alors, les hommes chassaient le cafard avec violence, et commandaient encore à boire.

Sur la scène, se produisait une chanteuse, une fille malingre, au visage fané et aux yeux noirs brillants. Le spectacle n'était pas aussi sophistiqué que chez Michou, mais plus émouvant.

Vêtue d'une petite robe noire, Djemila interprétait sur scène des chansons rétro. À son répertoire, Fréhel, Lucienne Boyer, Édith Piaf dont elle avait la voix rauque. Lorsqu'elle avait entonné « Allez venez, milord, vous asseoir à ma table, il fait si froid dehors, ici c'est confortable », Hamzic avait frissonné. Il ne quittait pas des yeux la chanteuse. Il avait senti quelqu'un se glisser contre lui ; une hôtesse s'était assise et se faisait douce. Il ne se rappelait rien d'elle, sauf ses longues jambes gainées de noir. L'ivresse le submergeait. La murge, comme on disait au foyer du légionnaire. Il l'avait prise par la taille, sans cesser d'écouter la môme. Radmanovic aussi était avec une fille qu'il embrassait dans le cou. Sa déconvenue de l'après-midi était oubliée.

Hamzic s'était levé. Titubant, il était allé tant bien que

mal jusqu'à la chanteuse, lui avait murmuré quelque chose à l'oreille en lui glissant une poignée de billets. Quand Djemila avait entonné : « Mon légionnaire... », sa voix avait été aussitôt couverte par deux voix mâles : « Bonheur perdu, bonheur enfui, toujours je pense à cette nuit »... Hamzic et Radmanovic s'étaient levés et, se tenant par les épaules, s'étaient égosillés. À la fin de la chanson, les filles avaient applaudi et s'étaient empressées auprès des deux hommes.

Où était-il à cette heure, ce con de Radman ? En face, dans le petit bois de chênes ? Et s'ils se rencontraient, qui des deux verrait l'autre le premier ? Se reconnaîtraient-ils comme sur le quai du métro qui menait à Montmartre ? Avec leur visage camouflé, les deux soldats étaient méconnaissables. Ils se tueraient sans le savoir. Tout se jouerait à leur insu. Hamzic tâta son pistolet Tokarev contre sa cuisse. Radmanovic devant lui, s'écroulant touché d'une balle tirée par son ami : il chassa cette image qui trottait devant ses yeux. Le cafard, cette sale bête des soirs de solitude, s'invitait sans prévenir. Quand il était à la Légion, il croyait que celui-ci naissait de l'exil. Le voici qui surgissait, à seulement quelques dizaines de kilomètres de chez lui.

Une voix se fit entendre à la radio, celle de l'officier au visage grêlé. Il se leva d'un bond.
Le commandante leur ordonnait de rejoindre leur poste. Hamzic donna ses ordres : « Debout ! » Les hommes s'étirèrent en maugréant : la grogne est le cérémonial obligé du soldat avant le combat, une sorte de rite d'exorcisme. Il obéit en râlant. Chacun empoigna sa musette et sa kalachnikov. Les premières détonations retentissaient déjà au loin, les armes antichars, annoncées, entraient en action. Hamzic aperçut entre les arbres de la fumée

noire qui montait vers le ciel. Un char brûlait. Ses hommes s'éparpillaient sans un mot le long de la ligne. Il les regardait évoluer entre les arbres. Leur sombre résignation au combat le rassurait. Il en était sûr, ils se battraient avec cran. C'était la meilleure assurance pour la victoire.

Son premier objectif était une maison à moitié détruite située dans le creux du coteau, entre la diverzanti et la ligne serbe. Elle pourrait leur servir d'appui. En face, il apercevait les zemunica, les fortins enterrés, construits par les Serbes. Il distinguait les meurtrières au ras du sol par lesquelles jaillirait le feu destiné à les couler sur place. Le bruit des obus ne cessait pas. Il se faufilait entre les arbres, suivi de Safet. Il parvint sans encombre jusqu'aux ruines. De larges brèches avaient été ouvertes dans les murs en parpaing. À l'intérieur, il trouva un canapé défoncé, souillé, qui avait dû être bleu, une chaise renversée, une moquette pelée et salie ; les seuls vestiges de la vie d'avant. Cinq ans plus tôt, cette maison était sans histoire, construite dans la campagne, au calme. Le propriétaire devait cultiver son carré de terre et quand il regardait sa maison il songeait qu'il lui faudrait finir d'aménager l'étage pour son fils qui allait se marier. Devant chez lui, devait stationner une Volkswagen, une Audi, ou une voiture d'une autre marque, toujours une allemande. Il ne restait rien de ce bonheur ordinaire, à part un canapé défoncé.

Par une brèche, il observait la ligne ennemie, pointant un à un les objectifs à enlever. Il imaginait déjà le scénario des heures à venir. En contrebas coulait un petit cours d'eau, trois fois rien, mais il faudrait le franchir à découvert. Tiens, là, un groupe de rochers : excellent point pour ceux de ses hommes qui étaient chargés d'appuyer les assaillants.

Sur la droite, il apercevait des meules de foin sombres. Leur noirceur signifiait qu'elles remontaient à l'année d'avant, ou à plus longtemps encore. Une belle meule bien construite, bien serrée, pour un paysan, c'était l'assurance d'un fourrage parfaitement préservé des intempéries. Mais personne ne les avait rentrées avant l'hiver. À la sagesse d'un homme prévoyant, avait succédé l'agitation d'un pays en guerre.

Sur la crête, en face, à moins d'un kilomètre, se tenaient les tchetniks. Les tirs d'artillerie avaient cessé. Par l'embrasure de ce qui avait été une fenêtre, il regardait en face de lui. Rien ne bougeait. Où était l'ennemi? Terré dans les zemunica, attendant que les bombardements aient pris fin? Ou massé plus loin, hors de portée de l'artillerie croate, n'ayant laissé sous le déluge de métal que des sentinelles stoïques dont la mission était de prévenir quand l'assaut commencerait?

Il entendit un bruit. Un éclaireur se glissait près de lui, de la part du commandante.

« Tiens-toi prêt. Dès que tu vois une fusée verte dans l'air, tu peux y aller. »

Il fit un geste à Safet, qui transmit aussitôt. Déjà ses hommes s'apprêtaient, vérifiant leurs armes, assurant leurs appuis pour bondir hors de leur abri. Ils étaient désormais rompus à la manœuvre.

Il regarda une dernière fois le panorama. Les rochers, le cours d'eau, et puis ensuite l'étendue le séparant de l'ennemi; il avait eu le temps de tout mémoriser. Il vit une lumière verte dans le ciel : « En avant! » Ses hommes s'élancèrent en même temps que lui. Des tirs d'armes légères se firent aussitôt entendre, suivis de puissantes détonations, en provenance des M84. Les chars serbes entraient en action, plus puissants, plus précis que les canons bosniaques. Un obus explosa tout près de lui, assourdissant.

Il se colla aux rochers, sous un déluge de terre et de cailloux pour reprendre son souffle. Il constata que ses hommes progressaient de leur mieux, postés qui derrière un arbre, qui un rocher, un repli de terrain. Ils étaient encore loin de l'objectif, hormis deux soldats, qui avaient réussi à s'approcher en rampant. Mais les tirs serbes formaient un barrage de feu infranchissable, contrariant leur progression. Il voyait distinctement ses hommes, allongés à l'abri d'un tronc, à moins de trente mètres des premières tranchées, incapables de faire un pas de plus.

« Ça merde... », murmura-t-il.

Une silhouette se faufila près de lui. C'était Memet, tout essoufflé par sa course, plié en deux sous la mitraille.

« Leurs snipers font des cartons. Emir et Kadir sont blessés et... »

Il ne finit pas sa phrase. Un obus explosa tout près. Hamzic sentit une brûlure sur son visage, et aussitôt fut soulevé, projeté en l'air. Il se retrouva dans le ruisseau. L'eau froide l'empêcha de perdre complètement connaissance. Il parvint à se redresser, complètement groggy. Il avait mal. Memet ne bougeait plus. Il n'était pas beau à voir. Hamzic s'ausculta, passant sa main sur ses membres endoloris. Tâtant son omoplate, il sentit un liquide chaud et gluant. Du sang coulait du haut de son dos. Il sortit du ruisseau en rampant, pas très vaillant, et se réfugia derrière le rocher où il se tenait quelques instants plus tôt, levant le bras pour se signaler aux secours. Des mouches passaient devant ses yeux. Des bruits résonnaient dans sa tête. Le ciel avait une teinte de crépuscule. Il attendit un moment. Autour de lui le combat continuait. Quelle heure était-il ? Pas loin de 3 heures. Ce n'était pas une heure pour mourir. Il pensa : « Mais qu'est-ce qu'il fout l'infirmier ? » Soudain l'horizon bascula et il perdit connaissance. Il n'avait pas eu le temps de réciter la prière du croyant devant la mort : « là illaha illa llah. »

Quand Fahrudin Hamzic se réveilla, il était dans une chambre baignée de soleil, qui sentait l'éther. Il se sentait fatigué, comme s'il rentrait d'un long voyage. Par la fenêtre ouverte, il entendait de l'eau qui coulait et un chant d'oiseau. Il songea aussitôt à la rivière au bord de laquelle il avait été blessé. Était-ce la même ? Un homme entra, en blouse, immaculée. Depuis combien de temps n'avait-il pas vu un médecin en blanc ? Ceux du front portaient le treillis comme les autres.

« Comment te sens-tu ?

— Ça va. J'ai dormi ?

— Tu as surtout perdu beaucoup de sang. Tu as été évacué tardivement. Je crois que tu as passé les premiers jours dans un dispensaire de campagne, avant d'être amené ici.

— Ici, c'est où ?

— Muska Voda, dans la montagne. »

Fahrudin esquissa un sourire.

« Muska Voda ! Avant la guerre, c'était un hôtel pour les touristes.

— L'hôtel a été transformé en hôpital, pendant la

guerre avec les Croates, quand la région était complètement isolée. De toute façon, les touristes ne venaient plus.
Tu y seras bien.

— Et mes hommes? Safet, Emir, Kadir? Tu as des
nouvelles?

— Je ne sais pas. Mais je vais me renseigner. Il y a beaucoup de monde à l'hôpital, tu sais, beaucoup de passage. »

Hamzic regarda par la fenêtre. Adolescent il était souvent venu à Muska Voda. L'endroit était situé à trois heures
de marche de Kladanj, dans les sapins. Muska voda, en
bosniaque, signifie l'eau virile. Ce drôle de nom le faisait
rire jadis. Muska voda : l'aphrodisiaque bosniaque, c'était
la plaisanterie qui circulait entre les garçons de son âge.
Peut-être qu'elle fortifiait seulement. Aujourd'hui, Fahrudin en aurait bien besoin. Il se sentait si las.

En fin d'après-midi, un médecin entra dans sa chambre.
Ce n'était pas le même que celui du matin. Il observa son
épaule et son bras qui le faisaient tant souffrir, passant un
long moment à observer la plaie, d'un air grave.

« Ça va être long, doktor?

— Tout dépendra de toi. Tu seras bien ici. L'air y est
bon.

— Je sais. Je suis de Kladanj. Avant la guerre, je venais
ici à pied.

— Quand tu auras repris des forces, je t'installerai
dans une chambre pour convalescent, dans les bungalows
construits en lisière de forêt. »

Le médecin montrait par la fenêtre un ensemble de
constructions blanches. Hamzic se redressa sur son bras
valide pour les voir. Le médecin ne disait rien du bâtiment,
au fond, construit au bord de la rivière. Un bloc blanc,

avec des éléments de bois : c'était la morgue. Chaque jour, des blessés trépassaient. La source de Muska Voda continuait de jaillir, les oiseaux de chanter dans l'air pur ; et des garçons de vingt ans mouraient de leurs blessures dans cet éden pour dépliant touristique.

Au bout d'un mois, Hamzic put se lever et faire quelques pas dehors, dans la clairière où l'hôtel avait été construit. Au début, dès qu'il se mettait debout, il grimaçait. Une impression de tiraillement. Le vertige le saisissait. Sitôt sorti, il se sentit mieux, après tant d'heures passées dans l'air confiné de sa chambre et l'odeur d'éther.

Il était en terrain de connaissance. Là-haut, à quelques heures de marche, il y avait un village : une poignée de maisons accrochées à la montagne. Au sommet, son père et ses oncles avaient construit une cabane en bois : quatre murs et un toit. Un lit, une table. C'était sommaire, mais il y avait une vue magnifique sur la vallée. Avant que la guerre n'éclate, sa famille s'y rendait souvent l'été. C'était pour ainsi dire leur maison de week-end.

Quand il avait utilisé cette expression devant Élodie, la jeune fille avait ri. Pour une Rouennaise, une maison de week-end, c'était une villa de brique sur la côte normande, à Veulettes, Pourville ou aux Petites-Dalles, face à la mer; pas un cabanon en bois, sans eau ni électricité. Pour elle, le silence et la solitude étaient sans valeur. Elle aimait le confort, une douche chaude après un bain dans la Manche, un transat au soleil, à l'abri du vent.

Du seuil de la cabane, on distinguait, à droite, un village isolé. C'était Pauc, sur l'autre versant. Pauc, village communiste. Quand l'Union soviétique avait commencé de péricliter, à Kladanj on disait : « Moscou tombera peut-être. Mais pas Pauc. » Au-dessus des maisons, on apercevait des trous creusés à même les flancs de la montagne ; c'était des grottes où Tito avait trouvé refuge pendant la guerre. Tito était toujours adulé à Pauc, à l'égal d'un dieu. Fahrudin se souvenait de Bécir, assis sur le seuil de la cabane, tirant sur une pipe, lui racontant des histoires de partisans survenues dans la région. Il vénérait le Maréchal parce que celui-ci avait formé son armée avec des Yougo-slaves de toutes origines. Il avait accueilli Serbes, Croates et Bosniaques, pourvu qu'ils fussent patriotes. En échange, ces derniers lui avaient fourni une base arrière, des refuges, des chemins dérobés pour échapper à l'occupant. Ils avaient mené la vie dure à l'Allemand, ces hommes qui surgissaient de nulle part, se fondant dans ce pays de montagnes et de forêts pour y disparaître à nouveau.

Un matin, Hamzic fut réveillé par un moteur qui vrombissait sous ses fenêtres. Une ambulance. « Aurais-je un nouveau voisin de lit ? » se demanda-t-il dans un demi-sommeil. Celui des jours précédents était parti, sa blessure guérie ; il avait regagné les lignes. C'était la règle. Ce départ l'avait plongé dans une profonde mélancolie. L'action lui manquait. À Muska Voda, les informations les plus folles circulaient. Le front bougeait ; les forces bosniaques avaient remporté des succès décisifs. Vrai, pas vrai ? Les Américains allaient enfin bouger. Vrai, pas vrai ? Pale, le fief des Serbes de Bosnie, serait bombardé par l'OTAN? Vrai, pas vrai?

La veille du départ de son voisin, il s'était soûlé avec lui et les autres convalescents, pour fêter ça. Fêter quoi? Sa remise sur pied, son retour au front? Bouteilles de sli-vovica apportées par des visiteurs, cigarettes, les garçons étaient restés longtemps à la porte de sa chambre qui don-nait sur la forêt, à boire, parler et rire. Un médecin avait bien essayé de les empêcher : « Très mauvais pour vous », avait-il insisté. Un peu ivres, et très agacés, ils avaient entouré l'intrus, menaçants.

« Que sais-tu de ce qui est bon pour notre santé? La guerre, c'est bon? lui avait rétorqué Kemal. Et ça — il brandissait un moignon de bras — c'est quoi? Si je ne bois ni ne fume, ça fera repousser mon bras? Alors écoute-moi bien. Retire ta blouse et pars pour le front. Quand tu auras combattu, on pourra se parler, toi et moi. En attendant, laisse-nous. On va se soigner nous-mêmes. »

Le médecin n'avait pas insisté. « Se soigner » : les autres avaient éclaté de rire. Dans le jargon de Muska Voda, quand on disait « on va se soigner », ça signifiait qu'on allait s'enivrer. L'alcool, ce n'était peut-être pas bon pour la santé, mais ça permettait d'oublier son état, le fracas des obus, le sifflement des balles, les cris des « skovici » — les fanatiques d'en face qui ne faisaient pas de quartiers —, mieux valait mourir que tomber entre leurs mains. Grâce à l'ivresse, la souffrance qui ne quittait pour ainsi dire jamais les habitants de Muska Voda se faisait plus légère. On ne sentait plus rien, les langues se déliaient, les rires fusaient, sonores. Par le rire, les convalescents chassaient leurs peurs et leurs maux. Alors ils se forçaient, comme on vomit. Il n'était pas rare qu'un chant s'élevât dans la nuit. C'était la nuit. Les oiseaux s'étaient tus. Les hommes prenaient le relais. La guerre était loin. Seule demeurait la souffrance.

Le nouveau voisin de chambre de Hamzic fit son apparition un jour, en fin de matinée, après l'heure des soins. C'était un garçon solide et blond, avec de beaux yeux clairs. Il le reconnut aussitôt. Kod Astérix. Les moudjahidin.

« Dobro jutro, dit Fahrudin.

— Ne razumijem vas jezik, répondit le nouveau venu avec un fort accent étranger. Ja sam francuz. »

Il ne comprenait pas ? Faro l'aurait parié. Le bosniaque n'était pas sa langue maternelle à celui-là.

« Tu es français ? » reprit-il.

L'autre eut un sourire.

« Toi aussi ?

— Non, bosniaque, mais j'ai vécu en France. Bienvenue à Muska Voda.

— Merci. Pas sûr que je profite des charmes de l'endroit. J'ai perdu ma jambe. On m'a amputé sur place. J'ai morflé, putain, tu peux me croire. »

Amputé sur place ! Le type avait dit ça, comme il aurait raconté qu'il avait raté le bus pour Kladanj. Il avait dû être anesthésié à la va-vite, avant d'être débarrassé de son membre en charpie. Un miracle, s'il n'était pas mort d'hémorragie.

« Comment tu t'appelles ?

— Moskowski.

— C'est polonais, ça, comme nom... »

Moskowski ne répondit pas. Il était blanc comme un linge. Fatigué par le transport durant lequel il avait souffert horriblement. Plus tard, ils discuteraient, joueraient aux cartes. Pour le moment, il avait envie de dormir. Il tourna la tête vers la fenêtre, en veillant à ne pas bouger son corps, qui n'était qu'une plaie. La morphine qu'on lui administrait trop irrégulièrement ne suffisait pas à l'apaiser. Il s'assoupit.

« Mais qu'est ce que tu fous chez les Bosniaques ? lui demanda Hamzic un peu plus tard. À part Bernard-Henri Lévy, personne n'en a plus rien à faire de nous, en France...

— Je suis venu me battre, au nom d'Allah. C'est le djihad. Comme toi.

— Moi, le djihad ? N'importe quoi ! Je fais la guerre pour une raison plus simple : pour que ma sœur puisse aller à Sarajevo sans être arrêtée à un barrage par des Serbes et violentée.

— Tu ne parles pas comme un croyant, Hamzic. Mahomet dit que lorsque l'ennemi pénètre sur une terre musulmane, le djihad devient une obligation pour tous, comme le jeûne et la prière.

— Putain ! Tu vas arrêter, oui ? On se bat pour nos villages et notre liberté. La religion, on la respecte, mais entre nous, on s'en fout un peu. »

Hamzic enrageait : ce mec savait-il mieux que les Bosniaques eux-mêmes ce qu'ils étaient et ce que devait être le pays ? Il sortit de la chambre pour aller fumer. Le tabac le calmerait.

Plus tard, Moskowski apprit à son voisin de chambre que c'était sa compagnie qui avait été envoyée pour dégager la diverzanti, après sa blessure. Le combat avait été long : les Serbes étaient solidement campés sur leurs positions. Il y avait eu de nombreuses pertes parmi les moudjahidines. Mais leur ardeur au combat avait eu raison de l'ennemi. Le soir, ils étaient maîtres du terrain.

« Tu as un Coran avec toi ? »

Fahrudin sourit. Le Coran ? Ça faisait longtemps qu'il ne l'avait pas ouvert. Jadis, au Châtelet, il se rendait parfois à la mosquée. Enfin, la mosquée, façon de dire : une salle qui avait été prêtée par le curé aux musulmans du quartier au nom du dialogue interreligieux. Mais il y avait un Coran chez eux. Un bel objet relié en cuir, qu'on ouvrait avec soin, comme un bien précieux. Les principales sourates, le vieux Bécir les connaissait par cœur. Mais pas lui. Pour ce qu'elles lui avaient servi ! Ce n'était pas avec des prières que les Bosniaques avaient repris l'offensive mais avec des armes.

Moskowski s'insurgea.

« Livrées par qui, ces armes ? Par les croyants. Et nous, les moudjahidin, pourquoi on est venus ? Au nom d'Allah. Alors, ne parle pas comme ça de la religion, veux-tu. »

Hamzic ne dit plus rien. Il sentait monter la violence, la même que celle qui s'était déchaînée chez Astérix. Il se contint et déclara calmement :

« Tu n'auras qu'à demander au médecin. Ce serait étonnant qu'on ne déniche pas un Coran ici. »

Moskowski se révéla un bon camarade de chambre ; il ne participait jamais aux agapes vespérales, mais ne fit plus de remarque acerbe à Fahrudin quand celui-ci s'y rendait. Les deux garçons passaient des heures à discuter. Chacun allongé sur son lit, ils ne pouvaient pas se regarder : trop douloureux et trop fatigant. Mais ils conversaient, les yeux fixés vers le mur devant eux. Fahrudin lui parla de son enfance au Châtelet, de Jacky et de la Légion étrangère. Moskowski raconta ses années de fac à Paris X ; il lui parla de son ami Hassan, et de sa découverte de l'islam.

Quand ils ne recevaient pas de soins, les deux convalescents jouaient aux échecs. Ça faisait des années que Fahrudin n'avait pas joué. Pour lui, une partie c'était une longue après-midi, sous les arbres de Kladanj ou sur la terrasse du café du Châtelet, un profond silence à peine entrecoupé de commentaires laconiques. La durée, le calme, ces luxes, il ne les avait guère connus depuis son départ de Rouen. À Muska Voda, au milieu du pépiement des oiseaux qui saluaient le printemps, il les avait retrouvés, comme des conditions du bien-être.

Hamzic s'était renseigné. Des échecs ? Il y avait bien un échiquier dans un meuble du hall d'entrée. Mais les pièces ? Où étaient-elles passées ? Il faudrait en commander. Lors d'une prochaine fois où il descendrait à Kladanj, un médecin en rapporterait. Enfin, s'il y pensait... Hamzic avait eu une idée. Il fabriquerait lui-même les pièces, puisque sa blessure le contraignait à de longues heures d'inactivité. Dans le bois voisin, il avait donc coupé soigneusement deux tiges de bois. Ce n'était pas facile avec son épaule douloureuse, mais en les bloquant avec son coude, il était parvenu à les débiter en morceaux de quelques centimètres. Il avait ensuite entrepris de les sculpter. Pendant son ouvrage, il pensait à Bécir. Comment celui-ci s'y serait-il pris pour fabriquer le cavalier ? Et le fou à la tête fendue ? Comment distinguer vraiment le roi de la reine ? Il avait façonné tous les pions un à un, en entendant la voix de son grand-père penché sur le jeu qui lui murmurait : « Sois économe de tes pijesak. » Quand il avait terminé son ouvrage, il avait teint la moitié des pièces avec du marc de café. Celles-ci seraient les noirs. Les autres, les blancs.

« Tu sais jouer ? »

Non, Moskowski ne savait pas jouer. Pour lui, les échecs c'était un jeu de vieux, comme les dominos ou la belote. On y jouait dans les bars ? Lui, dans les bars, il jouait au flipper, y déchargeant son énergie. Hamzic lui avait donc enseigné les rudiments du jeu, le déplacement des pièces, les combinaisons les plus simples, l'art du roque. Il était content. Il retrouvait ses sensations d'enfant, l'affrontement des deux joueurs, entièrement cérébral, dans le silence.

Entre deux coups, les garçons discutaient. Qu'un infirmier vînt changer le pansement de l'un ou l'autre, et ils en profitaient pour faire une pause dans la partie. Entre eux, il était souvent question de la France. Grâce à Moskowski, Hamzic découvrait combien il l'aimait. Un jour, il s'était surpris à dire : « Notre pays. »

Alors que Hamzic fumait une cigarette devant l'hôtel, au soleil, un vrombissement se fit entendre. Une voiture montait à Muska Voda. Il vit surgir de la piste un 4×4, et reconnut un véhicule des moudjahidin. Deux hommes en treillis, bandeau noir dans les cheveux, en sortirent.

« Salam Aleikum. »

Il avait spontanément répondu « Dobar dan ». Les visiteurs l'avaient regardé d'un drôle d'air.

« Il est où, Bilal ?

— Bilal ?

— Oui ; un type qui s'appelle Moskowski. »

Il les conduisit à sa chambre. Le prénom de Moskowski était Bilal ? Il ne s'était jamais posé la question depuis son arrivée. Il observait à la dérobée ces hommes à la barbe drue. Des loups de guerre dont la silhouette efflanquée, les gestes secs étaient fascinants. Il le savait maintenant : leur rôle avait été déterminant pour renverser le cours de la bataille où il avait été blessé. Il leur devait la vie ; c'est leur engagement, décisif, qui avait permis son évacuation.

Commander cette troupe qui paraissait ne pas connaître le doute, ni la peur, ce devait être un pur bonheur de chef.

Mais leur conduite, leur mentalité étaient insupportables. Tenaient-ils vraiment les Bosniaques pour leurs frères, ainsi que Joss l'assurait, ces hommes qui les toisaient, leur reprochant leur soi-disant impiété, qui traitaient les femmes de putains, parce qu'elles portaient des jeans et sortaient tête nue ?

Les deux visiteurs étaient venus apporter à Moskowski un Coran et un subha. Ils restèrent un moment dans la chambre, adossés au mur. Ils parlaient français avec un fort accent maghrébin. Quelles nouvelles ? À la bataille de Gradacac, les pertes avaient été considérables. Quoi d'autre ?

« Walid est mort, dit l'un.

— En martyr », précisa l'autre, avec un grand sourire.

Moskowski serra les dents. Walid : son ami Hassan était mort. Il revoyait Hassan à la fac, roulant ses yeux de biche, faisant se pâmer les filles, Hassan et ses petites lunettes d'étudiant progressiste, devenu Hassan le pieux, puis Hassan le combattant, Walid pour la gloire d'Allah. Son ami avait été tué quelques minutes après que lui-même eut été blessé. Il avait regardé la mort en face, et ne l'avait pas refusée. La cause du djihad l'exigeait. Il avait été enterré avec ses vêtements tachés de sang, pour qu'au jour de la résurrection ils attestent qu'il était mort courageusement. Désormais Walid était un chahîd. Alors tout était bien. À ceci près que Moskowski était affreusement triste. Il avait les larmes aux yeux. Était-ce musulman de pleurer un ami mort ?

Hamzic venait de placer son cavalier au milieu de la défense de son adversaire. Ce coup lui permettait d'envisager d'avancer sa reine désormais protégée. Et il tenait son fou en embuscade. Le mat était proche. Cherchant à deviner la manœuvre, et s'efforçant de bâtir sa propre offensive, Moskowski était très concentré. Soudain il se rejeta en arrière, laissant retomber sa tête sur son oreiller. Il était exténué. Hamzic comprit qu'il voulait faire une pause.

Ils restèrent un moment en silence.

« Tu passais où tes vacances, quand t'étais gosse ?

— On rentrait en Bosnie. »

Les deux garçons cherchaient des endroits qu'ils connaîtraient tous les deux. Saint-Georges-de-Didonne ? Préfailles ? Le Canet ? Moskowski était allé au Canet en colonie de vacances, mais Hamzic ne savait même pas où c'était. Le lac de la forêt d'Orient où la jeunesse de Troyes se rendait en bande, dès les beaux jours pour profiter du bord de l'eau ? Il ne connaissait que la côte d'albâtre blanche et froide, au nord de Rouen, les plages de galets où les bains étaient revigorants et, plus douces ou du moins plus chaudes, celles de la Méditerranée : les centres de repos de la Légion étrangère à La Malmousque, Marseille ou La Ciotat.

Le sujet sur lequel ils se retrouvaient, c'était le football. Hadjuk-Split contre Troyes-Aube-Football. Moskowski racontait à son camarade de chambre que Jan l'emmenait, enfant, au stade de l'Aube. Il avait conservé le frisson du petit supporter. L'équipe, entraînée par René Cédolin, se battait courageusement pour son maintien. Revêtu du maillot Kindy de l'équipe, il applaudissait les Differding, Mahut, Zorzetto, Tota qui affrontaient les terribles joueurs de Saint-Étienne, les Canaris de Nantes ou les Sang et Or de Lens. Pour la somme de cinq francs, son père et lui accédaient à l'espace situé derrière les cages : une butte en herbe séparée des joueurs par un simple grillage. Ce n'était pas la prestigieuse tribune des Marathons, mais selon certains connaisseurs, c'est là qu'il fallait être. On était à quelques mètres seulement du goal de Troyes, Guy Formici, l'idole du stade de l'Aube.

Formici avait une manière bien à lui de dégager les ballons par de spectaculaires claquettes, expliquait Moskowski. Ou alors il sortait au-devant de l'attaquant adverse et plongeait dans ses pieds, faisant chavirer le public de crainte et de bonheur. Gagnait-il son duel, le perdait-il? Le jeu acrobatique de celui que, du côté de Pont-Sainte-Marie, on surnommait le « kamikaze », mettait le feu aux tribunes du stade qui chantait : « Ici, on a la forme ici! » À la mi-temps, à la buvette, les anciens ouvraient le livre des souvenirs du TAF : la finale de la Coupe de France perdue contre Sedan, et l'élimination de Saint-Étienne en Coupe de France, en 1976. Oui, 1976, l'année où les Verts étaient allés en finale de la Coupe d'Europe des champions; les Troyens les avaient battus. Ce n'était pas rien. *L'Est Éclair* avait ressorti les grands titres : « La guerre de Troyes a eu lieu ». « Épiques, les Troyens », etc.

Au Champeaux, qui ne connaissait cette histoire? Moskowski la tenait d'un ancien qui la racontait au zinc. C'était un match de derby à Reims, l'éternel rival. Le TAF menait par 3-0 au stade Auguste-Delaune. Formici avait multiplié les arrêts décisifs. Ce soir-là, il était invulnérable. Jusqu'à cette sortie dans les pieds du redoutable Santamaria, qu'il avait sèchement arrêté dans sa course au but. L'arbitre avait aussitôt désigné le point de penalty. Formici s'était relevé en grimaçant : fracture ouverte du bras droit. Malgré les objurgations du médecin, il avait obstinément voulu tenir sa place dans les cages. Il savait que

278

Carlos Bianchi, l'attaquant rémois, tirait toujours les penalties du même côté. Il arrêterait le ballon sans peine. Bianchi, le meilleur buteur du championnat. Le prince d'Auguste-Delaune. Cette fois, le Rémois avait choisi de tirer de l'autre côté. Et marqué sans difficulté. Formici était sorti du terrain, tenant son bras qui le faisait terriblement souffrir. Le public rémois, n'ayant pas compris qu'il était blessé, l'avait conspué.

« Guy, il fallait pas le chauffer, assénait Moskowski. Un bras cassé, un penalty bêtement encaissé. Ni une ni deux, le voilà qui descend le short et montre son cul. Je te dis pas les sifflets ! Mais le lendemain, à Troyes, Guy avait fait un triomphe de chez triomphe. Le TAF l'avait emporté 3-1 et Formici avait mouché ces péteux de Rémois. »

Et puis Formici avait quitté Troyes pour garder les cages de Montpellier. Privé de sa vedette, le TAF avait disparu du football français. Joss avait été contraint de reporter sa passion sur le FC Nantes de Coco Suaudeau. Il n'avait jamais mis les pieds en Bretagne mais connaissait le stade Marcel-Picot, grâce à la lecture du magazine Onze. Il collectionnait les effigies des Bertrand-Demanes, Rampillon, Pécout, Amisse et autres Bossis. La jeunesse des « Canaris », leur culot remplaçaient dans son cœur l'esprit qu'il aurait tant voulu voir souffler au stade de l'Aube. Son rêve était d'aller les applaudir. Dans l'indicateur de son père, il avait maintes fois regardé comment relier Troyes à Nantes : départ par le train pour Paris à 8 h 37. Arrivée 10 h 10 gare de l'Est. Départ à 11 h 34 de la gare Montparnasse. Arrivée à 15 h 23 à Nantes. Largement à l'heure pour assister à un match. Il devait bien y avoir un bus pour aller au stade.

« Je passais mes soirées l'oreille rivée au transistor à

279

l'écoute du multiplex d'Europe 1. Et je tremblais quand le reporter demandait l'antenne, en direct de Nantes. »

Hamzic l'écoutait faire l'éloge d'Ilija Petkovic, l'inoubliable avant du Troyes-Aube-Football.

« Était-il bosniaque ou serbe ? lui demandait Moskowski.

— Yougo.

— Et Josip Skoblar ; lui, il jouait à Marseille ?

— Yougo aussi. »

Mais avec un prénom comme ça : croate. Josip, c'était le prénom du Maréchal. Bécir se serait bien entendu avec la famille Skoblar, s'ils vénéraient Tito au point de donner son prénom à leur fils.

Un jour Moskowski avait sorti une tablette de hash de son papier alu. Cela faisait plusieurs semaines qu'il n'y avait pas touché, retenu sur son lit sans bouger. Hamzic l'avait observé qui préparait sur la table devant lui un verre, une pastille de charbon et une paille. À la Légion, certains fumaient des joints. Ce n'était pas les meilleurs soldats. Lui, un paquet de cigarettes de Drina suffisait à son bonheur. Il en consommait un par jour. Même à Muska Voda, il avait continué de fumer, dans la chambre ou dehors, au seuil du bâtiment.

Qui ravitaillait Moskowski en came ? Les moudjahidin ? Un pensionnaire de l'hôpital ? Joss avait fini d'installer son dispositif, avec un verre et une paille. On aurait dit une chicha de fortune. Il avait allumé le charbon, et attendait que la pâte se consume, dégageant une fumée épaisse. Il aspira avec application, avant de lui demander :

« T'en veux ? »

Hamzic déclina en secouant la tête.

« Tu ne bois pas, mais tu fumes cette saloperie ?

« — L'alcool, c'est haram, pas le hachich. Le Prophète — qu'Il soit béni — ne l'interdit pas.

— Qu'est-ce que ça veut dire, haram? C'est ce qui est mauvais pour l'homme. Si l'alcool l'est, le hach aussi. C'est pas compliqué, hein?

— Je n'en sais rien. Mais si ce n'est pas haram, c'est halal.

— J'ai vu des mecs qui fumaient ça, devenir des loques. Ils sont au courant, tes copains?

— Ça ne les regarde pas.

— Ah oui? Tu te ravitailles comment?

— Je m'en étais procuré, à Zenica. Il ne m'en reste plus beaucoup. Tu crois qu'on peut en trouver par ici?

— T'en as tellement besoin?

— Contre la douleur, ça vaut tous les calmants. Tu veux essayer? »

Hamzic ne répondit rien.

« Une bouffée ne t'engage à rien... Allez c'est moins dangereux que de sauter en parachute. »

Hamzic sourit, se leva de son lit et s'approcha de son voisin. Celui-ci lui tendit la paille. La pâte se consumait doucement dégageant une lourde fumée qui flottait sous le verre. Il aspira à plusieurs reprises, essayant d'imiter la lenteur pénétrée de Moskowski, avant de s'allonger sur son lit. Bientôt, il sentit l'ivresse le gagner, et monter une impression de bonne humeur. La réalité s'estompait, les bruits de l'hôpital s'éloignaient, son épaule pesait moins lourd. Joss avait raison : il se sentait mieux.

Du jour où il put sortir de son lit pour la prière, Moskowski se sentit revivre. Il s'extirpa de ses draps, et se glissa à terre en se tortillant. Un broc d'eau et une cuvette lui avaient permis de faire ses ablutions. Il avait déroulé un tapis et commencé la récitation des rakia.

Hamzic l'observait. La scène le ramenait quelque vingt ans en arrière dans la medersa de son enfance, quand il pratiquait la salât, à Kladanj, sous la houlette d'un imam. Son voisin se levait avec difficulté sur ses béquilles, s'inclinait, et reprenait son soliloque. Un exercice d'étirement ne lui aurait pas demandé plus d'efforts.

Un jour, visiblement exténué, il avait tenté de se relever, avant de basculer. Il était retombé sur le sol, lourdement, faisant un bruit terrible. Hamzic, qui somnolait à côté, s'était levé et l'avait aidé tant bien que mal de son bras valide. L'autre était lourd. Son épaule blessée faisait encore souffrir Fahrudin. En le relevant, celui-ci l'avait entendu murmurer : « Dieu m'a rendu la vie, je pouvais bien lui offrir ma jambe. »

« Subhana Rabbi al Adhim, Subhana Rabbi al Adhim, Subhana Rabbi al Adhim » : « Gloire à Allah le merveilleux. »

Quand Moskowski tournait rituellement son visage vers lui pour le saluer, « Salaam Aleikum wa Rahmatoullah », « Que la paix et la bénédiction de Dieu soient sur toi », celui-ci lui rendait machinalement son salut. Il se souvenait des préceptes de l'imam de la medersa de Kladanj : « Saluez même s'il vous semble que vous êtes seul à faire votre prière, insistait-il. Car vous n'êtes jamais seuls : les anges sont à vos côtés. Ce sont eux que vous saluez. »

Dans une chambre d'hôtel d'altitude transformé en hôpital, et perdu dans la montagne, loin du tumulte de la guerre, un converti le ramenait, lui, Hamzic, croyant et fils de croyant, à une réalité qu'il avait oubliée : la religion de ses pères. La vie l'en avait éloigné. Chez ses parents, on observait scrupuleusement le ramadan, mais pas la prière quotidienne. Trop occupés. À la Légion, c'était plus difficile encore d'être fidèle aux prescriptions d'Allah : les rations n'étaient pas halal. Il n'était pas rare qu'elles continssent du porc. Hamzic se souvenait du jeune soldat affamé qu'il avait été, obligé de ne pas toucher à un plat chaud qui était « haram ». Les sarcasmes des autres, la faim, terrible. La raison l'avait emporté : mieux vaut manger haram que dépérir. Haram, haram, le mot que prononçait si souvent Moskowski, avait fait surgir des souvenirs.

En priant, son camarade de chambre lui remettait en mémoire les gestes et les paroles de la salât. Les paroles remontaient du plus profond de son être, comme une comptine oubliée, des vers d'enfant que l'on n'a pas récités depuis l'école maternelle.

« Achhadou an la îlaha-illa-llah washadou ana Muhammad rasuli llâhi » (« Je témoigne qu'il n'y a de vraie divinité que Dieu et que Mohammed est son messager »).

Hamzic murmurait ces mots; ça faisait bien quinze ans qu'il ne les avait pas prononcés. En France, si on l'interrogeait sur sa foi, il répondait qu'il était musulman, mais pas pratiquant.

Il n'avait pas su quoi répondre à Moskowski qui lui avait rétorqué avec sa brutalité habituelle : « Tu pourrais aimer une meuf sans le lui dire ni le lui montrer? Pour Dieu (qu'Il soit loué et exalté), c'est pareil : si tu l'aimes, il faut montrer que tu lui es soumis. »

À Kladanj, la fréquentation de la mosquée était réservée aux anciens. Aux heures de la prière, la population active était au travail. On entendait le muezzin, mais jamais personne — hors un ou deux croyants assidus — n'aurait arrêté son ouvrage dans la forêt ou dans son magasin pour faire sa prière. Seul le ramadan était observé, parce qu'il donnait lieu à de grandes fêtes. La rupture du jeûne, à la nuit tombée, récompensait des efforts de la journée. Il se rappelait, lui et ses frères allaient de maison en maison pour manger des burek aux oignons et des gâteaux. Pendant le ramadan, la tuzlanski, et la loza, l'alcool de raisin local, étaient proscrits sur la table.

« Tu vois, on n'était pas de si mauvais musulmans. »

Leurs blessures les fatiguaient. Quand ils n'avaient pas une partie d'échecs en cours, Moskowski et Hamzic restaient sur leur lit, le plus souvent en silence. Ce dernier était las d'errer dans les couloirs de l'hôpital. La compagnie des autres blessés lui pesait désormais. On ergotait à longueur de journée sur la guerre, la bêtise des états-majors. Des anecdotes étaient ressassées à l'infini. Le registre préféré des résidants de Muska Voda était le récit au « si » : « Si je n'étais pas allé là », « si je ne m'étais pas redressé », « si mes chefs », « si l'OTAN », « si ma femme... ». Dans la chambre qu'il partageait avec Moskowski, c'était différent. Leur conversation était plus vivante, plus animée aussi.

Joss était catégorique :

« Les troupes étrangères souillent la terre de Bosnie. »

Fahrudin renchérissait :

« Elles sont surtout inutiles, et même nuisibles : elles ont favorisé par leur inaction les exactions serbes. »

Il revoyait les engins blindés de la Forpronu, croisés sur les routes, parfois à quelques kilomètres des combats. Les Casques bleus n'intervenaient pas, ni ne s'interposaient. Leur mission était floue, incompréhensible. Le bruit circulait que le découragement, la colère, le dégoût gagnaient certains soldats de la paix, devant l'absurdité de leur mission.

« L'OTAN, disait Hamzic, a inventé un nouveau type de soldat : le non-combattant.

— Quand l'Occident veut se battre, il sait très bien le faire, lui rétorquait Moskowski. Lorsqu'il a fallu sécuriser l'approvisionnement en pétrole, les Américains ont trouvé un prétexte, en quelques jours, et envahi le Koweït. Et nos frères saoudiens ont accepté qu'ils violent le sol sacré — tu te rends compte : le lieu même où Allah a dicté le Livre au Prophète (que la bénédiction et la prière soient sur Lui).

Des imams qui l'avaient instruit, Moskowski avait pris cette habitude, quand il prononçait le nom de Dieu ou de son Prophète, d'ajouter une phrase de louange ou de bénédiction. C'était, croyait-il, le signe qu'on était un bon musulman. Son emphase faisait de lui la risée des convalescents qui s'amusaient à le singer.

Hamzic, lui, ne prêtait plus attention au comportement de son voisin. Ce qu'il aimait ces temps-ci, c'était somnoler dehors, tout seul. Profiter d'un rayon de soleil pour s'en griller une, sur un banc devant l'hôpital. Au loin, on entendait le grondement des camions sur Put Spasa. Le ravitaillement s'améliorait. On disait même que les Serbes avaient abandonné certaines positions stratégiques, qui gênaient la circulation sur la piste. C'était de bon augure pour la suite.

À deux ou trois reprises, en sortant de la chambre, Hamzic avait emprunté le Coran de Moskowski. Le livre vert, à la couverture fatiguée, l'intriguait. Sur son banc, à l'écart des autres soldats qui discutaient et s'esclaffaient, il l'avait ouvert. Le texte était en français. Cela lui avait semblé bizarre de redécouvrir des mots qui avaient pour lui la saveur des jours anciens, mais auxquels il accédait par sa langue d'adoption : « L'apôtre et les croyants ont combattu corps et biens. À eux le profit, à eux le bonheur. Dieu leur a préparé des jardins où les ruisseaux circulent. Ils y seront pour toujours. Succès sans bornes ».

« Dieu n'a agi que pour vous annoncer la bonne nouvelle et pour rassurer vos cœurs. Car la victoire ne vient que de Dieu le Puissant, le Sage et pour tailler en pièces une part des incroyants ou les humilier et qu'ils s'en retournent, déçus »...

La clairière était plongée dans le calme. Le temps était doux. Deux blessés s'éloignaient vers la forêt pour une promenade. Hamzic leur fit un petit geste d'amitié. On était loin de la guerre. Il avait feuilleté encore quelques pages du Coran. Les sourates défilaient qu'il se rappelait aussitôt. On ne quitte pas la religion comme ça. Il s'était souvenu de ses réactions quand il traversait un village dont la mosquée avait été détruite : la violence s'emparait de lui. Il savait bien ce qui animait les artilleurs serbes, le plaisir de « faire un carton » : un coup pour évaluer la distance, un autre pour ajuster la mire. Le troisième obus était souvent le bon. D'un point de vue militaire, c'était absurde de détruire les mosquées : elles étaient souvent le seul point élevé qui permettait de se repérer au sol. Mais la logique n'était pas le fort des soldats, dans cette guerre fratricide où prévalaient la haine et la rancune.

Il revoyait tant de villages, qui lui avaient offert le même spectacle navrant, avec leurs édifices religieux ravagés : le mihrab éventré, les tapis recouverts de gravats, et des femmes qui criaient en se griffant le visage, et des hommes qui protestaient, dénonçaient la profanation, appelant à la vengeance. Il aurait suffi qu'une télévision européenne filmât ces scènes de colère pour qu'on croie à un déferle-ment de fanatisme religieux en Bosnie.

Indéniablement, ce qui cimentait les combattants, c'était la religion. Ou du moins l'identité religieuse : comme si elle était devenue nécessaire en temps de guerre, pour résister et se battre. Les Serbes, avec dédain, appelaient les Bosniaques les « musulmans » ; autant être digne de cette éminente condition que l'ennemi lui donnait. Fahrudin Hamzic n'était plus yougoslave, comme dix ans aupara-vant, il était devenu « musulman ».

S'il aimait s'asseoir devant l'hôpital, face au chemin qui menait à la piste qu'empruntaient les ambulances et les camions de ravitaillement, c'était pour lire tranquillement en fumant une Drina. La route devant lui menait à Kla-danj. Et de Kladanj, il avait reçu une lettre d'Ediba.

Il gardait le souvenir d'une fille aux cheveux bruns, et aux beaux yeux noirs avec des longs cils qui lui donnaient un regard attendri. Une fille gaie et douce à la fois qu'il rencontrait quand il allait chercher Husejin chez lui. Un jour, il l'avait aperçue, alors qu'il partait en opé-ration. Elle avait accouru, enjouée, souriante, comme au temps de leur adolescence. Ils avaient échangé quelques mots, trop courts, avant qu'il ne monte dans son véhicule. Elle lui avait fait un signe de la main qui l'avait ému. Et puis les opérations avaient succédé aux opérations. Jusqu'à sa blessure.

Dans sa lettre, Ediba lui disait qu'elle avait appris qu'il séjournait à Muska Voda. Elle savait qu'il était blessé, et espérait que ce n'était pas trop grave. Elle lui donnait des nouvelles de Selma. Ah si, autre chose : elle finissait en disant qu'elle viendrait lui rendre visite.

Hamzic se mit à siffloter : « Put Putuje latif Aga, sa jarenom Sulijmanom, moj jarane Sulejmane, jelti zao Banje luka. » Une chanson de Safet Isovic. Encore une conséquence de la guerre : jadis, il fredonnait des chansons du groupe Police, maintenant un air de sevda. Oui, la guerre avait refait de lui un Bosniaque. En attendant, il lui tardait qu'Ediba vienne lui rendre visite. Il fallait pour cela qu'elle profite d'un convoi, ou que son frère Husejin la monte jusqu'à Muska Voda. Pour la première fois depuis longtemps, Fahrudin avait grand besoin de douceur.

Les médecins étaient formels : la blessure de Moskowski guérissait mal. C'était préoccupant. La plaie provoquée par l'amputation ne parvenait pas à cicatriser. Une vilain pus ne cessait de couler. « Qui a fait ça comme ça ? avait un jour maugréé le médecin. Un boucher ? »

Sa tête quand il venait le visiter et vérifier son pansement, pas plus que ses commentaires, ne rassuraient Moskowski. Il le savait bien, qui avait fait ça : un chirurgien, sur la ligne de front, à quelques centaines de mètres de l'endroit où l'obus avait éclaté ; il avait été opéré dans la poussière et l'odeur d'éther par un homme qui avait fait ce qu'il avait pu. De toute façon, il avait perdu connaissance, terrassé par la douleur. Il ne s'était réveillé qu'à Muska Voda.

La veille, Moskowski avait été pris d'angoisse. Le pus qu'il voyait s'écouler par le drain qu'on lui avait posé l'inquiétait. La perspective de la gangrène, de la mort par pourrissement, le rendait proprement fou. Qu'allait-il devenir ?

Les Serbes pouvaient se reprendre dans les semaines à venir, stabiliser les lignes, peut-être même regagner du terrain, et, tiens, assiéger Muska Voda, il s'en moquait pas mal; sa blessure qui ne guérissait pas était devenue une obsession. Même la prière ne parvenait pas à l'apaiser; il demandait à Dieu (qu'Il soit loué et exalté) de le sauver. Au secours! Il promettait de le servir, de combattre de toutes ses forces à son service; de faire le pèlerinage à La Mecque. Les paroles de l'imam sur l'acceptation de la mort, il avait du mal à les faire siennes.

Il ne disait rien à Hamzic. Devant lui, il continuait à prier. Jamais, il n'aurait exprimé ses doutes, ses angoisses. Ces appréhensions étaient celles d'un mécréant, il le savait. N'empêche, elles faisaient son siège. Il n'allait pas crever ici comme un chien, quand même? Hier encore, le médecin avait eu l'air préoccupé et il était sorti de la chambre l'air songeur, comme s'il réfléchissait, qu'il hésitait à annoncer à son patient une nouvelle funeste.

Moskowski se souvenait des imprécations de ses camarades de Kamenica contre la science, la médecine telle qu'on la pratiquait en Occident. Trop perfectionnée, soutenaient-ils, elle réduisait l'homme moderne à une machine qu'on pouvait réparer à l'infini. Elle devenait une religion en soi. L'humanité la vénérait puisqu'elle lui promettait le bien-être. Pas au paradis, non, tout de suite, après l'opération.

« OK, songeait Joss, mais dans les faits, elle guérit le patient. Et elle lui épargne la souffrance. »

Depuis peu, il lui arrivait de penser avec douceur à sa vie d'avant. Bien sûr, à l'époque, il ne connaissait pas Dieu (qu'Il soit béni et exalté) et vivait loin de ses chemins, comme un chien. Mais au moins, il avait ses deux jambes, allait et venait à sa guise. Lui revint en mémoire une nuit d'été. Il était dans le jardin de la rue des Bas-Trévois, éclairée par des réverbères. Il fumait l'herbe que venait de lui procurer Tony. Aucun éclat de voix. La chaleur était encore palpable. Il se détendait, allongé dans l'herbe, regardant le ciel étoilé. Jones était à ses côtés. Il lui suffisait de tendre la main pour caresser son ventre, sous son tee-shirt. Sa peau était douce. Sur la pelouse, il n'y avait pas de rosée. Il semblait que cette nuit ne finirait jamais, que le jour et son cortège d'activités, de tumulte et de soucis, ne parviendraient pas à dissiper l'obscurité. Et puis l'aube était venue. Il ne l'avait pas vue arriver ; avec Jones, il était monté s'allonger, écrasé de sommeil. Quand il s'était réveillé, le soleil était déjà haut. Sa première pensée avait été pour ces moments ouatés, passés contre cette fille dont il avait déjà la nostalgie. Quelques semaines après, le squat fermait. Il n'avait retrouvé cette sérénité que plus tard, à la mosquée.

C'est par le recours à la prière qu'ici, à Muska Voda, il tentait de retrouver le calme. Il se tenait prosterné, le buste en avant posé sur ses cuisses. « Allahou Akbar ». Il passait de longues minutes, sans se relever, dans ce mouvement de balancier qu'il affectionnait. Ce serait ainsi, tant qu'il n'aurait pas une prothèse.

Au cours d'un de ces moments de recueillement, lui vint comme une évidence qu'il serait préférable de rentrer en France. Plutôt que de croupir ici, il lui fallait partir. C'est sûr : il guérirait mieux à Troyes. Une semaine plus tôt, pareille idée aurait fait naître en lui un sentiment de culpabilité : l'impression qu'il désertait. Maintenant, c'était différent. Il se disait qu'en France, il pourrait aussi combattre pour la cause d'Allah (qu'Il soit béni et exalté). Pas forcément les armes à la main. Mais les imams étaient formels :

il y avait bien des façons de faire le djihad. Tant de ses compatriotes ne connaissaient pas Allah.

Allongé sur son lit, à scruter un plafond dont il connaissait par cœur les moindres fissures, Moskowski s'interrogeait : accepterait-il la vie en France? Tolérerait-il longtemps ces millions de gens sans Dieu? Il pensa à sa mère. Que lui dirait-il quand il la reverrait? Lydie imaginait-elle qu'à deux heures d'avion d'Antibes, des hommes se battaient et mouraient pour leur Dieu?

Il avait mal et voulait ardemment guérir. Le reste n'avait plus d'importance...

Quand elle le retrouverait, sur le seuil de la maison, avec ses cannes et sa jambe de pantalon flottante, elle pousserait de grands cris. Dans son esprit, un accident de la sorte survenait en moto, pas à la guerre. Même pendant les grandes grèves dans la bonneterie, ni elle ni ses camarades de lutte n'avaient été blessées. Au pire, on avait déploré un visage tuméfié, des contusions. C'est à ça qu'il mesurait aujourd'hui l'inanité de cette lutte. Au fond, les ouvriers, en France, ne mettaient rien en jeu. Et d'abord : pas leur vie. L'action syndicale, songeait-il, c'est un jeu de rôle convenu entre le patronat et eux : grève, journée d'action, revendications, négociations, concessions. Lui, il avait laissé sa jambe dans son engagement.

Pour faire plaisir à son fils, du moins le croyait-elle, Lydie demanderait à Daniel — si Daniel il y avait encore — de l'initier au yoga pour apaiser sa douleur. Moskowski n'en avait que faire, du yoga. Sa jambe, il l'avait perdue pour la gloire d'Allah. Celui-ci lui préparait une place à part dans son paradis, quand il mourrait. Le plus tard possible.

Moskowski fut soudainement rempli d'un formidable appétit de vivre.

Un jour Amine monta à Muska Voda. Depuis la mort d'Hassan, il était devenu un bon copain pour Moskowski. C'est drôle la guerre, pensait-il. On s'y contente de peu. Avoir un bon copain, un autre soi-même avec qui on partage tout : le morceau de pain, les éclats de rire. Un soldat seul n'existe pas. Il lui faut un binôme pour monter la garde, effectuer une patrouille. Et aussi pour causer, raconter sa vie d'avant, évoquer à voix haute ses projets, quand la guerre serait finie. Amine tenait désormais cette place, comme Fahrudin Hamzic. Tous les trois évoquaient la situation militaire. Amine leur apportait des nouvelles du front.

Ces derniers jours, il avait plu abondamment. Les moudjahidin avaient encore été envoyés en plusieurs points chauds.

« Monter à l'assaut sous une pluie froide, disait Amine, y a rien de plus désagréable, on glisse, on se pète la gueule dans la boue. »

Les soldats d'Allah avaient une nouvelle fois semé la mort et la terreur dans les rangs serbes. Seule ombre au tableau pour Amine : « On n'a pas bouffé de la journée, tu imagines. Les linijasi n'avaient rien prévu pour nous. Guerriers de mes deux. Nardinamouk. »

Ce soir-là, Amine n'était pas seulement venu pour râler contre le monde entier. Il claironnait :

« Je vais rentrer en France, Bilal. Ça fait six mois que je n'ai pas vu ma famille. C'est pas humain, ça. Y a une voiture qui part la semaine prochaine de Zenica pour la France. J'ai demandé une perm. Le pied, non ? »

Il y eut un temps de silence. Moskowski hésitait à parler. Hamzic le regardait.

« Y aurait de la place pour moi ?

— Je sais pas. Deux autres types de la brigade rentrent aussi. Des rebeus de Vénissieux. Tu les connais pas, je crois... Ce sont eux qui m'ont proposé une place. Je leur demanderai. »

Quand Amine revint pour lui dire que c'était d'accord, qu'il y aurait une place pour lui, Moskowski n'eut plus qu'une idée en tête : convaincre les médecins de le recommander à un hôpital en France. Il demanda à son ami d'effectuer les démarches auprès des autorités militaires de Zenica pour sa démobilisation, et interrogea les médecins, qui parurent prendre sa requête au sérieux. Lors, il pouvait bien prendre le soleil avec Hamzic, fumer une cigarette, discuter avec le chirurgien, écouter de la bouche de ses camarades de l'hôpital les innombrables rumeurs sur la situation militaire, une partie de lui-même était déjà en France.

« Et toi ? disait-il à Fahrudin. Tu rentreras aussi un jour ?

— Pas avant la fin des combats. Moi, je me bats pour mon pays. Après la paix, je verrai si je rentre à Rouen, ou si je reste.

— Ediba ? »

Le garçon avait légèrement rougi. Il haussa les épaules, prit un air évasif.

Depuis quelque temps, Fahrudin avait changé. L'après-midi, il passait du temps devant une table. Il écrivait. De son fauteuil, Moskowski le voyait qui hésitait longuement avant de tracer un mot sur le papier, parfois froissait la lettre avec rage, jurait et recommençait son ouvrage. Ediba ! Joss souriait. Si Jones lui avait laissé une adresse, peut-être que jadis lui aussi aurait sué sang et eau pour choisir à son intention des mots tendres.

Le matin, Fahrudin attendait la liaison du courrier. Elle ne parvenait pas tous les jours à l'hôpital. Et des orages violents avaient causé l'effondrement de la route, à cinq kilomètres de là, coupant Muska Voda de la ville. Des soldats du génie travaillaient, paraît-il, au remblaiement. Hamzic ne tenait plus en place. Il lui tardait que Put Spasa fût complètement rétablie.

Un jour, de la fenêtre de sa chambre, Moskowski vit arriver une jeune fille, brune, pas très grande, aux cheveux courts. Qui était-ce? Les infirmières n'étaient pas nombreuses à Muska Voda. La guerre est terrible, qui divise le monde en deux, les endroits pour hommes et ceux pour femmes. Muska Voda était un lieu pour hommes. Il vit Hamzic s'approcher de la visiteuse. S'approcher? Voler, oui. Il avait surgi dans son champ de vision et s'empressait auprès de la jeune femme. Pas de doute : c'était elle, Ediba. Elle était habillée d'un sweat à capuche rouge, d'un jean, et portait de grosses chaussures de montagne. Elle avait dû se faire conduire jusqu'à l'endroit où la route était effondrée, puis avait fini à pied, dans les ornières et la boue. Moskowski les regarda qui s'éloignaient puis disparaissaient au coin du bâtiment, hors de sa vue. Il fut submergé par la mélancolie.

En fin d'après-midi, Hamzic rentra, et sans un mot s'allongea sur son lit; il resta un moment à regarder le plafond. « La position du guetteur aérien », comme on disait à la Légion. Joss, qui somnolait, se tourna vers lui :

« C'était elle?

— Oui. Comment tu la trouves? »

Ediba était revenue le surlendemain et les jours suivants. Les deux jeunes gens s'étaient retrouvés, après tant d'années, lui le soldat et elle la jolie fille de Kladanj. Au début, ils s'asseyaient sur un banc ou marchaient dans la forêt alentour. Ils se parlaient peu. Hamzic était un peu intimidé ; il n'avait jamais été à l'aise avec la tendresse.

Cette fois-là, ils avaient marché jusqu'à la source qui donnait son nom à l'endroit. D'abord ils avaient chahuté comme des enfants sur la rive, s'étaient même un peu éclaboussés. L'air était chaud, Ediba avait retiré son sweat. Dans le mouvement, son chemisier s'était soulevé, dénudant une jolie peau dorée. Cette intimité soudainement révélée avait fait fondre Fahrudin. Et puis ils s'étaient allongés au bord de l'eau, se distrayant par le seul trajet de l'eau entre les pierres. Leurs pieds avaient commencé à s'entremêler, d'abord par jeu.

Soudain Fahrudin s'était relevé. Il s'était approché de la source, avait recueilli de l'eau dans sa main et l'avait bue. Puis il en avait donné à la jeune fille. Il avait mis dans ces gestes un soin religieux. Assis dans l'herbe, ils étaient restés un bon moment en silence. C'est Ediba qui avait parlé la première.

« La guerre va bientôt finir.

— Qu'en sais-tu ?

— J'ai lu dans le journal qu'à Sarajevo va s'ouvrir une boutique Benetton. Ça sent sacrément la paix.

— Benetton à Sarajevo ? Dans quel quartier ?

— En centre-ville, près de Markale. Le magasin est protégé par des sacs de sable. Mais il est approvisionné. À la première occasion, Fahrudin, je descends. »

Hamzic avait souri. Benetton, la marque arc-en-ciel, qui avait tant voulu incarner la fraternité et la concorde universelle. À quoi jouait-elle ? Son installation à Sarajevo annonçait-elle vraiment la paix ? Ou était-ce une nouvelle opération de communication à bon compte ? Le créateur italien était capable de tout. À la télévision allemande, il avait appris sa dernière trouvaille : une publicité montrant le treillis ensanglanté d'un Bosniaque, surmonté du slogan « United Colors of Benetton ». Cette provocation avait suscité l'indignation. Enfin, l'indignation européenne. Les Bosniaques avaient autre chose à faire qu'à s'offusquer de l'utilisation qu'on faisait de leur souffrance.

Benetton à Sarajevo, cette perspective mettait Ediba de bonne humeur. Elle avait les yeux qui brillaient. Mais soudain, sous les cils, son œil s'était fait plus grave :

« Est-ce que tu vas partir, toi aussi ?

— Pourquoi tu me demandes ça ?

— J'ai appris que ton ami allait rentrer en France.

— Il risque la gangrène. Pas moi.

— C'est ta seule raison de ne pas partir ? »

La jeune femme avait baissé les yeux et sa bouche avait pris un pli timide et mutin à la fois. Fahrudin tendit la main et caressa sa joue. Ediba la prit dans la sienne. Elle était chaude.

À la fin de la journée, posté sur la route qui descendait à Kladanj, il l'avait longuement suivie des yeux. Ediba s'était retournée plusieurs fois et lui avait envoyé un baiser avec la main. Cette fois, Hamzic avait juré de quitter Muska Voda au plus tôt, pour regagner Kladanj et la retrouver.

Moskowski avait facilement obtenu de la direction de l'hôpital l'autorisation de partir pour la France. Un chirurgien lui avait remis une lettre pour les hôpitaux français, glissée dans son dossier médical, où une note détaillait succinctement l'état de sa jambe. C'était écrit dans un jargon incompréhensible. Qu'importe, il suffisait de voir le membre amputé et tuméfié pour comprendre.

Maintenant il était impatient de partir, de retrouver sa mère, d'affronter son incompréhension, ses questions.

La boule d'angoisse était revenue, que ne parvenaient pas toujours à apaiser les moments de prière quotidienne. Il rongeait son frein. Comme il n'avait eu de cesse qu'il ne parte se battre, désormais il n'aspirait plus qu'à rentrer. Son temps était accompli. Il voulait guérir, inch'Allah. L'attente le rendait nerveux.

Fahrudin lui avait rapporté la nouvelle de l'ouverture du magasin Benetton qui réjouissait Ediba. Moskowski avait éclaté d'un rire tonitruant, excessif, mauvais. Benetton à Sarajevo ? Le piège ! Ce n'était pas la paix qui arrivait, c'était le pire de la culture occidentale : le fric et la dérision. En prononçant ces mots, il ne riait plus. Sa bouche était tordue, son visage soudain redevenu dur surprit Fahrudin : celui-ci crut revoir le moudjahid agressif du début de son séjour. Où était le garçon détendu des dernières semaines qui avait été un gai compagnon de chambre ? Évanoui d'un coup ?

« Tu ne trouves pas ça indécent ? Le commerce a donc tous les droits, même celui de ne pas respecter comme un sanctuaire une ville où des milliers d'habitants ont trouvé la mort depuis quatre ans ?

— C'est la vie qui renaît...

— La prochaine étape, c'est quoi ? L'installation de distributeurs de préservatifs offerts par l'Union européenne, hein... Allez, il vaut mieux que je me casse d'ici, pour ne pas voir ça. On met les bouts. »

Fahrudin ne répondit rien.

Une Golf blanche surgit dans la clairière, faisant vrombir son moteur. À l'intérieur du véhicule, Amine lui fit un signe. Il était en compagnie de deux autres garçons. Les types de Vénissieux : Kamel et Mohammed. Amine le lui avait dit : c'étaient des durs. Ils avaient fait des prodiges au sein de la brigade. Moskowski, qui les attendait assis sur un banc, son sac de sport à ses pieds, lui rendit son signe.

La semaine précédente, Amine lui avait apporté son ordre de démobilisation signé du général commandant la 7e brigade dont dépendaient les moudjahidin. Moskowski avait mis le précieux papier dans son portefeuille, avec son dossier médical. Ces documents, c'était des laissez-passer vers la guérison. Il revivait déjà.

Dans la douceur de la fin de l'été bosniaque, il regardait pour la dernière fois le panorama, d'un côté la forêt à l'infini, et de l'autre, la vallée qui conduisait à Kladanj. Des convalescents qui passaient lui faisaient un signe, l'interpellaient. « Alors, Bilal, c'est fini ? » « Tu rentres à Paris ? Embrasse pour moi madame la tour Eiffel. » S'il était français, il était forcément parisien. La France se confondait avec sa capitale : c'était un pays borné à l'ouest par l'Arc de triomphe, au sud par la tour Montparnasse, le Sacré-Cœur au nord... Il souriait. Oui, promis, juré, il leur enverrait des cartes postales.

La voiture s'était arrêtée devant lui, dans un crissement de pneus. Moskowski se leva, vacilla, cherchant son équilibre sur ses cannes, comme un héron, pour empoigner son sac. Amine voulut l'aider, il le repoussa. « Je ne suis pas un handic'. » Il sautilla jusqu'à la voiture pour mettre son bagage dans le coffre. Quand il le posa, il rendit un son métallique dont il sut aussitôt l'origine :

« Des armes ? »

Amine donna un coup de menton en direction des garçons.

« C'est Kamel, il rapporte des souvenirs en France. »

Il souleva une couverture qui recouvrait deux kalachnikovs, et des armes de poing : des pistolets Tokarev et un Beretta. Moskowski garda le silence. Il se glissa dans la voiture à côté d'Amine. À l'avant, Kamel et Mohammed firent un geste du menton : « Salam ! » Kamel était au volant ; Mohammed avait le bras en écharpe. Une balle prise lors de la dernière opération à laquelle il avait participé. La scoumoune. Il était temps pour lui de partir.

La voiture s'élança. Moskowski regarda dans le rétroviseur. Sur le seuil, Hamzic lui faisait un grand signe. Par la fenêtre ouverte, il lui rendit son salut. L'hôpital de Muska Voda disparut de sa vue dès que la voiture entra dans la forêt pour rejoindre la piste. Celle-ci semblait en bon état au moins sur ce tronçon. Kamel accéléra. Les hommes gardaient le silence. Soudain, Moskowski fixa dans le rétroviseur le regard du chauffeur.

« Tu feras comment à la frontière, avec tes armes ?

— M'emmerde pas avec ça... »

La voiture suivait le chemin qui menait à Kladanj avant d'emprunter un sentier de forêt qui montait vers les cimes. Un panneau sommaire, peint à la main, indiquait « Put pasa » ; les garçons n'y firent pas attention. Que voulait dire « Put pasa » ? Chargée, la voiture gravissait la montagne en première. Les pneus patinaient sous les cailloux, la boîte de vitesses souffrait ; la Golf progressait lentement. Et puis enfin le sommet ; au faîte, Kamel passait en seconde, la voiture s'engageait dans la pente, soudain légère, et le voyage se poursuivait.

Depuis quelques semaines, la situation de la Bosnie s'était bien améliorée. Des routes avaient été rouvertes. On voyait encore les chevaux de frise et les traverses de bois qui avaient servi aux Serbes à dresser des barrages. Les engins de la Forpronu avaient déblayé, en poussant dans les fossés ces entraves à la libre circulation des personnes.

Il fallut prendre du gas-oil. Les stations-service n'étaient pas nombreuses ; s'en présenta une du côté de Knin, en Croatie. Le dernier plein, les garçons l'avaient fait à Olovo. Kamel ralentit en rétrogradant brusquement, secouant les passagers de la voiture. Faute d'appuis, Moskowski qui se sentait ballotté depuis le départ se cogna contre le dossier du siège devant lui. Il étouffa un juron. La voiture se gara devant une pompe. Mohammed sortit.

« On a de l'argent croate ? demanda Moskowski.

— J'ai des marks », répondit Kamel en tapotant sa poche.

Le pompiste apparut sur le seuil de sa maison. De son bras valide, Mohammed lui fit un geste pour montrer qu'il était très capable de se servir lui-même. L'homme resta à la porte, et alluma une cigarette. Mohammed introduisit le pistolet de la pompe dans le réservoir. La station était déserte. Kamel attendait sagement au volant. Il échangeait des regards avec Mohammed, et scrutait autour de lui. Chouffer, vieux réflexe de soldat. Quand une Mercedes antique et imposante s'arrêta sous l'auvent, s'interposant entre la Golf et le pompiste, Mohammed très calmement raccrocha le pistolet à la pompe, ouvrit la porte de la voiture comme s'il cherchait son portefeuille. Soudain, il se jeta sur le siège et lança à Kamel : « Démarre ! » Le temps que le pompiste, masqué par la Mercedes, réagisse, la Golf avait repris la route à vive allure. Les deux garçons éclatèrent de rire.

« Tu vois, il n'y avait aucun problème. Avec nous, tu peux te payer ce que tu veux. »

Il avait sorti de sa poche un Magnum 357 et l'avait désarmé.

« Si le mec s'était interposé, t'aurais fait quoi ? demanda Moskowski.

— J'aurais tiré.

— Sur ce pauvre type ?

— Qu'est-ce qu'on a fait ces derniers mois ? À Zvornik ? À Gradacac ? À Kozluk ? On a tiré sur des mecs pareils à celui-ci. C'est la guerre, mon pote. Partout où on passe, c'est la guerre.

On est des moudjahidin, pas des assassins. »

Kamel haussa les épaules et alluma une cigarette.

« Tuer, c'est haram », murmura Moskowski entre ses dents.

Il garda le silence. Ce n'était pas le vol d'essence qui le choquait. Il l'avait déjà pratiqué. C'était lors de vacances avec Hamon, Jeanne d'Arc, Sylvia et Duclair. À la fin de l'été, l'argent se faisait rare. Les boîtes de nuit de la région avaient eu raison de leurs économies. Duclair attendait un mandat de ses parents. Mais les jeunes gens n'envisageaient pas de réduire leur train de vie. C'est Hamon qui avait trouvé l'idée. Chaque soir, les garçons se mettaient en quête d'une voiture dont le réservoir n'était pas fermé par un bouchon verrouillé. Il en restait quelques-unes dans le parc automobile français des années 80. Un simple tuyau, un bidon. Il suffisait d'aspirer, jusqu'aux lèvres. L'essence venait toute seule. C'était un jeu d'enfant qui faisait économiser quelques centaines de francs. De quoi se payer un bon resto, après la plage. Sur la route du retour, les garçons éclataient de rire dans la voiture. Comme Kamel et Mohammed. Ça le frappait, Moskowski, ce même rire, énorme, forcé. La même justification. Il entendait Hamon : « Voler des bourgeois, c'est pas complètement voler. Ces cons votent tous UDF. » UDF, l'insulte. Pour Hamon, cet acronyme voulait dire modéré, libéral, incertain.

Ce qui rendait perplexe Moskowski, c'est que Kamel ait envisagé de tuer pour un plein. Ici, on n'était plus au front. Le Coran était formel : « Ne tuez personne, Dieu l'interdit, sauf en juste cause. Quiconque est tué injustement, nous donnons droit de vengeance à son proche mais qu'il n'excède pas les limites du meurtre et il sera secouru. » Il ne dit rien. La juste cause, c'était les combats pour la libération de zones livrées aux pillages des Serbes. Pas le ravitaillement en essence. Du reste, était-il loyal d'abattre un pompiste désarmé ? Kamel répondait oui. C'était le problème : dans la voiture, il n'y avait pas d'imam pour les départager. Pour Kamel, leurs états de service en Bosnie pour la cause d'Allah leur conféraient le droit de voler de l'essence, et même d'abattre de sang-froid un homme. Ils étaient de justes combattants. Leur conduite se confondait avec les volontés de Dieu. Ce pompiste était croate, donc chrétien. L'exécuter, c'était accomplir les volontés d'Allah, pensait-il. Moskowski n'en était pas sûr. Il ouvrit le Coran, le feuilleta, cherchant une sourate qu'il avait lue quelque temps plus tôt. « Vous ne les avez pas tués. C'est Dieu qui les a tués », lut-il. Mektoub ! C'était écrit.

Husejin fut dépassé par une Golf blanche occupée par quatre garçons. Il la remarqua aussitôt que la voiture apparut dans son rétroviseur, parce qu'elle allait vite. Trop vite pour cette route. Elle avait surgi, et l'avait doublé à un endroit où il y avait peu de visibilité. Il avait entendu le rugissement du moteur qui rétrograde, avant l'accélération du bolide qui déboîte. Pas de clignotant pour l'en avertir. Cet usage était réservé aux petits vieux. Le conducteur avait l'air pressé. Et les occupants agités. Ils faisaient de grands gestes. Ces quatre-là étaient-ils en goguette, ou se disputaient-ils ?

Depuis quatre ans, il en avait vu, Husejin, des chauffards, des impatients, et aussi des lambins, des pusillanimes. Sur les routes de Bosnie, on trouvait tous les types de conducteurs. Tout au long de Put Spasa, c'est bien simple, il était quasiment impossible de doubler : la voie était trop étroite, souvent dangereuse. Sur des kilomètres, on n'avait que le loisir d'observer le véhicule devant soi, de fixer la nuque de ses occupants, de rêver sur ce que pouvait être leur vie, des heures durant. Sur les routes de la côte croate, et à plus forte raison sur les tronçons d'autoroute, c'était différent, plus praticable.

Husejin regarda la Golf filer devant lui et disparaître après un tournant. Il émit un petit claquement de langue. Bonne route, messieurs.

La fin de la guerre se profilait. Les Américains semblaient désireux d'imposer la paix aux belligérants. Combien de temps ça prendrait ? Trois mois ? Six ? Les premiers signes de l'évolution de la situation se profilaient. Routes rouvertes, trafic plus fluide, stations-service approvisionnées. Cela faisait longtemps qu'Husejin n'avait pas connu les longues heures d'attente aux checkpoints, passées à refaire le monde avec les copains ou à jouer aux cartes.

Que ferait-il une fois la paix revenue ? Husejin n'y avait pas encore pensé. Depuis quatre ans, il vivait au jour le jour, sans se préoccuper d'autre chose que de son camion. C'est peu dire qu'il en prenait soin. Moteur, cabine, plateforme, il inspectait son camion, le nettoyait comme il ne l'aurait pas fait pour une maison. Sans lui, Husejin ne pouvait plus travailler. Sans lui, il n'existait plus.

La guerre avait compliqué les projets. Pas plus qu'on ne savait s'il pleuvrait le mois prochain, on ne savait si le convoyage durerait une semaine ou un mois. Et puis voilà que depuis peu, l'horizon s'ouvrait. La paix en passe de revenir, il pouvait se prendre à rêver : « Où serai-je l'an prochain ? »

Oui, qu'allait-il faire ? Reprendre son travail de transporteur de bois ? Ses allées et venues jusqu'à Split lui avaient ouvert des perspectives plus larges. Il ne voulait plus se contenter des routes secondaires de Bosnie, à lui les grandes autoroutes de l'Europe. Il pourrait aller travailler en Allemagne. Ses collègues disaient que là-bas, le réseau routier était exceptionnel, et les entreprises de transports embauchaient. Il demanderait à son patron de faire l'Europe de l'Est, ça lui permettrait de passer régulièrement chez lui pour embrasser sa mère et sa sœur.

À moins qu'il ne les emmène avec lui. Qu'il ne les installe dans une de ces petites maisons coquettes d'Allemagne qu'on voyait à la télévision, avec des fenêtres fleuries qui donnaient sur la montagne. Mais Ediba choisirait peut-être de rester à Kladanj. Elle lui avait parlé de Fahrudin quelques jours plus tôt, avec les yeux qui brillaient. Sacré Fahrudin, revenu faire la guerre et qui avait aussi trouvé l'amour. Enfin, s'ils étaient heureux.

Il faudrait que Selma accepte de vivre en Allemagne. Elle avait passé toute sa vie dans le même village du centre du pays. Elle ne soupçonnait pas qu'à quelques centaines de kilomètres de là, la vie était différente, plus paisible, plus prospère. Accepterait-elle le confort, elle qui disait qu'elle tombait malade dans une maison chauffée, que ça lui donnait mal à la tête ? Husejin aurait bien voulu que sa mère vive ses dernières années dans la paix. Depuis le début de la guerre civile, elle avait vieilli. S'était tassée. Avait du mal à marcher. Elle avait vécu cette guerre comme un éternel et lassant recommencement. Ce fléau revenait tous les cinquante ans. Entre-temps, s'écoulait un laps, une parenthèse où l'on pansait ses plaies, où l'on avait des enfants, où l'on se préparait à la suivante. Husejin rêvait que Selma connaisse autre chose. L'Allemagne représentait pour lui l'abondance, les magasins régulièrement approvisionnés, les trottoirs aménagés pour les personnes âgées ou handicapées, les hôpitaux propres et confortables, les cinémas nombreux proposant des films récents.

Dès qu'il serait rentré, il lui en parlerait. Il connaissait la réponse. Elle ne porterait pas sur leur installation en Allemagne, mais sur son célibat. Sa mère voulait qu'il se marie. La paix revenue rendrait peut-être possible la réalisation de ce vœu.

Husejin débraya et dans un fracas passa la vitesse supérieure. Comme libéré, le camion accéléra.

Moskowski avait fini par s'assoupir. Il fut réveillé par les éclats de voix de Kamel et Mohammed qui chahutaient à l'arrière de la voiture. Amine avait pris le volant. Cela expliquait la conduite plus douce. Peu avant la douane croate, la voiture s'arrêta près d'un chemin de traverse; Kamel et Mohammed en sortirent, prirent dans le coffre leurs armes qu'ils mirent dans un sac de sport. Ils étaient convenus de se retrouver quelques kilomètres plus loin. Amine et Moskowski restèrent seuls dans la Golf : ils étaient deux amis qui quittaient le pays, avec des papiers en règle et un certificat de l'armée bosniaque se portant garant d'eux. L'attente fut longue. Une file de camions se dessinait devant les postes de contrôle. Les douaniers inspectaient chaque véhicule avec soin. Depuis le début de la guerre, cette route était celle de tous les trafics. Il tombait une petite pluie fine.

« Faut toujours passer une frontière sous la pluie, dit Amine. Les douaniers sont gelés et impatients de se mettre au sec.

— Kamel et Mohammed vont être boueux.

— Et de mauvaise humeur, s'ils ont attendu des heures sous la flotte... Mais faut savoir ce qu'on veut... »

Le douanier qui les contrôla les interrogea : d'où venaient-ils ? Transportaient-ils des cigarettes ? De l'alcool ? Il posait ses questions machinalement, écoutant à peine les réponses. Un de ses collègues arriva, et leur demanda de sortir de la voiture. Il entreprit de se glisser sous le véhicule, inspecta le coffre, et ouvrit les trappes, au-dessus des roues, en y glissant les bras. Une cache idéale pour dissimuler un revolver. Heureusement que la quincaillerie de Kamel n'était plus là. Le fonctionnaire souleva encore les tapis, se pencha sous les sièges, tapota le plafond, revint à la roue de secours qu'il ausculta gravement ; il la dévissa de son socle, l'empoigna et la conduisit sur une table placée le long du véhicule, où se trouvaient déjà les sacs des occupants de la Golf. Amine et Moskowski pouvaient s'estimer heureux. La voiture qui les précédait avait été conduite à l'écart, et une grappe de douaniers avait entrepris d'en démonter les roues.

Des chiens sortirent d'un bâtiment et se mirent à fureter, puis à tourner autour d'eux. Le shit ! Ils étaient dressés pour en repérer l'odeur. En équilibre sur ses cannes, Moskowski regardait son sac sur la table. Il en avait contenu, des barrettes. Ces bêtes-là avaient un flair très développé. Elles allaient sentir l'odeur qui avait imprégné le tissu. Une cartouche de Drina était posée sur la table à côté du sac, et les chiens tournaient autour. Ils ne paraissaient pas faire attention à lui. Moskowski pouvait bénir Tony et ses conseils : « En cas de contrôle de police, le shit, dans le froc, immédiatement. Ton odeur couvre celle de la dope. Les chiens ne la trouvent pas. » Il avait obéi. Les chiens

310

n'avaient pas reniflé la barrette qu'il cachait au fond de son slip. Pour tout dire, depuis son départ de l'hôpital, il ne s'était pas lavé, même les mains. Il sentait fort. Tant mieux. Un douanier avait entrepris de vider consciencieusement chaque poche du sac militaire, sortant un pull, un paquet de pansements individuels, une carte routière, une lampe électrique, un treillis boueux, un livre : son exemplaire de *Putain de guerre*. Un chien avait le nez enfoui à l'intérieur, fouinant entre ses effets, grognant en remuant la queue mais ne trouvant rien.

« Where do you come from ? »

Le douanier avait parlé avec un mauvais accent.

« From war. On était cantonnés à Zenica. » Moskowski montrait sa feuille de démobilisation.

« Et vous allez où ?

— En France.

— Quelle est votre route ? »

Il traduisit à Amine qui désigna sur une carte le point frontalier où il envisageait de passer pour gagner l'Italie, à Rijeka. Le douanier nota l'information sur une fiche, et leur fit signe. Il gagna une guérite avec ce pas lent qui exaspérait tous les conducteurs. Au bout de quelques minutes il revint, leur tendit un papier. La voie était libre.

Quelques kilomètres plus loin, ils retrouvèrent leurs compagnons de voyage, un peu boueux, sur une aire le long de la route.

Mohammed et Kamel attendaient depuis plusieurs heures, humides mais rigolards.

« Une promenade. Il manquait qu'un comité d'accueil avec des majorettes », lâcha Kamel, avant de partir d'un grand rire.

Leur entrée en Croatie s'était faite sans encombre, par

un bois que connaissaient tous les contrebandiers de la région. Hormis un court passage à découvert, où il leur avait fallu ramper, il avait suffi qu'ils marchent un long moment dans la campagne. L'expédition ne leur avait pas pris une heure. Ensuite, ils avaient attendu.

Dès qu'il avait aperçu la voiture, Mohammed était allé chercher le sac contenant les armes, qu'il avait dissimulé dans un fossé. C'eût été trop bête, en cas de contrôle inopiné par une patrouille, de se faire surprendre en possession d'un bagage compromettant. Par les fenêtres ouvertes, les garçons se tapèrent dans les mains, à la manière des joueurs de tennis en double, qui viennent de marquer un point.

Amine avait mis dans l'autoradio une cassette. Mais très vite, Kamel lui avait intimé l'ordre d'éteindre. La nuit tombait et les Pink Floyd l'empêchaient de dormir. « All in all you're just another brick in the wall »...

« Tu préfères Oum Kalsoum ?

— Ta gueule, regarde devant toi. »

La station-service était comme un havre au milieu du flot des véhicules qui filaient à toute allure sur l'autoroute. L'aire paraissait immense. On y trouvait une cafétéria, un kiosque à journaux, un restaurant, des animations pour les enfants. Les automobilistes allaient et venaient; celui-ci jouait avec son chien pour se dégourdir les jambes, celui-là fumait sentencieusement, adossé à sa voiture.

Depuis qu'ils avaient dépassé Trieste, les panneaux bleus de l'autoroute annonçaient non plus Zagreb ou Ljubljana mais Venezia, Padova, Verona, Milano. La route était belle, entre mer et montagne. À travers la vitre, Moskowski apercevait des maisons qui surgissaient au milieu des cyprès. Le ciel était d'un bleu à peine voilé. Il guettait le moment où il verrait indiqués Genève et Lyon. Imperceptiblement, ils basculaient dans un autre monde.

Amine avait arrêté la voiture le long d'une pompe, à quelques dizaines de mètres du bâtiment où les voyageurs payaient. On pouvait aussi acheter de la nourriture ou de la lecture. Il y avait de tout dans cette boutique, des magazines, des cassettes vidéo, des poupées en chiffons, des animaux en peluche. Du parking, les visiteurs s'y rendaient, attirés comme l'insecte par la lampe. Il y aurait du café, de l'eau, des biscuits.

Il y avait eu une discussion entre eux, pour savoir s'ils paieraient l'essence, mais la raison l'avait emporté. La grivèlerie, ça pouvait passer en Croatie, mais en Italie c'était du suicide.

« On est dans l'espace européen, les mecs. Notre signalement serait aussitôt diffusé. On va pas se faire piquer pour ça. Pas de blague, hein ? »

Kamel et Mohammed avaient acquiescé, en riant et se donnant des coups de coude. Des durs, eux ? Des gosses, oui.

Pendant qu'Amine faisait le plein, ils étaient entrés dans le magasin. Moskowski était resté dans la voiture. Il avait une furieuse envie de pisser et de se dégourdir les jambes. Les picotements dans son mollet devenaient insupportables.

Que pouvaient-ils bien faire, Kamel et Mohammed ? Ils achetaient de la nourriture ? Feuilletaient une revue porno ? Pas de danger de ce côté-là, au moins. Il entendit le bruit métallique du pistolet qu'on raccroche à la pompe. Amine avait fini le ravitaillement. Il rentra dans l'habitacle quand Moskowski ouvrait sa portière de son côté :

« Je sors pour marcher un peu.

— Ne t'éloigne pas. Dès que Kamel et Moh sont de retour, on met les voiles.

— T'as un rancart ?

— Non, mais toutes ces pauses, ça fait baisser notre moyenne. »

Amine démarra et gara le véhicule quelques mètres plus loin. Juché sur ses cannes, Moskowski le vit sortir pour aller

314

payer. « Un papi, Amine, avec sa moyenne. » Il s'éloigna des pompes. Le soleil qui se réverbérait sur le béton faisait se dégager une forte odeur de gas-oil qui l'incommodait. Il fit quelques pas en direction d'un bosquet d'arbres. L'air était tiède, le bruit du trafic formait comme un ronronnement continu ; des hommes et des femmes allaient et venaient autour de lui. Il s'appuya sur le dossier d'un banc et alluma une cigarette.

Il vit Amine qui sortait du magasin et lui fit un signe. Son ami s'installa au volant. Le connaissant, il allait profiter de quelques minutes de répit pour dormir. C'était un truc de guerrier, ça. Profiter du moindre moment pour s'assoupir. À la fin d'une journée, cette succession de siestes pouvait ressembler à un vrai petit somme réparateur.

Quand Kamel et Mohammed arriveraient à leur tour, Moskowski leur rappellerait qu'il fallait faire la prière. Sur la pelouse, devant, ce serait très facile de dérouler leurs tapis. Amine protesterait : sa moyenne. Mais dans la sourate LXXIV, le Prophète est formel : si le combattant n'a pas le temps de prier à l'heure demandée par Allah, nécessité fait loi, qu'il récite ce qu'il peut, il lui suffit de se rattraper un peu plus tard. Et l'on disait l'islam rigide. Le croyant savait s'adapter.

Moskowski finissait sa cigarette. Ce serait un beau témoignage donné au monde. Il regardait les automobilistes qui se pressaient vers le restaurant, impatients de manger, de boire, oublieux de l'hommage qu'ils devaient rendre à Allah (que son Nom soit exalté).

Soudain il entendit des coups de feu. La porte s'ouvrit et Kamel et Mohammed sortirent en courant, cherchant la

Golf des yeux. Ils la virent, sur leur gauche, bousculèrent un couple qui arrivait en sens inverse, et rejoignirent précipitamment la voiture. Moskowski pensa : « Qu'est-ce qu'ils ont encore fabriqué, ces deux-là ? » Plus le temps de discuter. Ils s'expliqueraient dans la voiture.

Il empoigna ses cannes et se mit à marcher du plus vite qu'il put. Une bouffée de chaleur le prit. Encore un pas, un autre... Pour un infirme comme lui, la voiture était loin. Pourquoi s'était-il autant écarté ? Ce départ précipité n'était pas prévu, non plus...

Il ne vit pas un rebord de trottoir, buta, se rétablit. Merde, merde, et merde. Alors qu'il se remettait en marche à grand-peine, il entendit un crissement de pneus. Il était en sueur. Amine avait démarré. Il évita un véhicule qui faisait une marche arrière, accéléra, pila devant Moskowski.

« Monte, fissa ! »

Kamel sortit, ouvrit la porte arrière et le poussa à l'intérieur de la voiture. Ses cannes l'encombraient. Il se cogna au montant de la porte, lâcha l'une d'elles qui tomba sur la chaussée. Il jura. Amine n'entendit pas, et lança la Golf qui s'engagea à toute allure sur la voie qui menait à l'autoroute.

Au loin, des sirènes se firent entendre.

Lydie était en séjour à Antibes quand l'interphone sonna. Daniel était sorti. Elle n'attendait personne. Elle rentrait de la plage. C'était une belle journée de printemps, une de celles où l'on se prend à songer sérieusement au retour du soleil, de la chaleur et du bien-être.

Quand l'homme se présenta à l'interphone, « Capitaine Guiraut, de la DCRI », elle pensa aussitôt : « Joss. » Quelle bêtise avait-il encore fait, celui-là? Plusieurs semaines avaient passé sans qu'elle reçoive des nouvelles de lui. Il aurait pu lui écrire, quand même. L'action humanitaire ne le prenait pas au point de l'empêcher de rassurer sa mère.

Quelques minutes plus tard, une silhouette se détachait dans l'encadrement de la porte de l'ascenseur, sur le palier. Elle fit entrer un colosse en veste de cuir, cheveux courts et yeux clairs, suivi de deux autres policiers.

« Madame Moskowski? »

Guiraut lui apprit la mort de Joss. La veille, sur l'autoroute entre Gênes et Nice, la voiture qu'il occupait avait été prise en chasse par les carabinieri italiens. Dans une station-service, deux hommes avaient commis un hold-up. Ils avaient ouvert le feu sur le caissier et dérobé quelques milliers de lires. Le malheureux était aujourd'hui entre la vie et la mort.

La police s'était rapidement rendue sur les lieux. Une course-poursuite s'était engagée sur l'autoroute avec les gangsters. Elle avait duré un quart d'heure, et avait connu son terme contre une pile de pont. Sous la violence du choc, ses occupants avaient été tués sur le coup. L'autopsie le préciserait. Les victimes étaient quatre garçons qui rentraient de Bosnie.

« Parmi elles, on a identifié votre fils, notamment grâce à un ordre de démobilisation. Dans le coffre, on a retrouvé des armes. »

Lydie s'adossa au mur. Joss, son enfant. Il y avait quelques mois seulement qu'il avait quitté la maison, mais, dans les faits, si longtemps... Il était devenu tellement distant. Presque un étranger pour elle. Elle avait cru que c'était l'entrée de Daniel dans sa vie qui l'avait contrarié. Elle avait pensé : « Ça lui passera. » Et subitement, elle réalisait : il était parti, il n'était plus. Elle ne s'était guère souciée de lui ces dernières semaines. Qu'avait-il vraiment fait ? Elle fut prise de vertige. Le soleil qui plongeait dans l'appartement donnait une lumière blanche qui l'étourdissait. Elle s'assit.

« Vous dites que l'accident s'est produit près de Savone...

— Oui, madame. Je suis désolé. Sincèrement. Voici ce que votre fils avait sur lui au moment de l'accident. »

Il lui tendit une pochette en plastique transparent.

« Madame Moskowski, nous avons besoin de savoir ce que faisait votre fils en Bosnie. Pour quelle raison rentrait-il en France ? Vous avait-il informée de son retour ? Avec qui voyageait-il ? Nous avons besoin de renseignements, et de votre témoignage. Pouvez-vous nous suivre, s'il vous plaît ?

— Je vous demande quelques minutes... »

Guiraut et ses hommes reculèrent pour attendre dans l'entrée. Lydie s'assit à la table de la salle à manger.

Elle ouvrit la pochette et la vida. Elle reconnut le passe-port de Joss, avec une photo qu'elle n'aimait pas. Ce n'était pas lui cet air dur, ce regard fixe. Il y avait aussi une boule de papier aluminium, une carte Orange et des cigarettes. Des documents écrits dans une langue étrangère et un livre épais, abîmé. Elle l'ouvrit et lut : « Au nom de Dieu, le Clément, le Miséricordieux. »

Composition CMB Graphic.
Achevé d'imprimer
sur Roto-Page
par l'Imprimerie Floch
à Mayenne, le 21 juin 2013.
Dépôt légal : juin 2013.
Numéro d'imprimeur : 85074.
ISBN 978-2-07-013444-1 / Imprimé en France.

184487